Über die Autorin:

Kerstin Gier hat als mehr oder weniger arbeitslose
Diplompädagogin 1995 mit dem Schreiben von Frauen-
romanen begonnen. Mit Erfolg: Ihr Erstling *Männer und
andere Katastrophen* wurde mit Heike Makatsch in der
Hauptrolle verfilmt, und auch die nachfolgenden Roma-
ne erfreuen sich großer Beliebteit. *Ein unmoralisches
Sonderangebot* wurde mit der »DeLiA« für den besten
deutschsprachigen Liebesroman 2005 ausgezeichnet.
Heute lebt Kerstin Gier, Jahrgang 1966, als freie Autorin
mit Mann, Sohn, zwei Katzen und drei Hühnern in einem
Dorf in der Nähe von Bergisch Gladbach.

Kerstin Gier

FISHERMAN'S FRIEND
in meiner Koje

Roman

BASTEI LÜBBE TASCHENBUCH
Band 16172

1. Auflage: April 1998
2. Auflage: August 1998
3. Auflage: Juni 2007

Vollständige Taschenbuchausgabe

Bastei Lübbe Taschenbücher in der Verlagsgruppe Lübbe

Originalausgabe
© 1998 by Verlagsgruppe Lübbe GmbH & Co. KG,
Bergisch Gladbach
Umschlaggestaltung: Kirstin Osenau
Titelbild: © getty-images / Paul Costello
Satz: Druck und Grafik Siebel, Lindlar
Druck und Verarbeitung: Ebner & Spiegel GmbH, Ulm
Printed in Germany
ISBN 978-3-404-16172-0

Sie finden uns im Internet unter
www.luebbe.de

Der Preis dieses Bandes versteht sich einschließlich
der gesetzlichen Mehrwertsteuer.

Für Jo und Heidi,
meine erste und beste Crew,
für Frank L., meinen ersten
und besten Skipper,
für Biggi, meine erste
und beste Freundin

Und für Frank – nicht der Erste,
aber mit Abstand der Beste!

1

»**Mutter-Teresa-Seniorenheim**«, murmelte ich vor mich hin. »Was für ein dämlicher Veranstaltungsort für einen Segelkurs.«

Mutter-Teresa-Seniorenheim, das klang nun wirklich nicht nach dem Ort, an dem *das* Abenteuer meines Lebens seinen Anfang nehmen sollte.

Aber man darf weder Menschen noch Orte nach ihren Namen beurteilen, und ich zwang mich, den Namen in einem romantisch verklärten Licht zu betrachten. Warum sollte es nicht möglich sein, hier einen Mann zu treffen, der noch seine eigenen Zähne hatte? Denn das war letzten Endes mein zugegeben niederes Motiv. Das Segeln wollte ich nur in zweiter Linie erlernen.

»Hier irgendwo muss es sein«, sagte meine Schwester und verminderte das Tempo abrupt. Der Fahrer im Wagen hinter uns drückte empört auf die Hupe.

Ich zeigte ihm einen Vogel, was er in der Dunkelheit vermutlich nicht erkennen konnte, und sah noch einmal auf meine Wegbeschreibung.

»Mutter-Teresa-Heim, Eingang links – na ja, wenigstens einen Straßennamen und eine Hausnummer hätte man ja dabeischreiben können«, nörgelte ich. »Wer kennt sich bei den Altenheimen schon so genau aus?«

»Seniorenwohnheim«, verbesserte Rebecca. »Und es liegt auf der Hand, dass das Mutter-Teresa-Heim in der Mutter-Teresa-Straße liegt – oder?«

Ich nickte zustimmend. Zu dieser Schlussfolgerung waren wir nach gemeinsamer detektivischer Kleinarbeit über den Stadtplan gelangt. Zu unserer Rechten tauchte jetzt ein höheres, verklinkertes Gebäude auf, das sehr stark nach Seniorenwohnheim aussah.

»Das ist es«, sagte ich siegessicher.

Rebecca schaute sich nach einem Parkplatz um. »Wir sind eine Vierstunde zu früh«, stellte sie dabei fest, und weil es ja nichts Peinlicheres gibt, als zu früh zu kommen, parkten wir ein bisschen weiter die Straße runter und saßen die Zeit bis acht Uhr im Auto ab. Dabei ergingen wir uns in wilden Vermutungen über die Zusammensetzung der Kursteilnehmer.

»Bestimmt lauter Rentner, die ihren Schrebergarten gegen ein Motorbötchen eingetauscht haben«, unkte ich aus purem Zweckpessimismus. In Wahrheit hoffte ich auf ein paar unheimlich nette, junge Intellektuelle mit guttrainierten Brustmuskeln. Nur für den Fall, dass heute Abend ein solcher anwesend sein würde, hatte ich mich ziemlich in Schale geschmissen, natürlich den Verhältnissen dezent angepasst. Wollweißer Zopfpulli und Jeans, die Haare zu einem Zopf geflochten.

Leider war mir mit den Haaren ein kleines Malheur passiert. Ich hatte wieder mal eine der angeblich auswaschbaren Tönungen ausprobiert. Nach Flamingo, Mandarine und Chayenne-Rot diesmal Paprika-Rot. Aus Schaden wurde ich einfach nicht klug.

In Wirklichkeit bin ich eine Blondine, hellgoldblond, eine Haarfarbe, mit der ich vor allem im Sommer immer

8

zufrieden bin. Leider aber wachsen die Haare im Winter am Scheitel mindestens zwei Nummern dunkler nach, und dann sieht es so aus, als hätte ich sie zuvor gefärbt. Allein deswegen erlag ich immer so um die Weihnachtszeit der Versuchung, zu einer Rothaarigen zu mutieren.

Irgendwo hatte ich gelesen, dass blonde Menschen aussterben und weniger als ein Prozent der Weltbevölkerung ausmachen und man als Blonder deshalb nicht nur etwas ganz Besonderes ist, sondern auch sozusagen die moralische Verpflichtung hat, das Aussterben der blonden Subspezies zu verhindern. Dank der Blondinen, die die Frechheit besitzen, sich mit Brünetten fortzupflanzen, werden echte Blondinen wie ich bald ausgestorben sein. Da musste ich doch wirklich nicht noch hergehen und mich paprikafarben machen! Zu allem Überfluss sah es nämlich auch beschissen aus! Und dann wieder das alte Problem: von wegen auswaschbar nach vier bis fünf Haarwäschen. Hahaha!

»Das wächst sich aus«, meinte meine Schwester tröstend. »In drei bis vier Jahren wirst du wieder blonde Gene vererben können.«

Ich musste lachen. Es war wohl nicht sehr wahrscheinlich, dass sich meine vorübergehende Rothaarigkeit vererben würde. Ganz davon abgesehen, dass ich im Augenblick nicht vorhatte, mich fortzupflanzen.

»So«, sagte Rebecca schließlich. »Es ist eine Minute nach acht. Wenn wir jetzt reingehen, sind wir exakt fünf Minuten zu spät, also echt cool. Bist du bereit für das Abenteuer deines Lebens?«

Ich strich mir eine paprikarote Strähne aus dem Gesicht und straffte meine Schultern. »Ich bin bereit.«

»Bleib cool«, sagte Rebecca. »Und noch was: Es ist nicht nötig, dass du jedem gleich auf die Nase bindest, dass du meine kleine Schwester bist. Und dass ich einen Mann und ein Baby habe, geht auch keinen was an, klar?«

»Klar«, sagte ich voller Aufregung, ohne nach dem Grund zu fragen. Äußerlich echt cool schlenderten wir durch den hellerleuchteten Eingang des verklinkerten Baus. Gleich hinter der Tür stand eine Frau und lächelte uns herzlich an.

»Bitte ziehen Sie Ihre Schuhe gleich hier vorne aus«, sagte sie mit einer Stimme, die keine Widerrede duldete.

Etwas verwirrt taten wir wie geheißen.

»Ist der Stefan schon da?«, erkundigte sich Rebecca bei der Frau nach unserem Segellehrer.

»Das weiß ich nicht. Ich kenne die Teilnehmer noch nicht mit Namen. Gleich zu Anfang werden wir erst einmal ein Kennenlernspiel veranstalten. Oh, guten Abend.« Hinter uns hatte ein Pärchen den Flur betreten, die Frau war eindeutig schwanger. »Bitte ziehen Sie die Schuhe gleich hier vorne aus.«

Rebecca und ich schlurften auf Socken in den nächsten Raum. Hier bot sich uns ein unerwartetes Bild. Auf Turnmatten verteilt saßen jeweils zwei meist händchenhaltende Personen, Mann und Frau, und sämtliche Frauen hatten eines gemeinsam.

»Alle schwanger!«, entfuhr es Rebecca.

»Wir sind hier falsch«, schloss ich messerscharf und wandte mich an die Schwangere auf der Turnmatte gleich neben der Tür. »Wissen Sie vielleicht, wo der Segelkurs stattfindet?«

Die Schwangere schüttelte den Kopf.

Rebecca kam ein schrecklicher Verdacht. »Ist das am Ende gar nicht das Mutter-Teresa-Heim?«

Wieder Kopfschütteln, diesmal von allen Turnmatten. In stummer Übereinkunft hasteten wir zurück zu unseren Schuhen. Glücklicherweise wusste die Dame am Eingang den Weg zum Seniorenheim.

»Da sind Sie aber noch ein paar Minuten unterwegs«, sagte sie.

Rebecca sah auf ihre Uhr. Es war bereits Viertel nach acht.

»Echt cool«, meinte ich unglücklich. Noch peinlicher, als zu früh zu kommen, ist es, zu einer offiziellen Veranstaltung erst dann zu erscheinen, wenn alle anderen schon Platz genommen haben und der Vortragende seine Begrüßungsworte bereits hinter sich gebracht hat. Die Blicke, mit denen man bei solchen Gelegenheiten bedacht wird, sind im höchsten Maße krebserregend.

»Dann besser gar nicht«, sagte ich im Brustton der Überzeugung, aber davon wollte Rebecca nichts wissen. Sie scheuchte mich im Laufschritt zu unserem Wagen zurück und bretterte dann kamikazemäßig zum echten Mutter-Teresa-Seniorenheim. Das lag bereits in tiefster Dunkelheit. Es war nach acht, da mussten die Senioren schon schlafen. Nur der Eingang links war notbeleuchtet.

Da aber über der Tür groß und deutlich »Mutter-Teresa-Heim« stand, folgte ich Rebecca, ohne zu zögern, in den nach Desinfektionsmitteln riechenden Flur.

»Und jetzt?« Vor uns breitete sich ein menschenleerer, kilometerlanger Gang mit unendlich vielen Türen aus. »Woher willst du wissen, in welchem Raum dein toller Segelkurs stattfindet?«

11

Auch Rebecca sah ratlos aus. Dann aber griff sie hinter sich zum Lichtschalter und knipste das Licht aus. Der Flur war sofort in gespenstisches Dunkel getaucht. Orientierungslos tastete ich nach der Wand.

»Was soll das?«, rief ich ungehalten.

»Das kann ich dir sagen«, hörte ich die Stimme meiner pfiffigen Schwester. »Ich will sehen, unter welcher Türschwelle hier noch Licht ist.«

Das war zugegebenermaßen clever von ihr. Und es funktionierte. Nur der Raum hinter der ersten Tür links schien beleuchtet zu sein. Rebecca knipste das Flurlicht wieder an und drückte energisch die Klinke hinab. Ich wartete noch, bevor ich ihr folgte – schließlich konnte es immerhin sein, dass sie einen aufsässigen Senioren überraschte, der unerlaubterweise nach acht Uhr noch fernsah oder sich einen runterholte. Aber wir hatten den richtigen Raum erwischt. Leider!

Alle Augenpaare durchbohrten uns mit unfreundlichen Blicken. Am unwilligsten guckte der bebrillte junge Mann, der sich vor den zusammengerückten Tischen neben einem Flip-Chart aufgebaut hatte. Darauf konnte man die vielversprechenden Worte »Navigation, Gezeiten, Seemannschaft, Wetter und Gesetzeskunde« lesen.

»Hallo, Stefan«, sagte Rebecca. Sie kannte den Bebrillten persönlich – er war unser zukünftiger Segellehrer.

»Hallo«, erwiderte er mürrisch und wartete ansonsten stumm, bis wir uns gesetzt hatten. Ich ließ mich peinlich berührt neben meiner Freundin Bille nieder.

»Haben wir was verpasst?«

»Nö«, erwiderte sie. »Nur das Allerwichtigste. Was es kostet, welche Bücher wir brauchen und was genau in den einzelnen Unterrichtsstunden durchgenommen werden soll.«

»Zum Segeln muss man Enthusiasmus mitbringen«, sagte der Typ mit Brille, beinahe ohne seine Lippen zu bewegen. Man wusste nicht, ob man seinen Worten glauben sollte oder seinem Tonfall. Von Enthusiasmus keine Spur.

»Steht der unter Valium?«, erkundigte ich mich flüsternd bei meiner Schwester. Ich hatte mich mittlerweile von unserem peinlichen ersten Auftritt erholt und mich gründlich im Raum umgesehen. Dies war eindeutig der Saal, in dem die Senioren nachmittags Bastel- und Tangokurse abhielten, die Fenster waren immer noch mit weihnachtlichen Goldpapiersternen verziert, in der Luft hing der Geruch von Korega-Tabs. »Oder hat der schadhafte Zähne?«

»Nein, der ist immer so«, flüsterte Rebecca zurück.

Ich seufzte. Bille neben mir seufzte auch. Dies war schließlich die sogenannte Schnupperstunde, die einem so richtig Lust aufs Segeln machen sollte.

»Die Stunden werden ziemlich hart sein, die Theorie ganz schön langweilig, der Lernstoff verdammt schwierig. Da bleibt der Spaß zwangsläufig auf der Strecke«, pries der Segellehrer seinen Unterricht an. In mir keimte der Verdacht, dass er am Ende gar nicht wollte, dass der Kurs zustande kam.

Außer Rebecca, Bille und mir saßen nur noch sechs weitere Personen um die Seniorenkaffeetafel herum.

»Kann man hier auch den Binnenschifffahrtsschein

13

machen?«, fragte die Frau mir gegenüber nun schon zum dritten Mal. Sie trug eine von diesen Lupenbrillen, die die Augen optisch mindestens verdreifachen.

Der Segelmensch antwortete geduldig, was er schon zweimal erklärt hatte, nämlich dass wir hier den Sportbootführerschein See und den BR-Schein erwerben könnten, also eine Berechtigung zum Führen von Segelyachten. Ich fragte mich nicht zum ersten Mal, wofür ausgerechnet ich so einen Schein erwerben sollte. Ich saß keineswegs aus freien Stücken auf den zugegebenermaßen bequemen Stühlen. Meine Familie hatte mir auf Rebeccas Anraten hin diesen Segelkurs zu Weihnachten geschenkt.

Ich bin Steinbock, das langweiligste Sternzeichen überhaupt, und Rebecca war diejenige, die mir eingeredet hatte, ich solle diesen Segelkurs als *das* Abenteuer meines Lebens betrachten. Tja, wenn man den Worten des Segellehrers Glauben schenken konnte, dann wurde daraus schon mal nichts. Und außerdem hatte ich den starken Verdacht, dass Rebecca mein Weihnachtsgeschenk aus rein egoistischen Motiven ausgesucht hatte, denn *ich* hätte viel lieber eine neue Nähmaschine bekommen.

Rebecca war es nämlich, die es nach einem Abenteuer dürstete, obwohl sie in meinen Augen die glücklichste Frau der Welt war. Sie hatte einen Mann, der sie auf Händen trug, eine kleine Tochter, die noch auf Händen getragen werden musste, und einen gutgehenden Laden, in welchem sie selbstentworfene Klamotten verkaufte. Was ihr fehlte, wusste wohl nur sie selber, wenn überhaupt.

Sie kannte den schlaftrunkenen Segellehrer vom Volleyball und hatte versucht, mir sowohl ihn als auch den ganzen Kurs auf die unterschiedlichste Weise schmackhaft zu machen.

»Segeln ist der einzige Sport, den auch Unsportliche wie du ausüben können, Judith«, sagte sie unter anderem, was sehr ungerecht war, weil ich mindestens sechsmal im Jahr joggte und ganz passabel Schach spielen konnte.

»Es kann einfach nicht schaden, wenn man im fortgeschrittenen Alter noch mal seine Gehirnzellen in Schwung bringt«, meinte sie außerdem. Von fortgeschrittenem Alter konnte höchsten bei ihr die Rede sein, ich war nämlich erst achtundzwanzig – und damit vier Jahre jünger als sie. Was meine Gehirnzellen anging, die waren durch mittlerweile siebzehn Semester Germanistikstudium wohltrainiert.

Wobei ich fairerweise sagen muss, dass ich nur noch nebenbei studierte. Hauptberuflich war ich Künstlerin. Das heißt, ich bastelte sehr hübsche Marionetten, eigentlich ohne jeden künstlerischen Anspruch. Aber ich hatte das Glück, einen Bruder zu haben, der mich managte und eine Galerie ausfindig gemacht hatte, die meine Puppen als Kunstobjekte ausgab und verkaufte. Für Leute mit Geld, aber ohne Kunstverstand waren sie genau das Richtige: naiv, dekoraktiv und teuer. Besonders um die Weihnachtszeit gingen sie weg wie warme Semmeln.

Im Sommer, wenn sich das Guthaben auf meinem Konto bedrohlich gegen null neigte, jobbte ich zusätzlich als Sekretärin, Urlaubsvertretung in einer Firma für Einwegkleidung.

Studium, künstlerische Passion und Job hielt ich Rebecca unter die Nase, dazu meine Hobbys – nämlich auf dem Sofa und im Biergarten rumhängen, Klamotten in der Waschmaschine einfärben und Mozzarella-Tomaten essen – wo bitte sollte ich vielbeschäftigte Person noch Zeit für einen Segelkurs finden?

Daraufhin änderte sie ihre Taktik und appellierte an meine niederen Triebe. Leider muss ich zugeben, dass das funktionierte.

»Stell dir vor, du auf einem Boot mitten in der Ostsee und lauter kernige, braungebrannte Typen um dich herum.« So ungefähr lautete der Satz, dem ich es zu verdanken habe, dass ich jetzt tatsächlich hier saß und bereit war, die Kunst des Segelns zu erlernen.

Außerdem, einem geschenkten Gaul schaut man bekanntlich nicht ins Maul, und meine alte Nähmaschine tat es noch ganz gut. Nur, leider, die knackigen Typen waren hier doch ziemlich rar gesät.

»**Ja, aber kann** man denn hier auch den Führerschein für Binnengewässer machen?«, fragte die Frau mir gegenüber wieder und rollte bedrohlich die Augen.

»Nein«, antwortete der Segellehrer jetzt knapp.

»Aber die Karin, die war letztes Jahr hier, und die hat den Binnenführerschein gemacht.«

»Kann nicht sein«, widersprach der Segellehrer. Er kannte keine Karin, das sah man ihm deutlich an.

Miss Binnenschifffahrt machte ein so beleidigtes Gesicht, dass ich meinen Hintern darauf verwettet hätte, dass diese Schnupperstunde die erste und letzte für sie war. Ich persönlich würde ihr nicht hinterhertrauern.

Außer Miss Binnenschifffahrt saß noch eine übellaunig dreinblickende Frau da, die zwar alles mitschrieb, was der Segellehrer sagte, aber so aussah, als würde sie eigentlich lieber den Führerschein für Planierraupen machen. Neben ihr ein mittelalter Mann, der sein Handy vor sich auf dem Tisch deponiert hatte, und ein weißbärtiger Herr, der sich mehrfach nach Angelmöglichkeiten während des Ausbildungstörns erkundigte. Auf der anderen Seite saß ein ausgesprochen seriös wirkendes Ehepaar Ende fünfzig.

Nur ein einziger Teilnehmer schien zu halten, was Rebecca versprochen hatte. »Ich bin Mick«, hatte er sich vorgestellt. »Man nennt mich auch Micky.«

Micky war kein bisschen mickrig, hatte schöne blaue Augen und einen kleidsamen Dreitagebart. Das war natürlich auch Bille nicht verborgen geblieben.

»Süß«, flüsterte sie mir zu.

»Ich sehe hier nur einen einzigen halbwegs kernigen Typen, und den will schon meine Freundin«, wandte ich mich vorwurfsvoll an Rebecca, während der Segelmensch das Band vom letztjährigen Ausbildungstörn in den Videorekorder legte.

»Die anderen kommen erst nächstes Mal«, behauptete Rebecca.

Wer's glaubt, wird selig!

Diese Mickymaus würde wohl oder übel für uns alle herhalten müssen, das sah ich schon kommen.

»Ich hab' ihn zuerst gesehen«, flüsterte mir Bille zu.

Das hatte ich jetzt von meinem echt coolen Zuspätkommen. Aber im Grunde freute mich Billes Interesse an einem anderen Mann als Burghart über alle Maßen.

Burghart war Billes Freund. Ich konnte ihn nicht leiden. Es soll ja öfter vorkommen, dass man den Freund der besten Freundin nicht ausstehen kann, aber all jenen, denen es so geht, möchte ich zurufen: »Ja, ich weiß, Heinz-Peter, Michael und Bruno, die sind alle schrecklich, aber seht euch Burghart an und seid dankbar, denn nun wisst ihr, es kann noch viel, viel schlimmer kommen!«

Immerhin hatte ich es Burghart zu verdanken, dass Bille mir bei diesem sogenannten Abenteuer Gesellschaft leistete. Burghart war nämlich ein begeisterter Segler. Er und Bille fuhren regelmäßig an irgendwelche holländischen Binnenseen und schipperten auf einem Katamaran herum, Burghart als Kapitän, Bille als bewundernder Decksklave. Burghart teilte seine Mitmenschen grundsätzlich nur in zwei Kategorien ein: die Stümper und die Bewunderer. Bille musste abwechselnd für beides herhalten.

Allerdings besaß Burghart noch keinen entsprechenden Segelschein. Nicht, dass er das nicht sofort und ohne Vorbereitung mit links hinter sich gebracht hätte, aber er hätte einfach zu wenig Zeit, sagte er. Weil er noch so viele andere Sachen um die Ohren habe.

Bille glaubte sich zur Abwechslung mal seiner Bewunderung sicher zu sein, wenn sie diesen Segelschein erwerben würde. Aber mit dieser Annahme lag sie so gründlich daneben wie mit der ganzen verfahrenen Beziehungskiste als solcher.

Burghart flippte nämlich völlig aus, als er hörte, dass Bille ihm bald etwas voraushaben würde.

»Ihr beiden Luschen und den BR-Schein schaffen? Dass ich nicht lache!« Er entrang sich ein paar künstliche Haha-Laute.

18

»Soviel ich weiß, ist der Kurs noch nicht voll belegt«, sagte ich. »Da wäre sicher noch ein Platz frei – für eine Lusche wie dich!«

Burghart ignorierte mich einfach. Das tat er meistens.

»Niemals packst du das, Bille! Wo du nicht mal richtig Auto fahren kannst!«

Jetzt musste ich aber lachen! Erst vor zwei Wochen hatte nämlich *er* Billes vor der Tür parkendes Fahrrad zu Brei gefahren, seiner Ansicht nach, weil es nicht vorschriftsmäßig (!) beleuchtet (!) gewesen war; meiner Ansicht nach, weil selbst ein Fahrrad noch einen höheren IQ hat als Burghart.

»Du traust mir wohl gar nichts zu, was?«, fragte Bille leicht gekränkt.

»Jedenfalls das nicht«, meinte Burghart. »Das wäre rausgeschmissenes Geld, ehrlich. Außerdem find' ich das irgendwie affig. Die totale Angabe.«

»Und ich dachte, du freust dich. Weil ich dann weiß, was ich tun soll, wenn wir das nächste Mal segeln gehen.«

»Einen Scheiß wirst du wissen«, knurrte Burghart. »Aber wenn du dich unbedingt lächerlich machen willst, bitte!« Dabei machte er ein Gesicht zum Reinhauen. Das heißt, in mir weckte dieses spezielle Gesicht (und eigentlich auch alle seine anderen) das Bedürfnis zuzuschlagen, bei Bille hatte es in der Regel eine andere Wirkung.

Sie sagte dann meistens: »Wenn du meinst...« Was den gewalttätigen Teil in mir noch höher auf die Palme trieb.

Zu meiner großen Überraschung war es diesmal anders.

Bille sah Burghart in die Augen und sagte fest: »Schade, dass du das so siehst. Aber ich hab' mich schon angemeldet und zieh' das jetzt durch.«

»Du wirst ja sehen, was du davon hast«, rief Burghart da aus, und mit dieser undurchsichtigen Drohung rauschte er aus der Wohnung.

Er wohnte ein Stockwerk über Bille, und dort hörten wir Sekunden später die Tür knallen. Noch ein paar Sekunden später hörten wir die Toilettenspülung rauschen.

»Jetzt ist er sauer«, erklärte Bille. »So was verursacht immer Durchfall bei ihm. Sofort. Er hat dann nicht mal Zeit, die Klotür zuzumachen.«

Die Vorstellung von Burghart mit angeschlagener Verdauung hinter der offenen Klotür trug dazu bei, mich ganz schnell von meiner Überraschung zu erholen.

»Toll«, lobte ich Bille. »Endlich zeigst du mal wieder Profil! Ganz die alte Bille!«

»Ich hab' mich doch nicht verändert!«

»Ach nein?« Ich zog ironisch eine meiner Augenbrauen hoch, ein mimisches Kunststück, das ich vor dem Spiegel zur Vollkommenheit trainiert hatte. »Und wer sagt neuerdings statt Joghurt immer Lactobazillus?«

Dazu konnte sie dann nichts mehr sagen. Der Lactobazillus war nämlich noch die harmloseste Veränderung, die seit Beginn ihrer Freundschaft zu Burghart in ihr vonstatten gegangen war.

Immerhin, dass sie es auf sich genommen hatte, Burgharts Verdauung zu stören, war ein erster Schritt zur Besserung. Und ich würde alles daransetzen, Burghart zu beweisen, dass wir jedenfalls keine Luschen waren. Dieser verdammte Segelschein, das schwor ich mir, würde unser sein.

Auf dem Fernsehschirm flimmerte es gelb. Nach und nach – dies war eindeutig ein Amateurvideo – formierten sich daraus ein paar Gestalten in Ostfriesennerzen und Südwestern, die verfroren in die Kamera winkten. Der Wind blies kräftig. Die Kamera machte einen Schwenk über Unmengen von grauem Wasser. An einer besonders tristen Stelle fror der Segellehrer das Bild ein.

»Da!«, stieß er für seine Verhältnisse ungewöhnlich aufgeregt hervor und zeigte auf die Wasserfläche. »Seht ihr das?«

»Ja, allerdings. Könnten wir den Ausbildungstörn nicht auf dem Mittelmeer machen?«, erkundigte sich Bille fröstelnd.

»Da!«, wiederholte der Segellehrer ungeduldig und tippte auf einen Punkt im Wasser. »Weiß einer von euch, was das ist?«

Sogleich hagelte es Vorschläge von allen Seiten.

»Ein herrenloses Surfbrett?«, wagte sich Rebecca vor. Surfer waren die einzigen Idioten, denen sie zutraute, dass sie bei diesem Wetter aufs Wasser gingen. Aber es war wohl kein Surfbrett, aus dem ungehaltenen Blick zu schließen, den ihr der Segellehrer zuwarf.

»Ein Hai?«, mutmaßte Miss Binnenschifffahrt, und jetzt war allen klar, warum sie sich lieber auf die Binnengewässer verlegen wollte.

Hai war ebenfalls unzutreffend.

»Eine leere Bierdose«, riet Mickymaus. Guter Tipp, aber leider auch falsch.

»Seht doch mal genau hin«, empfahl der Segellehrer.

Alle beugten sich vor. Auch ich kniff die Augen zusammen und versuchte, den kleinen Flecken zu identifizieren, aber es gelang mir nicht.

Meine Kurzsichtigkeit war dabei ein zusätzliches Handicap.

»Eine Tonne«, rief der männliche Teil des seriös aussehenden Ehepaars plötzlich triumphierend aus.

»Richtig!« Der Segellehrer lächelte zum ersten Mal breit. Dabei registrierte ich, dass mit seinen Zähnen tatsächlich alles in Ordnung war. »Und was für eine Tonne?«

»Eine Regentonne?«, mischte ich mich spontan ein. Ich wollte nicht, dass jeder gleich merkte, wie kurzsichtig ich war. Ich trug nämlich keine Brille. Außerdem hatte ich blitzschnell geschaltet, dass *Mülltonnen* wohl kaum so weit draußen auf der Ostsee rumtrieben.

Ich stutzte. Regentonnen eigentlich auch nicht. Ärgerlich biss ich mir auf die Lippen. Warum konnte ich auch nie meinen Mund halten?

Die anderen grinsten auch prompt, und die Frau, die aussah, als ob sie eigentlich lieber den Führerschein für Planierraupen erwerben wollte, lachte sogar aus voller Kehle.

»Mein Gott wie dämlich«, japste sie schließlich. Mit der Regentonne lag ich wohl gründlich daneben.

»Haha«, sagte der Segellehrer und musterte mich böse. Offenbar fühlte er sich verarscht.

Bille stieß mich in die Seite. »Du kleiner Scherzkeks! Tonnen nennt man diese Bojendinger, die die Schifffahrt kennzeichnen.« Das war wohl eine Tatsache, die hier jedem außer mir bekannt war.

Der seriöse Herr schaute immer noch konzentriert auf den Bildschirm.

»Gelb, schwarz, gelb«, sagte er. »Das müsste demnach eine Gefahrentonne sein. Und zwar liegt die Gefahr hier im Osten der Tonne.«

»Sehr gut«, freute sich der Segellehrer. Die Ehefrau des Tonnenfachmannes strahlte.

»Du weißt aber auch immer alles, Heinrich!«, flötete sie.

Nach dieser sensationellen Enthüllung durften wir das Video zu Ende sehen. Die dick vermummten Gestalten waren abwechselnd mit schönen Sonnenuntergängen in Szene gesetzt worden, es wurde Beck's Bier getrunken und mehrmals der »Biene-Maja-Song« angestimmt, falsch, aber laut. Der Segellehrer lächelte erinnerungsträchtig vor sich hin, und einmal sang er sogar leise mit.

»Uuund diessse Biene, die ich meine, die heißt Majaaaaa, kleine süße Biene namens Maja…« Man konnte nur hoffen, dass das Lied nicht zwingend erlernt werden musste, wenn man sich denn nun entschloss, tatsächlich an diesem Segelkurs teilzunehmen.

»Also dann bis zum nächsten Mal«, sagte der Segellehrer optimistisch und packte seine Sachen zusammen.

»Also, ich werde nicht kommen«, meinte die mit der Lupenbrille, was ich ja schon gehofft hatte.

»Wir kommen«, verkündete die Ehefrau des Tonnenspezialisten und lächelte ihren Heinrich an. »Und wir bringen Freunde von uns mit. Ein segelerfahrenes Ehepaar. Sie besitzen eine Yacht auf Ibiza.«

Na toll, das segelerfahrene Ehepaar war sicher auch schon scheintot, genau wie der mit dem weißen Bart, der jetzt verkündete, dass er ebenfalls mit von der Partie sein würde, und zwar zusammen mit einem Freund.

»Aus dem Seniorenheim«, flüsterte ich Bille zu. Tatsache war ja, dass sie in diesem Fall nicht weit zu gehen hatten.

»Es gibt immer noch diesen Mick«, meinte Bille und schaute ihm hinterher. Ich ebenfalls.

»Das ist allerdings ein Argument«, sagte ich dann.

23

8. JANUAR.

Jetzt reicht's. Alles muss man sich nicht gefallen lassen. B. kam gerade und hat mir endlich sein Weihnachtsgeschenk gebracht.

Es ist Augencreme. Für die Haut ab vierzig.

B. sagt, die war sündhaft teuer.

Ich bin noch keine dreißig, habe ich ihm gesagt, aber das weiß B. ja selbst.

Er sagte, meine Krähenfüße bereiteten ihm Kummer.

Sagte ihm, das seien Lachfältchen, keine Krähenfüße.

Er sagte, ich solle mir nichts vormachen, der Zahn der Zeit nage auch an mir.

Habe aber auch in letzter Zeit wenig Grund zu lachen. B. trifft sich mit einer Kollegin namens MELANIE. Er sagt, sie sehe aus wie Julia Roberts, nur besser.

Habe ihm im Gegenzug von diesem Mick aus unserem Segelkurs erzählt. Habe gesagt, Mick sieht aus wie Brad Pitt in Brünett, nur besser. Und der Segellehrer wie Keanu Reaves. Schön wär's ja!

B. tat so, als glaubte er mir kein Wort.

Habe ihm dann meine neuen Schuhe vorgeführt. B. meint, darin hätte ich kurze Beine. Werde die blöden Dinger morgen umtauschen.

2

Dass ich eine vielbeschäftigte Frau war, habe ich ja schon an früherer Stelle erwähnt. Allerdings habe ich vergessen, in diesem Zusammenhang Leonard, meinen Freund und Liebhaber, anzuführen. Leonard war ein ziemlich zeitaufwendiges und pflegeintensives Hobby, und ich überlegte schon seit geraumer Zeit, es wieder aufzugeben.

Ich war mal sehr in Leonard verliebt gewesen, ich hatte ihn sogar für *die* große Liebe schlechthin gehalten. Mittlerweile bin ich allerdings anderer Ansicht. Dabei war Leonard, grob betrachtet, wirklich beziehungsfähig. Er sah gut aus, verdiente sein eigenes Geld und vergaß niemals meinen Geburtstag. Er betrog mich nicht (oder wenn doch, dann so geschickt, dass ich absolut nichts davon merkte), und er hatte im Großen und Ganzen die gleiche Einstellung zum Leben wie ich. Nein, grob betrachtet war mit ihm alles in Ordnung.

Es waren Kleinigkeiten, die mich zu einer Meinungs-änderung veranlasst hatten, jene scheinbar völlig neben-sächlichen Eigenarten, die man bei sich selber klaglos akzeptiert, ja sogar still und heimlich für sympathisch hält.

Eben diese Kleinigkeiten töteten mir bei Leonard den

letzten Nerv. Die Art, wie er das Frühstücksei köpfte, nämlich die breite Spitze zuerst. Oder wie er nieste. Nicht »hat – schi« wie jeder normale Mensch, sondern »hu – scha!« Unerträglich. Und dann aß er Nudeln zusammen mit Apfelmus! Hat man so was schon mal gehört?

Das absolut Schlimmste aber war seine Angewohnheit, kleine Verse vor sich hin zu sprechen, bei jeder sich bietenden Gelegenheit. Die Kinderreime, die den lieben Kleinen die Tücken des Lebens erleichtern sollen, hatte Leonard sich genau eingeprägt, und seit Kindergartenzeiten waren sie ein unverzichtbarer Teil seines Alltags. Er war eben ein Mann mit Sinn für Traditionen.

»Die Schlinge durch das kleine Törchen, fertig ist das Hasenöhrchen«, sagte er, wenn er sich die Schuhe zuband.

Aß er etwas mit den Händen, leckte er diese hinterher einzeln ab und sagte dabei: »Erst kommt der Daumen, der schüttelt die Pflaumen, der hier sammelt sie auf, der trägt sie weg, und der kleine Schelm hier isst sie alle wieder auf!«

In den Sommernächten bei der Stechmückenjagd hatte Leonard eine ganz besondere Methode, reglos mit einem Buch dazustehen, die Mücke mit den Augen zu verfolgen und zu warten, bis sie sich an Decke oder Wand niederließ. Dabei murmelte er: »Ich hab' gefischt, ich hab' gefischt, ich hab' die ganze Nacht gefischt und keinen Fisch er…« Zong! Das Buch landete genau auf der Mücke und pulverisierte sie in Sekundenbruchteilen. »…wischt!«

Es war wirklich zum Verzweifeln. Der Vers aber, der das Fass bei mir endgültig zum Überlaufen brachte, blieb mir lange unbekannt. Das lag daran, dass wir nach an-

derthalb Jahren immer noch nicht so vertraut miteinander waren, in Hör- oder Sichtweite des anderen die
Toilette zu benutzen. Erst als ich eines Winterabends in
meiner Wanne lag und Leonard mal ganz dringend pinkeln musste, wurde ich Zeuge dieser dramatischen Szene.

Zuerst hörte ich ein melodisches Murmeln.

»Heile, heile, Gänschen, die Katze hat ein Schwänz-
chen«, worauf es fröhlich zu plätschern begann. Als es zu
plätschern aufhörte – während der ganzen Zeit stockte
mein Atem –, war es eine Weile still. Dann hörte ich ihn
sagen: »Kannst du schütteln, kannst du klopfen, in die
Hose geht der letzte Tropfen!«

Vor lauter Schreck flutschte mir die Seife aus der Hand
und knallte gegen die Deckenlampe. »Kannst du schütteln, kannst du klopfen…!« Also nä! In dieser Nacht
musste Leonard in seiner Wohnung schlafen, und ich
trug mich ernsthafter als jemals zuvor mit dem Gedanken, ihn endgültig abzuschaffen.

Aber zwei Wochen später machte er mir einen Heiratsantrag, und ich war gerührt, weil es mein allererster
Heiratsantrag war. Schon aus diesem Grund hätte ich
beinahe ja gesagt. Glücklicherweise konnte ich mich gerade noch mal beherrschen.

»Sag mal«, begann er. »Wie sieht das aus? Heiraten wir
eigentlich demnächst mal?«

Wie gesagt, ich konnte mich gerade noch beherrschen.

»Och nö«, sagte ich.

Zumal auch unsere Freizeitaktivitäten nicht optimal
aufeinander abgestimmt waren. Bei der Auflistung meiner Hobbys vorhin habe ich meine Vorliebe fürs Kino
vergessen. Kino musste mindestens einmal die Woche

sein, und da Leonard fast alle Filme doof fand, ging ich meist ohne ihn. Er mochte nur ausgesuchte Actionfilme und eine bestimmte Sorte Weltraumabenteuer. Alle anderen Filme nur, wenn viel Sex darin vorkam und / oder wenn Demi Moore mitspielte. Aus diesem Grund war ich um so verwunderter, als er einwilligte, mit mir in »Schlafes Bruder« zu gehen, der am Abend nach meiner Segelkurs-Schnupperstunde in der Cinemathek wiederholt wurde.

»Also, das ist aber jetzt nicht gerade ein Actionfilm«, sagte ich noch, aber Leonard meinte, ich solle mir mal keine Sorgen machen, der Titel allein sei schon sehr vielversprechend. Ich weiß noch, dass ich dachte, sieh an, für ein Wunder ist es nie zu spät.

Aber das Wunder stellte sich als pures Missverständnis heraus. Leonard knackte schon nach einer Viertelstunde tief und fest im unbequemen Kinosessel und ließ außer ein paar schnorcheligen Atemzügen bis zum Ende des Films nichts mehr von sich hören.

»Ich steh' eben nicht auf Heimatfilme«, sagte er, als ich ihn später leicht ungehalten zur Rede stellte.

»Heimatfilm!«, wiederholte ich entrüstet.

Ja, und außerdem sei der Titel irreführend, meinte Leonard weiter. Und jetzt kommt es: Statt »Schlafes Bruder« hatte er »Scharfes Luder« verstanden!

»Du musst in Zukunft nicht mehr so nuscheln«, meinte Leonard. »Gehen wir jetzt essen? Ich hab' Hunger auf Pizza.«

Mir war der Appetit vergangen. Ich konnte es förmlich vor mir sehen: Leonard, der die Pizza fein säuberlich zerlegte und dabei laut vernehmbar sagte: »Oben stumpf, doch unten scharf, das Händchen sich nicht schneiden darf!«

»Mit dir gehe ich nicht essen«, sagte ich. »Ab heute sind wir geschiedene Leute.«

Für einen Mann, der noch vor zwei Tagen einen Heiratsantrag oder jedenfalls so etwas Ähnliches gemacht hatte, nahm Leonard diese Neuigkeit ziemlich gelassen.

»Dann eben ein andermal«, sagte er. »Du kannst mich ja anrufen.«

Wir wohnten alle unter einem Dach, meine Schwester Rebecca und ihre Familie, mein Bruder Mo und ich. Außerdem wohnte noch ein lieber alter Mann bei uns, den wir Onkel nannten, obwohl er nicht mit uns verwandt war. Es war das pure Idyll: Ich hatte die Wohnung unterm Dach, der Onkel wohnte im dritten Stock, Mo im zweiten, Rebecca, Kaspar und ihre kleine Tochter Charlotte im ersten. Im Erdgeschoss hatte Rebecca ihren Laden.

Unser Haus stand mitten im belgischen Viertel, Wand an Wand mit einer Reihe wunderschöner, schmalbrüstiger Jugendstil- und Gründerzeithäuser, die man liebevoll restauriert hatte.

Bloß unseres war von meinen Großeltern in den fünfziger Jahren bis zur Unkenntlichkeit verstümmelt worden. Den kostbaren Stuck hatte man brutal entfernt, die Fassade dunkelgrau verputzt, die noblen Holzsprossenfenster durch Kunststofffenster ersetzt, und als Krönung statt der verschnörkelten Jugendstilhaustür eine unnachahmlich hässliche Drahtglassicherheitstür eingebaut.

Wir durften mietfrei in diesem Prunkstück hausen, weil unsere Eltern ganzjährig auf Gran Canaria lebten. Dort wohnten sie in einer kleinen weißen Finca mit Ziegeldach auf einer sonnigen Anhöhe, umgeben von Olivenbäumen und Orangenhainen. Es brauchte also niemanden zu wundern, dass sie ihren drei Kindern ihren deutschen Besitz so großzügig zur Verfügung gestellt hatten.

Auch wenn wir bisher weder Geld noch Muße gehabt hatten, aus dem grauen Ungetüm wenigstens ein weißes Ungetüm machen zu lassen, kam meine Lebensweisheit vom ›geschenkten Gaul‹ wieder mal zur Anwendung. Ich war beinahe wunschlos glücklich mit meiner Wohnung. Und ich war niemals allein wie andere Unverheiratete, Kinderlose, die schon bedrohlich auf die Dreißig zugingen wie ich. Einer im Haus war immer da, der einem Gesellschaft leisten konnte.

Als ich an diesem Abend als frischgebackener Single nach Hause kam, war bei Rebecca und Kaspar noch Licht. Ich hörte Klein-Charlotte krähen und Kaspar ein Kinderlied singen. Im Hintergrund ratterte leise Rebeccas Nähmaschine.

Unwillkürlich entfuhr mir ein Seufzer. Rebecca hatte es ja so gut. Sie besaß einfach alles, was man sich vom Leben wünschen konnte. Ich hingegen …

»Was stehst du hier im Dunkeln rum?« Das war mein Bruder Mo, der soeben nach Hause kam, Hand in Hand mit einer scharfen Blondine im Super-Minirock. Vielleicht war es auch das Flurlicht, das mich plötzlich blendete.

»Ach, nur so!« Verstohlen wischte ich mir eine Träne aus dem Augenwinkel.

»Das ist Julia«, stellte mir Mo seine Begleitung vor.

Julia entblößte ihre perfekten Zähne. »Hallöchen, Popöchen!«

Da zeigte sich wieder mal der Unterschied zwischen meinem Bruder und mir. Ich hätte niemals jemand mit nach Hause gebracht, der so völlig ungehemmt »Hallöchen, Popöchen« sagte, egal, wie perfekt seine Zähne auch sein mochten.

»Auweichen, dein Eichen«, konnte ich mir nicht verkneifen zu sagen.

»Ich habe Neuigkeiten, die dich vom Stuhl hauen werden«, entgegnete Mo völlig ungerührt. »Du bekommst eine eigene Ausstellung. Im April, in der Galerie am Brunnen.«

»Eine eigene Ausstellung? Du meinst, eine Ausstellung nur mit meinen Marionetten?«

Mo nickte. »Die Presse wird darüber berichten, und dann wird ein Run auf die Dinger beginnen, der uns viel, viel Geld einbringen wird! Vielleicht musst du dann diesen Sommer mal nicht jobben.«

»Schön wär's.« So schlecht war das Leben vielleicht doch nicht. Immerhin bestand noch die Möglichkeit, beruflich zu Ruhm und Ehren zu gelangen. »Hast du gut gemacht, Mochen.«

»Gern geschehen.« Mo zog seine Julia weiter die Treppe hinauf. Sie winkte mir noch einmal zu.

»Tschöchen!« Ich musste plötzlich dringend aufs Klöchen und machte mich ebenfalls an den Aufstieg. Außerdem wollte ich wissen, ob Leonard auf den Anrufbeantworter gesprochen hatte.

Hatte er aber nicht.

Etwas enttäuscht ließ ich mich auf mein Sofa fallen und las noch ein paar Seiten in dem Schmöker, den ich vor einigen Tagen gekauft hatte. Trotz des vielversprechenden Titels ertappte ich mich dabei, wie ich Minuten später einfach nur an die Decke starrte. Vielleicht hatte Rebecca ja recht, und mir fehlte nur ein richtiges Abenteuer zu meinem Glück.

Am nächsten Morgen leistete ich mir, wie an jedem Tag, den Luxus auszuschlafen. Im Spiegel sah ich, dass meine paprikafarbenen Haare zu verblassen begannen, und freute mich. Noch ein, zwei Wochen, und ich war wieder winterblond mit einem dunklen Scheitel. Vielleicht würde ich dann mal zur Abwechslung zu einer falschen Brünetten mutieren. Man soll ja alles im Leben wenigstens einmal ausprobieren.

Ich hatte keine Lust, allein zu frühstücken, daher ging ich hinunter zu Rebecca in den Laden. Wie immer um zehn hielt sie mit einer Tasse Kaffee und zwei Marzipanschnecken ihr zweites Frühstück ab. Eine der Marzipanschnecken erklärte ich unbefangen zu meinem Eigentum.

»Was nähst du denn da?«, erkundigte ich mich und zeigte auf ein gelbes Stoffgebilde mit braunen Rauten.

»Ein ganz scharfes Kleid«, erläuterte Rebecca. »Hauteng mit einem Stehkragen und einer kleinen Stoffbürste auf dem Rücken. Ich werde es *Frühstück im Stehen* nennen. Aus dem Alltag einer Giraffe.«

»Wie originell«, sagte ich. Rebeccas Kleider wurden in letzter Zeit immer ausgeflippter. Weiß der Himmel, woran das lag. Noch vor kurzem hatte sie ganz brav in schwarzem Leinen und Chiffon geschwelgt.

»Ich habe übrigens gestern mit Stefan telefoniert«, teilte sie mir mit.

»Mit welchem Stefan?« Stefans gab es schließlich wie Sand am Meer. Genaugenommen war Stefan überhaupt kein Name, sondern ein Sammelbegriff.

»Mit unserem Segellehrer.«

»Ach der«, schnaubte ich verächtlich.

»Der ist gar nicht so übel, wirklich. Du solltest ihn dir mal genau anschauen. Er ist Single, sieht gut aus und steht zufällig auf Rothaarige.«

»So ein Zufall, wirklich«, sagte ich. »Aber ich steh' mehr auf diesen Mick. Der kriegte wenigstens die Zähne auseinander.«

»Tja!« Rebecca biss in ihre Marzipanschnecke. »Mick wird wohl leider nicht kommen, hat Stefan gesagt.«

»O nein!«

»O doch! Ihm haben wohl die Kursteilnehmer nicht so zugesagt, hat er Stefan wissen lassen.«

»Ja, meinst du denn, mir?« Dann fiel mir ein, dass das eigentlich eine ziemliche Unverschämtheit von diesem Mick war. Schließlich hatten wir ihm gegenübergesessen, Bille, Rebecca und ich – in der Blüte unserer Schönheit. Wenn das nicht Grund genug war, bei der Stange zu bleiben, dann wusste ich aber wirklich nicht, weshalb.

»So ein Tortenarsch«, sagte ich böse.

»Stefan ist sowieso besser. Außerdem hast du ja immer noch Leonard.«

»Eigentlich nicht«, klärte ich Rebecca auf. »Wir haben gestern Schluss gemacht.«

»Wie schade aber auch! Wo er doch immer so nette Kinderreime wusste. Charlotte war ganz vernarrt in ihn.«

Ich war in Gedanken noch immer bei Mick. »Wenn Bille das hört, dann springt sie bestimmt ab.«

Aber Bille nahm die Nachricht, dass der Segelkurs mit neunzigprozentiger Wahrscheinlichkeit ohne Mick stattfinden würde, relativ gelassen.

»Na ja, mir geht es ja auch in erster Linie ums Segeln«, sagte sie sogar.

Es war Samstagvormittag, und wir bummelten gemeinsam durch Köln. Bille wollte sich ein Paar neue Schuhe kaufen, ich war auf der Suche nach einem Wintermantel, wenn möglich schon reduziert. Aber Wintermäntel waren Mangelware im Januar, die wenigen, die reduziert waren, sahen auch so aus.

»Wintermäntel musst du Anfang August kaufen, genau wie Skischuhe«, meinte Bille fachmännisch. »Jetzt ist Saison für Badeanzüge.«

Es war knapp unter null, beim Sprechen bildeten sich weiße Wölkchen vor dem Mund. Ich fand, es wurde höchste Zeit für eine Pause im Café bei heißem Kakao mit Sahne.

»Also wenn dieser Mick nicht kommt, dann sehe ich wirklich keinen Grund mehr, diese ganze Lernerei auf mich zu nehmen.« Etwas abgelenkt begann ich, in einer Broschüre zu blättern. Wir waren an einem Stand angekommen, hinter dem uns junge Menschen verbindlich anlächelten, die trotz der bitteren Kälte auffallend adrett gekleidet waren. Auf den Titelblättern der gegen Bares zu erwerbenden Broschüren spielten blonde Kinder vor den Toren von Kernkraftwerken, und über den Blättern einer Eiche stand fett gedruckt: »Der deutsche Wald stirbt nicht.«

Endlich mal eine erfreuliche Meldung.

»Dann ruf' ich ihn eben an«, versprach Bille. »Sicher hat dieser dröge Segellehrer nicht meinen Charme und mein Überredungstalent. Wenn ich mit Mick spreche, kommt er bestimmt.«

»Wollen Sie bitte unterschreiben?«, fragte eine der adrett gekleideten jungen Damen und hielt uns einen Kugelschreiber hin. Immer gerne bereit, für eine gute Sache zu unterschreiben, nahm ich ihn entgegen.

»Worum geht es denn?«

»Eine Petition an den Bundestag«, erläuterte die Adrette. Mehr brauchte man mir nicht zu sagen, ich war dabei. Neben mir unterschrieb bereits mit zitternder Hand eine alte Frau. Was waren unsere Senioren doch für politisch engagierte Bürger! Daran sollte man sich ein Beispiel nehmen.

»Geben Sie her«, meinte ich aufmunternd. »Ich will auch unterschreiben.«

Die alte Frau lächelte mich an. »Dat iss für eine jute Sache.«

»Von wegen! Nix da!« Bille stieß mich in die Rippen und deutete mit dem Finger auf die Überschrift der Petitionsliste. »Bist du etwa dafür, dass Frauen, die abtreiben, auf den elektrischen Stuhl kommen?«

Erschreckt ließ ich den Stift fallen.

»Wir sind lediglich für den Schutz des ungeborenen Lebens«, mischte sich die Adrette ein.

»Ja, ja, und der deutsche Wald stirbt nicht, und Kernkraft, ja bitte«, sagte Bille. »Das kennt man.«

»Sie sind wahrscheinlich wie die meisten Bürger auf die Panikmache in den Medien hereingefallen«, baute ihr die Adrette eine Brücke. »Kaufen Sie unsere Broschüren, dann sind Sie darüber informiert, wie es tatsächlich um unser Heimatland bestellt ist.«

»Nein, danke«, erwiderte Bille kühl. »Mir ist schon schlecht.«

Ich sah mich nach der netten alten Frau um, die bereits ihre Unterschrift unter die Petition gesetzt hatte. »Warten Sie! Wollen Sie wirklich, dass Frauen, die abtreiben, hinter Gitter kommen?« Bestenfalls.

»Welsche Frauen?«, fragte die Omi zurück und hielt sich eine Hand hinters Ohr.

»Die Frauen, die ungewollt schwanger werden«, wiederholte ich mit ungefähr fünfhundert Dezibel.

»Ja, ja, dat iss schlimm«, sagte die Omi bekümmert. »Wat da für'n Schlamassel draus werden kann, da kann isch ein Liedschen vun singen.«

Und das tat sie auch. Sie erzählte, was dem Jüngsten von Käthes Bruder passiert war. »Dat het sisch mit einem aus Zülpisch-Ülpenisch einjelassen, obwohl dat Käthe und dat Maria, wat däm Käthe singem Broder sing Frau iss, gleich jesacht hatten, dat der nix taugen tät. Dat Jugendamt wor schon viermal dajewesen, weil der Daniäll, also der Sohn von däm Barbara und däm Hallodri aus Zülpisch-Ülpenisch, Autoradios und Handtaschen klauen und kleine Kinder verhaue tät. Wie finden Sie denn dat?«

»Schrecklich«, entfuhr es mir beeindruckt.

Die Omi nickte. »Dat hätte mer doch verhindern müsse«, fand sie und zeigte auf die Petitionsliste. »Isch dachte, dat hier iss für dat Mütterjenesungswerk, wat ja an und für sisch eine janz jute Sache iss, wenn dä Schlamassel dann doch passiert iss, oder wat iss dat jetzt?«

Ich antwortete schon leicht heiser, aber immer noch so laut, dass die gegenüberliegenden Schaufenster schepperten.

»Da han die misch wohl betuppt?«, schloss die Omi empört. Und betuppen ließ sie sich nicht. Aber die Petitionsliste hatte inzwischen ein sauber gescheitelter, jugendlicher Kollege der Adretten an sich genommen.

»Volksverhetzung«, sagte er zu mir. »Was Sie da betreiben, ist Volksverhetzung.« Die Adrette nickte dazu.

Die Omi wackelte indessen um den Stand herum.

»Volksverhetzung?«, wiederholte Bille. »Und wie nennt sich das, was ihr hier betreibt?«

»Wir sind immer noch per Sie«, fuhr ihr die Adrette über den Mund, aber ihr gescheitelter Kollege antwortete, ganz wie man ihn gelehrt hatte: »Aufklärung am Bürger nennt man das.«

Dabei grinste er blöde. Das Grinsen aber verging ihm im gleichen Augenblick, denn nun hatte die Omi ihn erreicht und entriss ihm mit einer ruckartigen Handbewegung die Petitionsliste. Mit der anderen Hand hielt sie ihren praktischen Taschenschirm umfasst. Sie sah aus wie zu allem bereit.

»Nischt mit mir!«, sagte sie und griff sich einen Kugelschreiber mit dem Aufdruck ›Deutschland den Deutschen‹. Mit diesem machte sie sich daran, ihren Namen und auch alle anderen Namen von der Liste zu streichen. Die Adrette und der Gescheitelte wichen ein paar Schritte zurück. Offenbar hatte man sie noch nicht darin geschult, wie sie mit renitenten, bis unter die Zähne bewaffneten Seniorinnen umzugehen hatten. Stellvertretend beschimpften sie Bille und mich.

»Grüne Spinner«, fing die Adrette ganz harmlos an.

»Dreckiges Kommunistenpack«, setzte der Gescheitelte einen drauf. Und von da an waren sie nicht mehr zu halten.

»Du schmutzige Sowjethure«, rief die Adrette Bille ins Gesicht, obwohl die beiden ja offiziell immer noch nicht per du waren.

Die Omi hatte in der Zwischenzeit ihr Zerstörungswerk vollendet, warf die Petitionsliste auf den Tisch zurück und schulterte triumphierend ihre Handtasche.

»Verlauste Kommunistennutte«, kreischte mich die Adrette an. Das war selbst für die schwerhörige Omi verständlich. Wieselflink hatte sie den Schirm mit beiden Händen gepackt, ausgeholt und – zong – der Adretten über den Kopf gezogen.

»Solsche Worte jehören sisch nisch für su e jung Mädsche. Dat iss unfein«, erklärte sie dabei streng, lächelte mir noch einmal kameradschaftlich zu und war mit ihrem Regenschirm im Nu in der Menge verschwunden. Schade, ich hätte sie gern noch gefragt, was aus Barbara, der jüngsten Tochter von Käthes Bruder, eigentlich geworden war. Aber in Anbetracht der Umstände war es wohl besser, sich aus dem Staub zu machen. Der Gescheitelte und die Adrette sahen nämlich fuchsteufelswild aus. Bille und ich zogen es vor, unsere Beine in die Hand zu nehmen.

»Na, wie hat Bille die Sache mit Mick aufgenommen?«, erkundigte sich Rebecca, als ich wieder zu Hause war.

»Sehr schlecht«, log ich. »Aber im Notfall ist sie bereit, bei ihm anzurufen und ihn zu überreden, doch noch mitzumachen.«

Rebecca war tief über das Giraffenkleid gebeugt. »Na ja, und vielleicht kommen ja auch noch andere tolle Typen.«

»Ja, jede Menge tolle Typen über siebzig, die eine Gebissdose am Gürtel tragen, für alle Fälle. Vergiss es, wir werden uns wohl tatsächlich auf das Segeln konzentrieren müssen.«

»Ja«, meinte Rebecca. »Auf jeden Fall ist man auf diese Weise jeden Mittwochabend außer Haus. Das allein hat schon was für sich.«

»Spinnst du?« So was Undankbares aber auch. Da hatte sie den liebsten Mann der Welt, ein entzückendes Baby und eine tolle Wohnung, in der sie sich nach getaner Arbeit erholen konnte, und wollte sich doch lieber einen Abend im Seniorenheim um die Ohren schlagen. »Klappt es nicht mehr so mit dir und Kaspar?«

»Doch, doch«, erwiderte Rebecca einsilbig. Kaspar und sie kannten sich seit vier Jahren, und Kaspar war einer von den Männern, die in mir immer noch die Hoffnung nährten, doch noch einmal den sogenannten Richtigen zu treffen. Er war Cellist im Gürzenichorchester und verdiente als solcher nicht mal schlecht. Mehrere Wochen im Jahr war er auf Tournee – in diesem Jahr Island, auch nicht gerade eines meiner Traumziele –, aber dafür hatte er danach auch mehrere Wochen hintereinander probenfrei.

Durch seine flexiblen Proben- und Konzertzeiten konnte er mindestens fünfzig Prozent der Betreuung für Charlotte, seine und Rebeccas knapp einjährige Tochter, übernehmen, was er auch tat, und ganz offensichtlich mit Freude. Dabei sah er mindestens durchschnittlich gut aus und hatte noch alle seine Zähne. Außerdem bügelte er seine Hemden selber und konnte wunderbar kochen. Rebecca hatte wirklich keinen Grund, sich über ihn zu beschweren.

Ich konnte mich noch gut daran erinnern, wie beschissen sie in den ersten Wochen nach Charlottes Geburt ausgesehen hatte. Übergewicht, fettige Haare, die gleich büschelweise ausfielen, dazu ein fleckiges Gesicht und rotgeränderte Augen. Sie hatte mir richtig leidgetan, bis ich einmal mitbekam, mit welch bewunderndem Blick Kaspar sie ansah, dann nach ihrer Hand griff und sagte, sie sei die allerschönste und attraktivste Frau der Welt. Und das hatte er ernst gemeint! Mit meinem Mitleid war es von da ab vorbei gewesen. Bei so viel Selbstbestätigung war es eigentlich ein Wunder, dass Rebecca so schnell wieder ihre Traumfigur erreicht hatte und jetzt besser aussah als vor der Schwangerschaft.

»Wo er dich doch ohnehin für die Traumfrau schlechthin hält«, murmelte ich.

Rebecca wusste sofort, von wem ich sprach. »Der würde mich auch noch toll finden, wenn ich mir einen Müllsack überstülpen und nur zwei Löcher für die Augen reinschneiden würde.«

»Sag ich doch.« Dann fiel mir etwas ein. »Warum soll ich eigentlich niemandem verraten, dass du verheiratet bist und ein Baby hast? Du schämst dich doch nicht etwa für deine Familie?«

»Du hast ja keine Ahnung«, meinte Rebecca und beugte sich noch tiefer über das Giraffenkleid. »Wenn du ein Kind hast, bist du für alle, und ganz besonders für Männer, nur *das* Mutti. Durch und durch Neutrum, allenfalls dazu da, gutes Essen zu kochen oder mütterliche Ratschläge zu geben. Deshalb kein Wort über meinen Familienstand, kapiert? In diesem Segelkurs will ich einfach eine ganz normale Frau sein, genau wie Bille und du.«

»Ich verstehe. Du willst bei den bärtigen Tattergreisen die gleichen Chancen haben wie wir, stimmt's? Na, die Herzschrittmacher der Mümmelgreise werden ganz schöne Aussetzer kriegen, wenn wir uns auf dem Segelboot an die ranschmeißen!« Ich musste lachen. »Obwohl, die Wahrscheinlichkeit, dass die vorher eines natürlichen Todes sterben, ist in Anbetracht des fortgeschrittenen Alters doch ziemlich groß, meinst du nicht?«

»Es kommen sicher noch ein paar Jüngere«, beharrte Rebecca. Sie war wirklich eine unerschütterbare Optimistin.

_____ **_Billes geheimes Tagebuch_** _____

12. JANUAR.

Jetzt reicht's. Alles muss man sich ja nicht gefallen lassen!

Gestern war B. mit dieser Melanie im Kino.

Was denkt sich diese KUH denn? Sie muss doch wissen, dass B. bereits vergeben ist. Aber daran stören sich ja die meisten Weiber gar nicht.

Habe B. gesagt, er müsse sich nicht wundern, wenn ich demnächst auch mal mit anderen Männern ins Kino ginge. B. hat nur gegrinst und gefragt: Mit wem denn?

Gute Frage.

In der Buchhandlung habe ich nur Kolleginnen, vom alten Arschgesicht mal abgesehen. Aber der könnte mein Großvater sein. Und sonst kenne ich nur verheiratete oder anderweitig gebundene Männer. Wäre sicher nicht schwer, Sabine oder Judith ihren Typ auszuspannen, aber heiße ich vielleicht MELANIE? Ich weiß schließlich, was sich gehört!

Allerdings wäre da noch dieser Mick vom Segelkurs. Wenn er denn kommt! Judith denkt zwar, er sei ausschließlich für sie reserviert, aber mit ihren Haaren stellt sie im Augenblick wahrlich keine Konkurrenz dar. B. sagt, sie sieht aus wie Pumuckel als Hippie.

Apropos Haare, B. hat gesagt, vielleicht würde ich mit einer Dauerwelle JÜNGER aussehen. Julia Roberts und Melanie hätten auch beide Locken. Wenn ich diese Ziege jemals kennenlerne, kippe ich ihr Entlaubungsmittel auf den Schädel.

Habe angefangen, das Telefonbuch nach Melanies zu durchforsten. Bin schon bis zum Buchstaben D gekommen. Bisher vierzehn Melanies. Morgen sind E, F und G an der Reihe.

Kann mir B. nicht so einfach wegnehmen lassen. Muss die Sache mit System angehen. Melanie ist so gut wie tot.

3

»**Eigentlich völlig bescheuert**, dass ausgerechnet ich so einen Segelkurs machen soll«, überlegte ich laut. »Ich kann ja nicht mal rechts und links auseinanderhalten.«

»Musst du ja auch nicht. Es reicht, wenn du weißt, wo Steuerbord und wo Backbord ist«, erwiderte Rebecca, die sich offensichtlich schon in die Materie eingelesen hatte.

»Genau«, krähte Burghart von vorne. Wir hatten das zweifelhafte Vergnügen, von ihm zum Mutter-Teresa-Heim kutschiert zu werden. Bille war eigentlich mit Fahren an der Reihe, aber weil Burgharts Auto in der Werkstatt war, hatte sie ihm ihres geliehen. Burghart fuhr nämlich jeden Mittwochabend zu seiner Mutter, um dort zu Abend zu essen, seine Schmutzwäsche abzugeben und die saubere wieder mitzunehmen.

Nicht, dass Burghart seine Wäsche nicht selber hätte waschen und bügeln können, Himmel, nein! Bei einem Wasch- und Bügelwettbewerb hätte er alle an die Wand gewaschen und gebügelt. Aber erstens hatte er, weiß Gott, anderes zu tun, und zweitens war es seiner Mutter gegenüber nicht fair, ihr so ohne weiteres eine so wichtige Lebensaufgabe zu entziehen.

Bille hatte dafür offenbar vollstes Verständnis, ebenso

wie für die Tatsache, dass jeder Mittwochabend für Burgharts Mutter reserviert war. Schließlich war es ihr zu verdanken, dass aus Burghart der geworden war, der er heute war.

Immerhin hatte Burghart sich bereit erklärt, uns auf dem Hinweg am Altersheim abzusetzen und auf dem Rückweg wieder abzuholen.

»Das ist doch ganz einfach«, ließ er sich jetzt vernehmen.

»Backbord ist links, Steuerbord rechts.« Gegenüber jemandem, der rechts und links nicht auseinanderhalten konnte, war das eine pädagogisch ausgesprochen kluge Erklärung.

»Oh, jetzt werde ich es sicher nie wieder vergessen«, sagte ich ironisch. »Vielen Dank.«

»Keine Ursache. Und wenn du demnächst mal meine Hilfe brauchst – du weißt ja, Segeln ist mein Fachgebiet.«

»Sag mal, Burghart, warum machst du eigentlich nicht den BR-Schein?«, erkundigte sich Rebecca. »Im Kurs sind bestimmt noch Plätze frei.«

»Ja, und zwar meiner, wenn der alte Angeber mitmacht«, zischte ich ihr zu, aber Burghart hatte glücklicherweise keinerlei Ambitionen, noch einmal die Schulbank zu drücken.

»Weißt du, für mich sind das doch alles Peanuts«, meinte er. »Ich kann das ganze Zeugs schon von vorne bis hinten runterbeten. Das wäre pure Zeitverschwendung für mich. Wenn das möglich wäre, würde ich mich einfach mit in eure Prüfung setzen und das Ding mal eben so abreißen.«

»Oho«, machte Rebecca belustigt. Ich glaube, sie hielt Burgharts Gerede für Ironie. Den Fehler hatte am Anfang unserer Bekanntschaft nämlich auch ich gemacht. Aber Burghart hatte ungefähr so viel Humor wie ein Telegraphenmast.

»Nee, nee, du, lass man, so ein Segelkurs ist was für Landratten wie euch Mädels«, sagte er. »Außerdem habe ich mittwochs schon eine feste Verpflichtung.«

»Stimmt, deine dreckige Wäsche hat natürlich Vorrang«, erwiderte ich und drehte mich zu dem Korb auf der Ladefläche hinter mir um. Dem Geruch nach zu urteilen, befanden sich darin vor allem ausgiebig getragene Socken. Das war nur einer liebenden Mutter zuzumuten.

»Heute gibt es Frikadellen mit grünen Böhnchen«, informierte uns Burghart ungefragt. »Meine Mutter schwenkt die immer in Butter, dazu einen Hauch Bohnenkraut…«

»Hier ist es«, unterbrach ihn Bille, und Burghart bremste scharf vor dem notbeleuchteten Altersheim.

»Aussteigen, die Damen! Die rasante Fahrt ist zu Ende. Kapitän Burghart hofft, Sie bald wieder an Bord begrüßen zu dürfen.«

Bille bekam noch ein paar Extrainstruktionen von ihm. »Wenn du was nicht kapierst, immer schön nachfragen. Besser blöde Fragen stellen, als hinterher blöde aus der Wäsche gucken. Kannst dem Lehrer ja gleich sagen, dass Navigation nicht deine Stärke ist. Aber ich kann dir dann ein bisschen Nachhilfe geben.«

»Sie weiß auf jeden Fall besser Bescheid als ich«, schaltete ich mich zu Billes Ehrenrettung ein. »Sie ist immerhin schon mal richtig gesegelt. Das einzige Boot, das ich je betreten habe, war die Fähre nach Sardinien.«

»Ja, du«, sagte Burghart, als gäbe es auf der ganzen Welt nur einen einzigen dümmeren Menschen als Bille, und zwar mich. »Aber du weißt wenigstens, dass du ein hoffnungsloser Fall bist. Bille hingegen glaubt immer noch, dass sie diesen Schein tatsächlich schaffen kann, genauso wie sie glaubt, dass ihr diese Frisur steht. Bille, warum lässt du dir nicht endlich eine Dauerwelle machen?«

»Wir müssen gehen«, sagte Bille nur.

»Ja, dann guten Appetit!« Rebecca knallte die Autotür zu.

»So ein Arschloch«, rief ich empört aus. »Von wegen Dauerwelle! Bei deinen schönen glatten Haaren.«

Bille sagte nichts.

Dank Burgharts rasanter Fahrweise waren wir viel zu früh – peinlich, peinlich –, und außer dem Segellehrer war noch niemand da. Er baute gerade sein Flip-Chart auf und erwiderte unseren Gruß mit einem tonlosen »Hallo«, ohne sich dabei umzusehen.

Als wir Platz genommen hatten, versuchte Rebecca noch einmal, die Konversation in Gang zu bringen.

»Wie viele kommen denn heute, Stefan?«

»Mal schauen.« Immer noch sahen wir nur seine Kehrseite.

»Du hast ja so recht«, flüsterte ich Rebecca zu. »Das ist wirklich ein ganz toller Typ! Und so unheimlich gesprächig!«

»Aber der Hintern ist nicht übel«, gab Rebecca zurück, und da der Segellehrer immer noch mit dem Rücken zu uns stand, konnte ich diese Aussage gründlich überprüfen. Okay, der Hintern war nicht übel.

Aber jetzt hörten wir Schritte im Flur. Wie *ein* Mann

wandten wir unsere Gesichter zur Tür und harrten gespannt der Dinge, die da kommen würden.

Und da kamen sie: Zuerst die Frau, die so herzlich gelacht hatte, als ich mir den Fauxpas mit der Regentonne geleistet hatte, dahinter der Handy-Man und das seriöse Ehepaar. In ihrem Schlepptau betrat, wie versprochen, das befreundete Pärchen den Raum. Die beiden wirkten jünger, dafür nicht ganz so seriös. Er war klein, bärtig und ausgesprochen zierlich, sie ebenfalls klein, aber alles andere als zierlich. Dennoch hatte sie sich in die hautenge Glitzerleggings gezwängt, die farblich wunderbar mit ihrem metallictürkisfarbenen Lidschattenbalken harmonierte. Die kleinen molligen Hände waren über und über mit Goldklunkern bestückt.

Der Nächste, der den Raum betrat, war ein unbekannter Typ mit Bart und einer dunkelblauen Wollmütze. Er setzte sich auf den freien Platz neben mir und umhüllte mich mit einer Wolke aus Schweißgeruch und kaltem Rauch.

»Mick, ach Mick, bitte, bitte, komm doch«, betete ich stumm, aber Mick kam nicht. Stattdessen kam der Weißbärtige, der so gerne angeln wollte, zusammen mit einem jüngeren Mann, der zwar längst nicht an Mick heranreichte, aber immerhin bartlos war und wider Erwarten unter vierzig.

Als alle saßen, zählte ich inklusive Segellehrer dreizehn Personen, ein böses Omen, davon – noch ein böses Omen – sechs Bärte, wenn man die flaumige Oberlippe der Türkisfarbenen nicht mitzählte.

Während ich in die Betrachtung der verschiedenartigen Bärte versunken war, ging mir auf einmal eine Melodie durch den Kopf. Nur an den Text konnte ich mich nicht erinnern.

»Mein Name ist Gart«, eröffnete der Segellehrer unvermittelt seinen Unterricht. »Stefan Gart!«

»Müller«, sagte der mit dem Handy sogleich und machte im Sitzen eine kleine Verbeugung. »Bernd Müller, Einzelhandel, Herrenausstattung.«

Der Segellehrer hob abwehrend die Hand. »Wir brauchen uns nicht großartig vorzustellen. Schließlich sind wir hier ja keine Selbsthilfegruppe.«

Mit großen Buchstaben schrieb er nun an sein Flipchart: GART.

»Gart«, wiederholte er. »Nicht Gert, nicht Gurt, einfach Gart. Die meisten Leute können sich das nicht merken.«

Ich fand zwar, dass es exotischere Namen gab, aber murmelte genau wie die anderen gehorsam »Gart, Gart, Gart« vor mich hin, als müssten wir die Aussprache erst üben wie bei Hrolwcek oder Maliziére du Paquerie Van Diche.

»Meine Mutter hat es besonders schlimm getroffen«, sagte er. »Sie heißt mit Vornamen Hildegard.«

Hildegard Gart, lustig. Der Typ hatte vielleicht doch einen Funken Humor.

»Aber auf einem Boot duzen sich sowieso alle, das ist eine Grundregel«, fuhr der Segellehrer fort, als wir gerade seinen Nachnamen für immer in unsere Birnen gehämmert hatten. »Also, ich bin der Stefan.«

Obwohl wir keine Selbsthilfegruppe waren, durften dann doch alle reihum ihren Vornamen sagen.

»Bernd«, machte der Handyman einen erneuten Versuch. »Oder Bernie für meine Freunde.«

»Ich heiße Jack«, sagte der Weißbärtige mit tiefer, heiserer Stimme. »Wie der Seewolf.« Er zeigte seine Hand, so groß wie ein Klodeckel, und ballte seine Faust, wohl um uns zu zeigen, dass er darin eine rohe Kartoffel zerquetschen konnte.

»Dirk«, sagte der einzige Bartlose knapp.

»Wir sind Heinrich und Ursel«, erklärte der weibliche Teil des seriösen Ehepaares. Mir fiel auf, dass die beiden eher wie Geschwister wirkten. Das mochte daran liegen, dass sie die gleichen dunkelblauen Zopfpullover trugen und beide graumeliertes Haar hatten. Ihres kringelte sich in hübschen Locken bis auf die Schulter, seines war kurz geschnitten, aber immer noch dicht. Er mochte um die siebzig sein, Ursel gut und gerne fünfzehn Jahre jünger. Sie schien sich bemüßigt zu fühlen, einige Zusatzinformationen zu liefern. »Heinrich ist Professor an der Technischen Hochschule, ich bin Hausfrau, und wir haben vier Söhne. Unser Jüngster studiert Jura, unser Martin ist in Amerika, unser Robert ist Arzt, und unser Markus tritt in die Fußstapfen seines Vaters. Er hat einen Lehrauftrag in Paderborn.« Sie verstummte stolz lächelnd.

»War«, sagte die Frau mit dem türkisfarbenen Lidschatten.

War? Das war nun aber wirklich mal ein ausgefallener Name. Ich überlegte, woher er wohl stammen mochte. Auch die anderen schienen ihn noch nie gehört zu haben.

»Wie bitte?«, fragte Ursel.

»Ich sagte, war«, wiederholte die Türkisfarbene. »Dein Mann *war* Professor an der Hochschule. Jetzt ist er pensioniert.«

»Ach so, ja«, sagte Ursel. »Aber deshalb ist er immer noch ein Professor, nicht wahr, Heinrich?«

Der Professor nickte.

»Du bist an der Reihe«, zischte der Mann der Türkisfarbenen und stieß ihr in die Rippen. »Halt hier nicht den ganzen Verkehr auf!«

»Rosi«, sagte die Frau hastig. »Ich bin die Rosi. Und das ist mein Mann …«

»Ich kann mich selber vorstellen«, fiel ihr der Mann ins Wort. »Schmitz – ähm, Fred. Haben Boot auf Ibiza, können segeln, aber uns fehlt die Theorie. Deshalb sind wir hier.«

»Wir können selbstverständlich auch segeln«, mischte sich Ursel wieder ein. »Aber das wollten wir hier nicht an die große Glocke hängen.«

Der Segellehrer räusperte sich. »Geht das vielleicht auch was schneller?«

»Ich bin Angela und sechsundzwanzig«, sagte die Frau, die über meine Regentonne gelacht hatte, schnell.

»Sechsundzwanzig *Jahre*?«, wiederholte Bille ungläubig. Sie hatte recht, die Frau sah älter aus als wir. Nicht übel, aber älter.

Angela nickte.

»Also, das hätte ich im Leben nicht geglaubt«, sagte Bille äußerst taktvoll.

»Deshalb sag' ich es ja. Ich werde öfter für zu jung gehalten. Das kann daran liegen, dass ich erst im letzten Jahr mein Abi nachgemacht habe. Ich studiere jetzt Ökotrophologie.«

Der Segellehrer räusperte sich noch einmal ungehalten. »Also, es kann doch nicht so schwer sein, einfach nur den Vornamen zu sagen, oder?«

Wir zogen schuldbewusst die Köpfe ein.

»Ulf«, stieß die Wollmütze neben mir hervor.

»Judith«, fügte ich an.

»Bille«, sagte Bille zackig, und mit »Rebecca« beendete meine Schwester die Vorstellungsrunde.

»Na also, geht doch«, sagte Stefan. »Dann können wir jetzt anfangen. Navigation. Das Ziel jeder Navigation ist die genaue Bestimmung von Kurs und Schiffsort.«

»Ich will *Mick*«, flüsterte ich Rebecca zu.

»Halt den Mund, und jammere hier nicht rum«, gab sie zurück.

Mir blieb nichts anderes übrig, als dem Unterricht zu folgen. Erstaunlicherweise fand ich es interessant. Dass es Längen- und Breitengrade gibt und dass der sogenannte Nullmeridian durch die Sternwarte von Greenwich verläuft, hatte ich im Übrigen vorher schon gewusst, ich hatte es nur vorübergehend vergessen. So was brauchte man ja auch nicht jeden Tag.

Irgendwann, als wir schon bei Kompass, Kurs und Peilung angelangt waren, registrierte ich zwei wirklich erstaunliche Dinge: Erstens, dass ich restlos alles verstand – entweder hatte Burghart unrecht und ich war überhaupt keine Lusche, oder dieser Stefan konnte ausnehmend gut erklären. Und zweitens: Stefan hatte hinter seiner Brille wirklich schöne Augen. Leider waren sie braun. Habe ich schon gesagt, dass ich auf blauäugige Männer stehe?

Am Ende der Unterrichtsstunde spukte immer noch diese kleine Melodie in meinem Kopf herum, zu der mir der Text nicht einfiel. Ich summte sie leise vor mich hin.

Stefan hatte sein Flip-Chart wieder abgebaut. Jetzt holte er einen Zettel aus seiner Hosentasche und hielt ihn mir unter die Nase.

»Hier, du wolltest doch die Telefonnummer von Mick haben, hat Rebecca gesagt!«

Eine Sekunde lang war ich wirklich sprachlos. Dann wurde ich schätzungsweise tomatenrot. Wenigstens schaltete ich einigermaßen schnell.

»Das war nicht ich, das war Bille, die die Nummer wollte.« Dabei stocherte ich mit dem Finger in Billes Richtung.

Stefan hatte sich schon wieder von mir abgewandt.

Also, ich würde so was nie tun! Einem wildfremden Mann hinterhertelefonieren, pfui!, hätte ich beinahe ausgerufen, aber es war auch so schon peinlich genug.

»Sag mal, was hast du diesem Kerl denn gesagt, dass er mir jetzt die Nummer in die Hand drückt?«, zischte ich Rebecca zu.

Sie zuckte bloß mit den Schultern. »Ja, nur, dass ihr den Mick so süß fandet und ihn eben im Notfall anrufen wolltet.«

»Wir? Hast du *wir* gesagt? Das war doch bloß Bille, die den so süß fand!« In meiner Verzweiflung hielt ich das sogar für die Wahrheit. »Und sie wollte bei ihm anrufen, nicht ich.«

»Dann gibt ihr den Zettel«, meinte Rebecca ungerührt.

Ich versuchte, einen günstigen Augenblick abzuwarten und Bille den Zettel dann zu geben, wenn Stefan es sah, aber er blickte partout nicht mehr zu mir herüber. Daher gab ich Bille den Zettel einfach so.

»Das ist Micks Telefonnummer.«

Sie fragte nicht mal, wo ich die herhatte. »Au fein«, sagte sie nur.

»Wer hupt denn da draußen wie bescheuert?«, fragte Bernie.

Das konnte nur Burghart sein. Bille eilte zum Ausgang.

»Tschüs«, sagte ich zu Stefan, der sich an der Tür mit dem bartlosen Typ namens Dirk unterhielt.

»Tschüs – ähm – Bille«, antwortete Stefan.

»Bille ist die da«, erklärte ich und zeigte auf Billes Rücken, der soeben unseren Blicken entschwand. »Das war auch die, die Micks Telefonnummer haben wollte. Ich bin Judith.«

»Ach so«, sagte Stefan. »Dann tschüs, Judith.«

»Das muss daran liegen, dass wir beide rothaarig sind«, sagte ich zu Rebecca. »Obwohl mein Rot ja viel echter aussieht als Billes, vor allem, seit es sich wieder halb rausgewaschen hat, findest du nicht?«

Rebecca nickte geistesabwesend. Dabei hätte sie mir unter normalen Umständen heftig widersprochen. Wo Bille doch von Natur aus rothaarig war und ich nur eine übertönte Blondine! Immerhin hatte ich die Sache mit der Telefonnummer deutlich geklärt. Bille war die mannstolle Person ohne Hemmungen, die wildfremden Männern hinterhertelefonierte, ich hatte damit nichts zu tun. Irgendwie beruhigte es mich, dass Stefan jetzt den Unterschied zwischen uns kannte.

»Na, wie war's?«, fragte Burghart. Er sah satt und zufrieden aus, und im Auto roch es so, als hätte schon das ein oder andere Böhnchen sein Tönchen gelassen.

»Toll«, antwortete Bille. »Wusstest du, dass man bei der Magnetkompasspeilung den Winkel zwischen dem Ostmeridian und dem vom Schiff aus angepeilten Objekt angibt?«

»Natürlich«, sagte Burghart.

»Und dass man aus Sicherheitsgründen einen sehr

niedrigen Wert als Kartennull gewählt hat, nämlich das mittlere Springniedrigwasser?«

»Natürlich«, sagte Burghart wieder, diesmal noch nachdrücklicher. Mit unserem frischerworbenen Fachwissen konnten wir ihm also schon mal nicht imponieren.

»Die Leute sind *total* nett«, versuchte es Bille mit dieser etwas voreiligen Einschätzung.

»Und *total* bärtig«, murmelte ich hinten.

»Ach ja?« Burghart gähnte. »Sind auch Männer dabei?«

»Klar, fast nur Männer«, sagte Bille. »Heinrich und Bernie und Fred und Ulf und Jack und …«

»Dirk«, ergänzte Rebecca.

Burghart gähnte noch einmal lautstark. »Alles alte Knacker, was?«

»Alt ist gar kein Ausdruck«, wollte ich ihm schon zustimmen, als Bille und Rebecca einhellig »Nein, überhaupt nicht« riefen. Sie hatten natürlich recht, Burghart sollte ruhig glauben, dass es da von gutaussehenden jungen Männern nur so wimmelte. Aber ihn schien diese Vorstellung nicht unbedingt vom Sitz zu reißen.

»Uuuuuaaaah«, gähnte er wieder, und es roch plötzlich durchdringend nach grünen Böhnchen und Magensäure. Ich ließ mich wieder auf die Rückbank plumpsen und atmete eine Weile durch den Mund. Dabei fiel mir auf einmal der Text zu der Melodie ein, welche die ganze Zeit in meinem Kopf herumgespukt hatte.

»Alle, die mit uns auf Kaperfahrt gehen, müssen Männer mit Bärten sein, Jan und Hein und Klas und Pit, die haben Bärte, die haben Bärte, Jan und Hein und Klas und Pit, die haben Bärte, die fahren mit.«

Und weil ich manchmal geradezu geniale Einfälle hatte, dichtete ich gleich noch eine Strophe dazu:

»Jack und Heinrich und Bernie und Fred,
sie ha'm zwar Bärte und sind ziemlich nett,
doch ehe ich mit denen auf Kaperfahrt fahre,
äh – irgendwas mit – ahre.«

Nicht mal reimen konnte ich mehr. Meine Laune sank auf den Nullpunkt. Dann fiel mir auch wieder ein, warum. Mick war nicht gekommen – Abenteuer ade.

Plötzlich überkam mich heftige Sehnsucht nach Leonard. Wie hatte ich ihn nur gehen lassen können? Nur weil er statt ›Schlafes Bruder‹ scharfes Luder verstanden hatte? Konnte er was dafür, dass ich so undeutlich sprach? Ich beschloss, ihn anzurufen, sobald ich zu Hause war. Unsere Trennung, das war mir jetzt klar, war ein bedauerlicher Irrtum gewesen.

»Es ist ja erst zehn Uhr«, meinte Rebecca leicht enttäuscht, als wir die Haustür aufschlossen. »Das nächste Mal müssen wir aber unbedingt noch in eine Kneipe gehen oder so was.«

»Mit den Tattergreisen?«

Rebecca sah mich kopfschüttelnd an. »Sag mal, bist du blind, oder was ist mit dir los?« Das zielte vermutlich auf den Segellehrer ab, dessen Hintern sie mir angepriesen hatte wie warme Semmeln.

»Braune Augen mag ich nicht«, sagte ich nur.

»Mein Gott, zeig halt mal ein bisschen mehr Experimentierfreude! Huch!«

Der Aufschrei galt Mo, der knutschend im Weg rumstand. Mit der Blondine im Minirock. Ich hatte zwar ihren Namen vergessen, wollte aber zu erkennen geben, dass ich sie trotzdem wiedererkannte.

»Hallöchen, Popöchen«, sagte ich freundlich lächelnd.

»Du lieber Himmel«, erwiderte die Blondine.

»Das ist Peggy«, sagte Mo. »Peggy, das sind meine Schwestern Rebecca und Judith.«

Peggy war offenbar eine neue Blondine, mir völlig unbekannt. Mit schamrotem Gesicht drängte ich mich an ihr vorbei.

»So ein Mistchen«, murmelte ich nur noch.

»He, warte mal«, rief Mo mir hinterher. »Ich hab' jetzt den Termin für deine Ausstellung. Und zwar der dreizehnte und vierzehnte April! Und der Hemmers von der Galerie sagt, er braucht noch mindestens zwanzig Objekte. Die Menge macht's, sagt er. Meinst du, das kriegst du hin?«

»Ja, ja.« Ich hatte ja sonst nichts zu tun.

»Und noch was! Was ist mit deinem Geburtstag? Wenn du am Samstag feierst, will ich das langsam mal wissen, da ich noch 'ne Einladung habe.«

»Geh ruhig woandershin«, sagte ich. »Ich gedenke meinen Geburtstag zu ignorieren.«

»Wie alt wirst du denn?«, fragte die Blondine mitleidig. Was ging sie das an?

»Neunundzwanzig«, antwortete Rebecca an meiner Stelle.

Die Blondine lachte mit zurückgelegtem Kopf.

»Dann brechen ja jetzt deine schönsten Jahre an«, sagte sie. »Du weißt doch, die zehn Jahre zwischen neunundzwanzig und dreißig sind die besten im Leben einer Frau.«

Blöde Kuh! »Tatsächlich? Wie viele Jahre bist du denn schon neunundzwanzig?«

»Willst du wirklich nicht feiern?«, fragte Rebecca.

»Mal schauen«, brummte ich. »Gute Nacht allerseits.«

Ich schuf noch am gleichen Abend den Kopf für eine neue Marionette. Er sollte ein Ebenbild von Mick werden, so wie ich ihn in Erinnerung hatte. Sein Gesicht schwebte mir für einen geheimnisvollen Wassermann mit geschmeidigem, schuppigem Unterleib vor und Flossen statt Füßen.

Leider wurde nichts daraus. Der Kopf hatte viel mehr Ähnlichkeit mit Bernie, dem Handyman. So was passierte mir öfter. Aber ich warf Bernies Kopf nicht weg. Zwar eignete er sich nicht als Wassermann, aber er würde einen prima Versicherungsvertreter abgeben. Oder einen Gebrauchtwagenhändler. Für so langweilige Puppen mit Anzug und Krawatte erfand Mo immer die künstlerischsten Namen.

»Bruttosozialprodukt«, hatte die letzte geheißen und war noch am gleichen Tag verkauft worden. So sind die Leute eben!

Als ich über dem zweiten Versuch saß und mir überhaupt kein richtiges Gesicht gelingen wollte, fiel mir ein, dass ich mir ja vorgenommen hatte, mich bei Leonard zu melden und zu prüfen, ob es eventuell möglich war, meine übereilte Entscheidung von neulich rückgängig zu machen.

Leonard schien wirklich erfreut über meinen Anruf.

»Ich wollte dich auch schon die ganze Zeit anrufen«, sagte er. »Aber ich wusste nicht so genau, ob...«

»Ob was?«

»Ob wir uns nun gestritten haben oder nicht.«

Das war typisch. Leonard hatte nicht mal gemerkt, dass wir überhaupt Schluss gemacht hatten. Aber so war es für mich leichter, wieder da anzuknüpfen, wo wir aufgehört hatten.

»Ach, Blödsinn«, sagte ich großzügig. »Wir hatten bloß eine kleine Meinungsverschiedenheit.« Abgesehen davon, dass sich meine anderweitigen Pläne mit Mick zerschlagen hatten.

»Da bin ich aber froh«, sagte Leonard. »Soll ich vorbeikommen?«

»Komm besser morgen«, antwortete ich. »Ich koche uns auch was Leckeres.« So ein Versöhnungstreffen ist eines der ganz wenigen Highlights im Leben einer Frau, und das wollte ich auch einen ganzen Abend lang auskosten.

Kaum hatte ich aufgelegt, klingelte das Telefon erneut. Es war Bille.

»Hast du schon bei Mick angerufen?«, erkundigte ich mich.

»Nein, hab bis jetzt mit Burghart diskutiert. Er sagt, was in unserem Segelbuch steht, sei völliger Quatsch. Das soll ich mir besser gar nicht erst einprägen, sonst würde ich in Bausch und Bogen durch die Prüfung rasseln.«

»Ich geb' dir einen guten Rat«, sagte ich. »Hör bloß nicht auf den Idioten. Es ist wahrscheinlich, dass sich die Prüfer eher an dem Buch orientieren als an Burghart. Wahrscheinlich haben sie's sogar selber geschrieben.«

»Ja. Burghart kommt wohl nicht so ganz damit klar, dass ich etwas kann, was er nicht kann.«

»Er kommt ganz und gar nicht damit klar! Aber das hätte ich dir gleich sagen können.«

»Er will, dass wir unsere Beziehung neu definieren, hat er gesagt. Wir sollen uns auch wieder mit anderen treffen, sagt er. Weil, irgendwie hätte ich mich total verändert. Da wäre kaum noch was zu spüren vom Gleichklang unserer Seelen und so.«

Ich sagte gar nichts. Meine Vorschläge, Billes und Burgharts Beziehung zu ›retten‹, waren Bille immer zu blutrünstig. Sie befolgte sie nie, ganz gleich, wie todsicher und praktisch sie auch sein mochten.

»Und wenn ich ihn liebte, ließe ich mir endlich eine Dauerwelle machen, sagt er. Ich hätte offenbar nicht mehr das geringste Interesse, in seinen Augen attraktiv zu erscheinen«, fuhr sie fort. »Deshalb soll ich mich nicht wundern, wenn er sich nach anderen Frauen umschaut.«

»Das Einzige, was mich wundern würde, wäre, wenn andere Frauen sich nach Burghart umschauten«, sagte ich, was etwas ungerecht war, denn auf den allerersten Blick sah man Burghart seine kolossale Beschränktheit nicht an. Er sah gut aus.

»Was hat das wohl zu bedeuten?«, fragte Bille. Sie fragte nicht: Was soll ich denn jetzt machen?, denn die Antwort darauf kannte sie. Es stand außerdem lebenslänglich darauf.

Jetzt war die Hobbypsychologin in mir gefragt. »Ganz klar, Burghart erträgt es einfach nicht, dass du in irgendetwas besser bist als er. Deshalb versucht er, dich kleinzukriegen. Macht dich hässlich, dumm und eifersüchtig, um neben dir als der tolle Typ dazustehen, der für eine wie dich viel zu schade ist. Wahrscheinlich ist es ihm nicht mal bewusst.«

»Also liebt er mich noch?«, hauchte Bille erfreut in den Hörer.

»Hrrrrgh!«, sagte ich. »Wenn ich du wäre …«

»Nein!«

»Also gut«, seufzte ich. »Aber wenn es mal passiert, ruf mich an, ich helfe dir, seinen Leichnam zu zerstückeln und zu entsorgen.«

Bille tat, als hätte sie nichts gehört. »Morgen ist unser Jahrestag.«

»Hä?« Ich konnte mich noch genau daran erinnern, dass ihre verhängnisvolle Affäre im Spätsommer ihren Anfang genommen hatte, keineswegs im Januar.

»Unser Jahrestag. Du weißt schon, als wir das erste Mal...«

»Ach du lieber Herr Gesangverein!«

»Das ist immer unser ganz besonderer Tag. Wir reden darüber, wie alles anfing, wir schenken uns immer was Tolles, essen bei Kerzenlicht und machen dann alles genau wie beim ersten Mal.«

»Hör auf. Mir wird schlecht.«

»Diesmal habe ich was ganz Besonderes für ihn. Eine Wahnsinnsarmbanduhr. Mit eingebautem Kompass.«

»Wann rufst du eigentlich diesen Mick an?«, fragte ich ablenkend.

»Ach, ich weiß nicht, ob ich das überhaupt tun soll.«

»Komm schon, du hast es versprochen!«

»Meinst du, er kann sich überhaupt noch an mich erinnern?«

Die Chancen dafür standen fünfzig zu fünfzig. Höchstens!

»Aber hundertprozentig«, sagte ich, wobei ich meiner Stimme einen Klang voller warmer Zuversicht zu geben versuchte.

»Dann ruf' ich ihn morgen an«, sagte Bille und legte auf.

17. JANUAR.

Jetzt reicht's. Erst die Sache mit der Augencreme, dann die Dauerwelle, und jetzt das. Muss ich mir eigentlich alles gefallen lassen?

Wie kann ein einziger Mensch nur so gemein sein? Und das an diesem ganz besonderen Tag. Heute vor zwei Jahren haben wir zum ersten Mal miteinander geschlafen.

Es war wundervoll.

Ich war wundervoll, B. war wundervoll, die ganze Sache war wundervoll. Ich weiß noch, wie B. gesagt hat, wie wundervoll er sich fand.

Und deshalb habe ich ihm heute auch diese phantastische Uhr geschenkt, die hat über vierhundert Mark gekostet, und er weiß ganz genau, dass ich das nicht von der Steuer absetzen kann. Und was schenkt er mir?

HERBALIFE.

Er schenkt mir eine große Dose Herbalife und dazu eine kleine Dose mit Hefekleietabletten, die im Magen aufquellen sollen. Und einen Aufkleber, auf dem steht: I love Herbalife.

Wie kann er mir nur so was antun? Ich wiege genauso viel wie damals, als wir uns kennenlernten, höchstens ein paar Pfund mehr. Das habe ich B. auch gesagt. Und da hat er gesagt, ich solle mir bloß nichts vormachen. Er wolle mir doch nur helfen. Aber wenn ich nicht wollte, bitte, dann könne ich mir ja weiter die Wampe vollschlagen. Nur sollte ich mich dann nicht so hysterisch aufführen, wenn er sich nach an-

deren, nach schlankeren Frauen umschaue. Wie zum Beispiel Melanie.

Ich bin nicht DICK! Ich bin NICHT dick.

ICH BIN NICHT DICK!

Habe gerade Judith angerufen, um sie zu fragen, ob sie mich dick findet. Aber sie hatte keine Zeit, weil sie mit diesem Volltrottel Leonard Versöhnung feiert. Gerade ist es ganz schlecht, hat sie gesagt, kannst du nicht in einer Stunde noch mal anrufen? Ich möchte wissen, wofür die eine ganze Stunde brauchen.

Habe dann bei Tina angerufen, aber da war nur der Anrufbeantworter. Sabine wollte ich nicht anrufen, weil die so ekelhaft dünn ist, dass sie mich vielleicht tatsächlich für zu dick hält. Blieb nur noch meine Mutter, die sagt mir sowieso immer, ich esse zu wenig. Aber die war auch nicht zu Hause. O Gott, vielleicht hat B. recht, und ich bin wirklich zu fett! Muss nach der Zeitschrift suchen, in der stand, wie man das Idealgewicht ausrechnet.

Habe die Zeitschrift nicht gefunden, aber den Zettel mit Micks Telefonnummer. Könnte ihn anrufen und fragen, ob er mich zu dick fand.

Natürlich würde er nein sagen, weil ICH BIN NICHT DICK. Und vielleicht würde er ja bei B. anrufen und ihm seine Meinung sagen, wenn ich ihn darum bitte. Nein, besser noch, er käme persönlich vorbei, damit B. sehen kann, wie gut er aussieht.

Werde jetzt anrufen. Mal sehen, vielleicht kann man sich ja mal auf ein Bier treffen. Judith wäre zwar stinksauer, aber darauf kann ich wirklich keine Rücksicht nehmen. Außerdem feiert sie schließlich gerade Versöhnung, während B. zurück in seine Wohnung gegangen ist, ohne IRGENDETWAS zu tun. Obwohl heute unser Jahrestag ist.

Das letzte Mal, dass wir SEX zusammen hatten, ist schon mindestens einen Monat her. Und da hat es auch irgendwie nicht richtig geklappt. B. sagt, das liegt daran, dass er mich nicht mehr attraktiv findet. WAS SOLL ICH NUR MACHEN?

Ich hatte mir für heute extra neue Unterwäsche gekauft, keine schwarze, so was findet B. ordinär, sondern ganz süße mit kleinen, blauen Fischchen drauf.

Weil du mich doch immer deine kleine Seejungfrau nennst, habe ich zu B. gesagt.

Und da hat er gesagt: Jetzt werd' nicht gleich wieder sauer, aber im Augenblick siehst du wirklich mehr wie eine kleine SEEKUH aus.

Musste natürlich weinen, das hätte JEDER an meiner Stelle getan. Aber B. sagte nur, ich hätte nicht die kleinste Spur von Humor. Aber das wäre bei Übergewichtigen oft der Fall. Und dann ist er GEGANGEN.

Ich glaube, ich springe jetzt aus dem Fenster.

Habe gerade noch mal bei Judith angerufen und ihr gesagt, dass ich jetzt aus dem Fenster springe. Sie hat gesagt, ich solle damit noch eine halbe Stunde warten, dann hätte sie Zeit für mich. Wollte ihr noch sagen, dass ich dann leider tot sei, aber da hatte sie schon aufgelegt. Eine feine Freundin, kann ich nur sagen.

Habe bei B. angerufen, um ihm zu sagen, dass ich aus dem Fenster springe. Aber bei B. war besetzt. Wahrscheinlich telefoniert er mit dieser Melanie.

Nein, ich werde nicht aus dem Fenster springen. Werde besser diesen Mick jetzt anrufen.

Vielleicht klappt das mit dem Bier sogar noch heute Abend. Judith wird zwar platzen vor Wut, wenn sie das hört, aber sie hätte sich ja um mich kümmern können.

Habe bei Mick angerufen. Es hat sich eine FRAUEN-STIMME gemeldet. Habe wieder aufgelegt. Springe jetzt aus dem Fenster.

4

Der erste Abend meiner wiederbelebten Beziehungskiste war schlichtweg perfekt. Leonard sah mehr als
gut aus, zumal er das Kordhemd trug, das ich ihm zu
Weihnachten geschenkt hatte, und er roch überwältigend nach *Quazar*. Obwohl ich, einer Laune des Unter-
bewusstseins folgend, das verblasste Paprika mit einem
kräftigen »Indian Summer« übertönt hatte und damit rothaariger war denn je, machte er mir nette und dennoch
glaubwürdige Komplimente wegen meines Aussehens.

Wir aßen gebratenes Lachssteak an Wildreis und Brok-
koli, eine meiner Spezialitäten, und anschließend tranken
wir Champagner im Schlafzimmer. Es war einfach himm-
lisch. Ich musste mich selber zu diesem Mann beglück-
wünschen.

Am zweiten Abend aßen wir kleine Cocktailwürstchen
mit Tomatensalat und tranken Rotwein im Schlafzimmer.
Es war immer noch sehr nett.

Am dritten Abend, meinem Geburtstag, ließen wir
uns Pizza kommen und tranken noch einmal Rotwein
im Schlafzimmer. Leonard schenkte mir unter anderem
ein Kondom, das im Dunkeln leuchtete. Er löschte das
Licht und trug sein Geschenk durch den Raum spazieren,
wobei er *Happy Birthday* summte, bis er mit dem Zeh

gegen meine Kommode stieß. Es war ein erhebender Augenblick, und mein Geburtstag insgesamt annehmbar.

Am vierten Abend war mein Kühlschrank rappelleer, und wir aßen trockene Salami. Soweit in Ordnung, bis Leonard aus heiterem Himmel seine alte Leidenschaft überkam.

»In der allergrößten Not schmeckt die Wurst auch ohne Brot«, deklamierte er ohne erkennbaren Grund. »Wiedewidewenne, heißt meine Puthenne!«

Ich bekam auf der Stelle unerträgliche Kopfschmerzen. Im Schlafzimmer trank ich diesmal weder Champagner noch Rotwein, sondern schluckte Aspirin und bat Leonard, in seiner eigenen Wohnung zu übernachten. Als er die Tür leise hinter sich geschlossen hatte, wusste ich instinktiv: Das war der Anfang vom Ende.

Rebecca war mehr oder weniger entsetzt, als sie von unserer Versöhnung erfuhr.

»Ich denke, seine Macken sind unerträglich?«, erinnerte sie sich.

»Man kann sich dran gewöhnen«, sagte ich.

Rebecca verdrehte die Augen. »Du bist wie der Mann in dem Witz.«

»Welchem Witz?«

»Ein Mann kommt mit Durchfall zum Arzt. Der hat einen schlechten Tag und verschreibt ihm statt eines Mittels gegen Durchfall Beruhigungstabletten. Als der Mann nach zwei Tagen wiederkommt, sagt er: ›Herr Doktor, es geht mir schon viel besser. Ich scheiße mir zwar immer noch in die Hosen, aber ich reg' mich nicht mehr darüber auf.‹«

»Du bist gemein«, sagte ich. So weit, Leonard mit Durchfall zu vergleichen, war selbst ich bisher nicht gegangen.

Bille hatte natürlich nicht bei Mick angerufen. Sie sagte, sie habe dafür einfach keine Zeit. Ich fand das sehr egoistisch von ihr, aber da war nichts zu machen.

»Ich habe genug eigene Probleme«, sagte sie.

»Du hast nur ein einziges Problem, und das beseitige ich völlig kostenfrei, wenn du mich lässt. Es wäre mir sogar ein Vergnügen.«

»Ach, was weißt denn du«, seufzte Bille. Sie war unheimlich mies drauf, was ich zum einen auf Burghart schob und zum anderen auf den widerwärtig aussehenden Diätdrink, den sie sich seit Tagen zusammenrührte.

»Wo willst du eigentlich noch abnehmen?«, fragte ich irritiert.

»Ach, hier und da«, murmelte Bille. Sie war wirklich völlig durch den Wind. Nur ungerecht, dass ich darunter leiden musste, denn durch ihre Schuld fand auch die nächste Segelstunde ohne Mick statt.

»Das ist die totale Pleite«, sprach mir Bernie aus dem Herzen, kaum dass er Platz genommen und sein Handy vor sich aufgebaut hatte. »Der Winterschlussverkauf raubt mir noch den letzten Nerv.«

»Das verstehe ich«, sagte Rosi und klimperte mitfühlend mit den metallictürkisfarbenen Lidern. »Ich gehe diesem Trubel immer aus dem Weg. Das meiste bestelle ich sowieso per Katalog.«

»Ja, als Kunde kannst du das vielleicht machen«, sagte Bernie. »Aber nicht, wenn du einen eigenen Laden besitzt. Herrenmoden Müller in der Laurentiusstraße, das bin ich!«

»Nein, tatsächlich?«, rief Ursel aus. »Da haben wir unser kariertes Jackett gekauft. Nicht wahr, Heinrich?«

Unser Jackett? Bernie lächelte zwar erfreut, aber er

67

ließ sich nicht ablenken. »Am schlimmsten sind die Verkäuferinnen. Die sind so dumm, dass man es gar nicht glauben möchte. Kommt die blöde Kuh doch heute mit einem dunkelblauen Wintermantel an und fragt, ob wir die auch reduzieren!«

Er machte eine dramatische Pause.

»Denn nicht?«, fragte Rebecca atemlos.

Bernie schnaubte. »Natürlich nicht! Nicht dunkelblaue Wintermäntel! Die sind doch immer modern, die kann man auch im nächsten Winter noch an den Mann bringen.«

»Und wieder was fürs Leben gelernt«, murmelte ich.

»Heute wird es besonders öde«, unterbrach Stefan unsere Privatgespräche. »Wir widmen uns diesmal den Leuchtfeuerkennungen und lernen einige Knoten.«

Er hatte recht, das mit den Leuchtfeuern war wirklich öde. Schnelle Funkelfeuer, unterbrochene Feuer, Gleichtaktfeuer – das ging bei mir zum einen Ohr rein und zum anderen wieder raus. Erst recht, als ich hörte, dass wir beim Ausbildungstörn mit neunzigprozentiger Wahrscheinlichkeit nur bei Tageslicht auf dem Wasser sein würden.

Aber die Knoten machten Spaß. Wir bekamen dazu jeder zwei Übungsschnüre, die ›Tampen‹ genannt wurden. Wenn wir unsere Übungsschnüre einfach Schnüre nannten, wurde Stefan böse. Er fand es sehr wichtig, dass man alle Dinge an Bord mit dem richtigen Namen benennen konnte. Und Schnüre gab es da keine. Es gab Leinen und Schoten oder Tampen oder allenfalls noch Seile und Taue. Und diese Übungsschnüre hießen Tampen, und damit basta.

Wir mussten uns vorstellen, die Seniorenstuhllehne sei die Reling, an der wir die ›Fender‹ befestigten – Fender, das sind die aufgeblasenen Puffer, die verhindern sollen, dass man mit dem Nachbarboot oder einem Poller kollidiert.

Ich saß neben Rosi, die heute ganz in glänzendes Rot gekleidet war, und sah voller Staunen, dass es ihr nicht gelang, den Webeleinstek um die Lehne zu wickeln. Dabei hatte sie doch ein eigenes Boot, auf dem sie üben konnte. Auch Fred, Rosis Mann, guckte entnervt zu ihr herüber.

»Falsch, falsch, falsch«, sagte er. »Ganz falsch!«

Rosi drehte sich zu mir um. »Auf Ibiza brauchen wir so was nicht«, sagte sie.

Ich war beeindruckt.

»Du kannst ohne Fender einparken?« Beim Segeln hieß das sicher nicht einparken, aber es mangelte mir noch an Fachvokabular.

»Nein«, antwortete Rosi. »Aber ist doch ganz egal, mit welchem Knoten man die Dinger dranmacht. Außerdem hängen die bei uns schon Jahre an der gleichen Stelle.«

»Weil du so faul bist«, knurrte Fred.

Rosi wickelte lustlos ein paar Schlingen um die Stuhllehne.

»Riechst du das?«, fragte sie mich flüsternd.

»Was denn?«

Rosi schaute bedeutungsvoll zu Jack hinüber, der uns gegenübersaß. »Merkst du nichts?«

Ich warf einen Blick zu Jack hinüber. Er machte einen ganz normalen Eindruck.

»Was meinst du?«

Rosi hob abwehrend die Hände. »Oh, ich will nichts gesagt haben!«

»Beeil dich doch, du dummes Suppenhuhn«, zischte Fred ihr zu. »Stefan ist gleich hier.«

»Hetz mich nicht«, zischte Rosi zurück. Die beiden waren wie Bille und Burghart in zwanzig Jahren.

Zu meiner Linken (oder zu meiner Rechten? – ich hatte immer noch das alte Rechts-links-Problem) saß Rebecca, und daneben saß Dirk, der bartlose Freund von Jack. Rebecca und Dirk knoteten ihren Webeleinstek jeweils an der dem anderen zugewandten Stuhllehne. Dabei unterhielten sie sich angeregt.

»Hast du schon mal in diese Prüfungsfragebögen reingeschaut?«, hörte ich Dirk fragen.

»Ja. Ich frag' mich wirklich, wann ich die Zeit finden soll, das alles zu lernen«, gab Rebecca zurück.

»Hast du beruflich so viel um die Ohren? Oder privat?« Dirks braune Augen waren voller Interesse.

»Vor allem beruflich«, seufzte Rebecca und erzählte ihm von ihrem Laden und der Modenschau, die sie im Sommer veranstalten wollte. Über Mann und Kind verlor sie kein Wort. Ich würde das Thema bei Gelegenheit mal in aller Unschuld anschneiden müssen. Dieser Dirk sollte besser wissen, dass Rebecca in Wirklichkeit ein gutgetarntes *Mutti* war. Das war ich meinem Schwager schuldig.

Stefan war lautlos hinter mir aufgetaucht und begutachtete meinen Webeleinstek.

»Gut, Bille«, sagte er dann.

»Judith«, verbesserte ich und wies mit dem Zeigefinger zu Bille hinüber. »Bille ist die da!«

Also, mittlerweile musste er's doch kapiert haben. Von der Haarfarbe abgesehen, hatten wir so gut wie keine Ähnlichkeit miteinander. Bille hatte zwar die schöneren Beine, aber im Großen und Ganzen sah ich besser aus als sie. Aber vielleicht musste man ihn mal mit der Nase drauf stoßen.

Ich hoffte auf eine günstige Gelegenheit, ihm meine ganz individuelle, unverwechselbare Persönlichkeit nahezubringen, wenn wir nach dem Unterricht, wie besprochen, alle zusammen auf ein Kölsch im ›Froschkönig‹ vorbeischauten.

Aber daraus wurde leider nichts.

Im Froschkönig war es wie immer knüppelvoll. Wir mussten uns dreizehn Mann hoch um einen kleinen Tisch quetschen. Dabei kam ich zwischen Ursel und der dunkelblauen Wollmütze namens Ulf zu sitzen.

Ulf schien nicht auf ein Gespräch mit mir aus zu sein. Er kippte sich ein Bier nach dem anderen unter seine Mütze, und wenn er überhaupt sprach, dann nur mit Jack, der an seiner anderen Seite saß.

Dafür redete Ursel um so mehr. Sie vertraute mir an, dass sie bereits angefangen habe, für die Prüfung zu lernen, und soeben bei Frage Nummer 330 angelangt sei. Sie und Heinrich säßen jeden Abend ein, zwei Stündchen über den Büchern, damit sie sich später nicht mehr so unter Druck setzen müssten. Und zum Beweis, wie viel sie schon wusste, listete sie mir alle Signale auf, die man geben konnte, wenn man in Seenot war.

»Erstens: Knallsignale in Zwischenräumen von ungefähr einer Minute«, sagte sie. »Zweitens: Mayday durch Sprechfunk.«

Während ich ihr mit einem Ohr zuhörte, beobachtete ich neidisch die anderen, die sich offenbar köstlich amüsierten. Rebecca war in ein intensives Gespräch mit Dirk vertieft; Bille, Bernie und Rosi erzählten sich Witze und lachten sich halb tot; Fred und Heinrich fachsimpelten über Boote im Allgemeinen und ihre eigenen Boote im Besonderen; und Angela, die angehende Ökotrophologin, hatte den Platz neben Stefan ergattert und redete lächelnd auf ihn ein. Wer weiß, vielleicht analysierte sie gerade sein Kölsch. Stefan hörte höflich, bisweilen sogar lächelnd zu und zog ab und zu an seiner Zigarette. Er rauchte Gauloises Blondes, was zufällig genau die Zigarettenmarke war, die ich auch rauchen würde – wenn ich Rauchen nicht prinzipiell ablehnte.

»Viertens: Orangefarbenes Rauchsignal«, sagte Ursel neben mir. »Und fünftens: Langsames Heben und Senken der seitlich ausgestreckten Arme. Siehst du, so!«

Zu Demonstrationszwecken erhob sie sich, streckte ihre Arme von sich und imitierte eine Windmühle. Leider schlug sie dabei dem sich vorbeidrängelnden Kellner das volle Tablett aus der Hand. Eine Stange Kölsch ergoss sich über meinen Strickrock und sickerte in meine Strumpfhosen.

»Bier macht keine Flecken«, beruhigte mich Ursel und wartete geduldig, bis der Kellner die Scherben aufgehoben und sich davongemacht hatte.

»Mööööööööööööööh«, trötete sie dann in mein Ohr. »Das ist sechstens: Dauerton eines Nebelsignalgerätes.«

»Ich glaube, das wird noch ein ganz toller Ausbildungstörn«, sagte Bille, als wir später im Auto saßen. »Die sind eigentlich alle ganz nett.«

»Ja«, stimmte ihr Rebecca von Herzen zu. Nur ich zupfte an meiner feuchten Strumpfhose und schwieg.

Tatsache war, dass mir zumindest der Segelkurs als solcher allmählich Spaß zu machen begann. Ich weiß nicht, ob es an mir lag oder daran, dass es wirklich nicht schwer zu verstehen war, jedenfalls begriff ich immer alles auf Anhieb. Vor allem die Knoten hatten es mir angetan. Wo ich ging und stand, knüpfte ich Webeleinsteks und Achterknoten, in Lampenkabel, Gardinentroddeln und sogar in Spaghetti.

Als wir in der nächsten Stunde den ›Palstek‹ lernten, war ich mit Feuereifer bei der Sache. Der Palstek war gar nicht so schwer, wie er aussah. Stefan knüpfte ihn in Zeitlupe zusammen und forderte uns auf, es ihm gleichzutun, indem wir dabei eine Geschichte erzählten.

In der Geschichte kroch eine Schlange aus einem Teich, um einen Baum am Ufer herum und wieder in den Teich hinein. Tatsächlich knüpfte sich der Palstek dabei von ganz allein. Nur bei Bernie klappte es nicht so recht. Unglücklich hielt er das Ergebnis seiner Geschichte hoch.

»Das ist kein Palstek, das ist eine Karnickelfalle«, kommentierte Stefan, wie immer mit zusammengebissenen Zähnen.

Wir kicherten schadenfroh, und Bernie knotete erneut.

»Handarbeit ist nicht meine Stärke«, sagte er, aber schließlich hielt auch er einen perfekten Palstek in der Hand.

Wir ließen die Schlange noch einige hundertmal aus dem Teich, um den Baum herum und wieder ins Wasser kriechen, denn der Palstek sei der allerwichtigste Knoten, sagte Stefan. Ein echter Segler musste ihn zu jeder Tages- und Nachtzeit und in jeder Situation mit geschlossenen Augen schlingen können. So ein Palstek hatte schon manchem Matrosen in Seenot das Leben gerettet.

Erst als auch Bernie und Rosi den Knoten völlig blind und mit nur einer Hand knüpfen konnten, war Stefan zufrieden, und wir durften uns der Navigation zuwenden.

Bille war heute nicht so recht bei der Sache.

»Burghart hat einen supernetten Freund zu Besuch«, flüsterte sie mir zu, und weil mein Blick wohl schon alles sagte, setzte sie rasch hinzu: »Ein alter Schulfreund, der seit über zehn Jahren in Kanada lebt!«

»Das ist allerdings eine Erklärung«, meinte ich gnädig. Die paar Freunde, die Burghart hatte, waren nämlich alles andere als nett. Aber wenn der Typ seit Jahren in Kanada lebte, war es natürlich möglich, dass er Burgharts Freund und trotzdem nett war. Unter der Bedingung, dass er Burghart in den letzten zehn Jahren kein einziges Mal gesehen oder gesprochen hatte.

»Er ist wirklich total nett«, führte Bille weiter aus. »Vor allem zu mir. Burghart ist schrecklich eifersüchtig.«

»Sieht er denn gut aus?«

»Und wie«, Bille fuhr sich mit der Zunge über die Lippen und lächelte. »So ein richtig kernig-knackiger Kanadier eben.«

»Oh!« Womöglich mit eigenem Blockhaus am eigenen See. Was ein richtig kernig-knackiger Kanadier war, hatte auch noch das entsprechende Wasserflugzeug dazu.

Bille lächelte noch seliger. »Die beiden haben mich für heute Abend zum Essen eingeladen. Sie wollen für mich kochen. Süß, oder? Wenn ich nachher nach Hause komme, warten schon knusprige Steaks auf mich.«

Wenn ich nachher nach Hause kam, wartete nur der Geschirrberg von vier Tagen auf mich. Mein Kühlschrank war bis auf ein Stück alte Salami und ein paar Eiswürfel total leer. Bille hingegen würde nicht nur mit knusprigen Steaks verwöhnt werden, sondern wahrscheinlich auch für den nächsten Sommer nach Kanada eingeladen werden!

Für den Rest des Unterrichts muffelte ich ob dieser Ungerechtigkeit vor mich hin. Plötzlich kam mir eine gute Idee.

»Ich habe auch Hunger«, sagte ich probeweise zu Bille.

Sie reagierte nicht. In aller Seelenruhe packte sie das Geodreieck, den Übungstampen und ihre Schreibsachen zusammen.

»Ich hab' den ganzen Tag noch nichts Richtiges gegessen«, biederte ich mich lauter an.

Bille schwieg hartnäckig.

»Weißt du was, ich komme einfach noch mit zum lieben Burghart.« Jetzt eben auf die plumpe Art. »Dann kann ich den tollen Kanadier gleich mal begutachten.«

Bille zuckte mit den Schultern. »Ich weiß nicht, ob die für vier Personen genug eingekauft haben.«

»Das macht nichts«, sagte ich. Ich war schon weitaus besser gelaunt. »Wir beide teilen uns ein Steak, was meinst du?«

Bille sah mich bitterböse an. »Kannst du dich nicht um deine eigenen Angelegenheiten kümmern?«

»Ich habe, wie du weißt, im Augenblick kaum eigene Angelegenheiten. Deshalb ist es deine moralische Pflicht als Freundin, deine Angelegenheiten zu meinen Angelegenheiten zu machen«, entgegnete ich. »Außerdem will ich dir diesen Kanadier nicht abspenstig machen. Und Burghart sowieso nicht. Ich will bloß ein Steak. Ist das zu viel verlangt?«

Wie ein Bluthund heftete ich mich an Billes Fersen. Es war ihr unter diesen Umständen durchaus zuzutrauen, dass sie in einem unbeobachteten Augenblick in ihr Auto stieg und ohne mich davonfuhr.

»Ich fahre noch mit zu Bille«, rief ich Rebecca zu. »Ich komm' dann mit der Bahn nach Hause.«

Rebecca zog bloß die Augenbrauen hoch.

»Wir gehen noch einen trinken«, meinte Dirk. »Kommt ihr nicht mit?«

»Nein, geht nicht, wir sind zum Essen eingeladen«, sagte ich, und bei diesen Worten lief mir bereits das Wasser im Mund zusammen. »Und Rebecca wird zu Hause erwartet.«

Aber Rebecca ignorierte mich und strahlte stattdessen Dirk an.

»Gerne«, sagte sie, und jetzt war ich an der Reihe, die Augenbrauen hochzuziehen. Da war Rebecca aber schon Arm in Arm mit Dirk Richtung Parkplatz geschlendert. Einen Augenblick lang war ich versucht, den Moralwächter zu spielen und mich ihnen anzuschließen. Aber die Steaks und der Kanadier waren verlockender. Und außerdem war Rebecca alt genug, um zu wissen, was sie tat.

»Also echt«, sagte Bille, nachdem ich mich auf den Beifahrersitz hatte plumpsen lassen. »Manchmal bist du eine richtige Nervensäge, da hat der Burghart wirklich recht!«

»Burghart hat gesagt, ich sei eine Nervensäge?« Aber was regte ich mich auf? Das war wahrscheinlich noch das Netteste, was er über mich gesagt hatte. »Was gibt es denn zu den Steaks?«

»Welchen Steaks?«

»Die der Kanadier für dich zubereiten wollte.«

»Ach so! Äh, vielleicht hab' ich das auch verwechselt, und die Einladung galt für morgen«, sagte Bille. »Wir können uns ein paar Nudeln kochen, wenn du noch Hunger hast.«

»Was?« Das war ja wohl die ganz linke Tour. Aber nicht

mit mir. »Nee, nee, wir zwei gehen gleich schön zu Burg-hart und seinem Freund. Die warten doch auf dich.«

Bille seufzte zum Steinerweichen.

Aber ich war härter als Stein. Als wir vor ihrem Wohn-haus geparkt hatten, scheute ich nicht davor zurück, meine Faust in ihren Rücken zu stoßen, um sie bis in den dritten Stock zu Burgharts Wohnung hinaufzuschubsen. Auch das Klingeln musste ich übernehmen. Ich klingelte dreimal.

Endlich riss Burghart die Tür auf.

»Bille! Judith!«, rief er. »Ihr kommt sicher gerade vom Segelkurs. Kommt rein, ich werde euch sofort mal prü-fen. Was habt ihr heute gelernt?«

»Wir haben gelernt, wie man auf der Seekarte eine Strecke abgreift. Mit dem Zirkel«, erklärte ich ihm be-reitwillig.

»Peanuts!« Burghart riss Bille die Tasche aus der Hand und entrollte die Seekarte.

Ich sah mich indessen nach dem kernig-knackigen, su-pernetten Kanadier um. Aber sosehr ich auch suchte, ich sah nur einen kleinen Dicken mit Ziegenbärtchen rum-stehen, ein bescheidenes, aber sympathisches Lächeln auf den Lippen.

Ich bedachte Bille mit einem langen, bedeutungsvollen Blick. Sie wurde nur ein ganz kleines bisschen rot. Viel zu wenig, schließlich hatte sie mir weismachen wollen, dass sie einen heißen Flirt mit diesem Wahnsinnsexem-plar hingelegt und den guten Burghart damit zu maßloser Eifersucht getrieben hatte.

Aber dafür konnte der arme Kanadier ja nichts.

»Hi«, sagte ich freundlich zu ihm, und er sagte ebenso freundlich »Hi« zu mir, mit diesem unnachahmlich süßen kanadischen Akzent.

»Wieso muss man denn den Kurs *vertikal* messen?«, fuhr Burghart Bille an, die ihm eben dies gerade erklärt hatte. »Das ist doch völliger Quatsch. Da hat euer Segellehrer euch wieder mal den totalen Nonsens beigebracht.«

»Nein, hat er nicht«, widersprach Bille mit einem Lächeln. »Pass auf, ich erkläre es dir…«

»Nee, du, komm mir nicht mit so 'nem Laienquatsch«, unterbrach sie Burghart schnell. »Ich weiß, wie man das macht. Das ist ganz einfach. Weil nämlich die Erde rund ist und die Karte flach, verstehst du? Na ja, und außerdem wegen Sinus und Cosinus und Pythagoras, aber das ist sowieso zu hoch für dich. Egal, glaub du ruhig den Mist, den dein Segellehrer dir verklickert.«

Bille sagte nichts mehr.

Mein Magen knurrte laut. Ich hatte Hunger.

»Was habt ihr denn noch gelernt?«, wandte sich Burghart an mich.

»Wie man den Palstek knüpft.«

»Den Palstek? Kann ich. Gib mal das Seil her, Bille, ich zeig' euch mal, wie das geht.«

Ich ließ meine hungrigen Blicke wieder durch die Wohnung schweifen, die ein einziges Burghart-der-Großartige-Denkmal war. Überall hingen Fotografien von ihm an den Wänden, die ihn in göttlicher Ausübung verschiedener Sportarten zeigten. Für jemanden, der das zum ersten Mal sah, absolut appetittötend. Aber ich war längst abgehärtet. Und immer hungriger. Aber sosehr ich auch suchte, ich konnte nichts Essbares erkennen. Von knusprigen Steaks keine Spur. Ich beschloss, das Thema mal ganz vorsichtig anzuschneiden.

»Wo ist das Essen?«, fragte ich laut.

»Was für Essen?«, fragte Burghart abgelenkt zurück. Er hatte sich den Tampen geschnappt und in Windeseile eine Schlinge geknotet, die einem Palstek ziemlich ähnlich sah. Aber eben nur ähnlich.

»Das ist kein Palstek, das ist eine Karnickelfalle«, zitierte Bille mit steinerner Miene und beinahe ohne die Lippen zu bewegen.

»Na, die Steaks«, sagte ich. Mein Magen knurrte wieder vernehmlich. Der Kanadier hielt mir verständnisvoll eine angebrochene Tüte Chips hin. Die Steaks, und dazu noch von Männerhand zubereitet, hatte es wohl nur in Billes Phantasie gegeben. Dass ich aber auch immer wieder auf ihre Lügengeschichten hereinfiel!

»Oh, thank you«, sagte ich dankbar zu dem Kanadier. Chips waren schließlich besser als gar nichts.

»Karnickelfalle?«, rief Burghart mit überschnappender Stimme. »Na, dann mach es doch besser, wenn du kannst.« Er hielt Bille den Tampen unter die Nase.

Vor lauter Anspannung wurde Bille ganz weiß um die Nase. Aber gelernt ist gelernt – schwuppdiwupp hatte sie einen Palstek geknotet.

»Bitte«, sagte sie immer noch mit steinerner Miene.

»Genauso hab' ich es auch gemacht, genauso!«

»Nein, hast du nicht.«

»Hab' ich doch! Gib wieder her.« Burghart knotete mit vor Eifer zitternden Fingern eine weitere Karnickelfalle zusammen.

»Wieder falsch«, konstatierte Bille. »Soll ich dir erklären, wie es richtig geht?«

Mit einem Schnauben warf Burghart ihr den Tampen vor die Füße. Geduldig hob Bille ihn auf.

»Sieh mal. Zuerst machst du eine Schlinge und stellst

dir vor, das sei ein See. Und das Ende hier ist eine Schlange, die in den See eintaucht, um den Baum herumkriecht und wieder im See verschwindet. Siehst du, so!«

»Genauso hatte ich's ja gemacht.« Burghart riss ihr den Tampen wieder aus der Hand. Unter seinen Händen entstand eine dritte Karnickelfalle.

Ich musste lachen. So doof war ja nicht mal Bernie gewesen!

»Du kannst überhaupt nicht erklären«, warf Burghart Bille vor. »Ein Glück, dass du keine Lehrerin geworden bist. Die armen Kinder würden ja kein Wort verstehen.«

»Du bist gemein«, sagte Bille. »Ich wollte dir doch nur zeigen, wie's richtig geht.«

»Ich hab's ja auch richtig gemacht, bevor du mit deinen tollen Erklärungen kamst.«

»Hast du nicht.«

»Hab' ich doch.«

Ich nahm mir noch eine Handvoll Chips.

»Very lecker«, sagte ich zu dem Kanadier. Sicher hatte er in zehn Jahren Auslandsaufenthalt die deutsche Sprache nicht ganz verlernt und verstand mich. »Better than nothing.«

Der Kanadier grinste sein sympathisches Grinsen.

Durch die Chips angeregt, fragte ich ihn, in which part of Canada he lives in. And that I ebenfalls schon mal da war, with the Schüleraustauschgruppe of the Lions Club, das sagte ich ihm auch. So was schafft Verbindungen. Vielleicht lud er mich ja in sein Blockhaus am See ein. Am besten, wenn er selber gerade woanders Urlaub machte.

»Ähm«, machte der Kanadier with his nice canadian accent. »Leider war ich noch nie in Kanada. Obwohl es da sehr schön sein soll. Ich fahre in den Ferien immer nach Südfrankreich. Da ist es auch schön.«

»What?«, fragte ich lahm. Manchmal fiel der Groschen bei mir in Zeitlupe. Aber immerhin fiel er, bevor ich mich noch mehr blamieren konnte.

Super, der kernige, knackige, unheimlich nette Kanadier war also nicht nur nicht kernig und knackig, sondern auch gar kein Kanadier. Und ich blöde Kuh machte mich hier mit meinem bescheidenen Schulenglisch lächerlich.

Wütend sah ich zu meiner sogenannten besten Freundin hinüber. Obwohl sie immer noch in den »Hast-du-nicht«- »Hab'-ich-doch«-Dialog mit Burghart verstrickt war, konnte ich unzweifelhaft Schadenfreude in ihrem Blick erkennen.

Na warte, du Luder, dachte ich. Bei der nächsten Gelegenheit kriegst du's zurück.

_____ *Billes geheimes Tagebuch* _____

28. JANUAR.
Jetzt reicht's. Alles muss man sich ja nicht gefallen lassen!
B. hat bei dieser Melanie ÜBERNACHTET.
Nach dem Betriebsfest gestern ist er nicht nach Hause gekommen. Vielleicht dachte er ja, ich merke es nicht.
Du betrügst mich, habe ich ihm heute Nachmittag gesagt, aber B. sagt, er und Melanie hätten nur GE-REDET.
Und das soll ich glauben?

B. sagt, das wäre ja mein Problem, wenn ich ihm nicht glauben würde. Und ob ich nicht endlich mal mit meiner DIÄT anfangen wolle. Das Herbalife sei nämlich sauteuer gewesen. Dabei habe ich schon zwei Kilo abgenommen. Meine Jeans hängt an mir herunter wie ein Mehlsack. Aber das sieht B. nicht. Wollte mich nicht mit ihm anlegen, habe nur gesagt, dass ich auch mal wieder Appetit auf was Richtiges zu essen hätte. Ob wir nicht zusammen essen gehen könnten, so ganz gemütlich, nur wir beide.

Da hat er gesagt, essen gehen sei in meinem momentanen Zustand nicht empfehlenswert. Melanie würde JEDES Abendessen durch Herbalife ersetzen. Und das sähe man ihr auch an.

Wenn ich die jemals kennenlerne, mische ich Zyanid unter ihr Diätpulver. Bin mittlerweile im Telefonbuch bei H angelangt. Bis jetzt achtundzwanzig Melanies.

Freue mich auf das nächste Mal Segelkurs. Da sind wenigstens alle nett zu mir. Glaube ja, dass Stefan an mir interessiert ist. Er guckt mich immer so komisch an. Schade, dass er nicht wirklich aussieht wie Keanu Reaves. Außerdem trägt er unmögliche SCHUHE.

Dirk scheint auch interessiert zu sein. Er hat mir beim letzten Mal seinen Zirkel geliehen. Wünschte, B. hätte es gesehen. Von wegen, ich kenne keine anderen Männer!

Judith ist sauer, weil Dirk angeblich mit Rebecca flirtet. Aber ich denke, er ist einfach nur nett zu ihr. Welcher vernünftige Mann interessiert sich schon für eine Frau mit Schwangerschaftsstreifen? B. sagt außerdem, Rebecca habe so was ganz und gar Unweibliches an sich. Genau wie Judith. Es läge an der Art, wie sie einen anschauten. Unweiblich eben.

Auch Jack ist sehr nett. Er ist zwar ein bisschen zu alt für mich, aber auch an mir interessiert. Das letzte Mal sagte er, ich sei eine süße Maus. Rosi sagt zwar, Jack sei besoffen gewesen, Jack sei eigentlich IMMER besoffen, aber ich meine, das macht nichts. Kinder und Betrunkene sagen die Wahrheit. Ich bin wirklich eine süße Maus.

5

»**Merke: Steuere niemals** nach dem rechtweisenden Kurs am Kompass, gehe nie mit dem Magnetkompasskurs in die Karte«, sagte der Segelstefan. »Sonst kann man schon mal an Australien vorbeisegeln.«

Ich lachte herzlich. Stefan fixierte mich mit seinem mürrischen Blick. Das mit Australien war kein Witz gewesen.

»Komm mal nach vorne, Julia, und errechne den rechtweisenden Kurs für einen Magnetkompasskurs von achtzehn Grad, wenn die Ablenkung 5 und die Missweisung 7 Grad beträgt.«

Das war ja nun ein Leichtes für mich, Peanuts, wie Burghart sagen würde. Auch wenn ich nicht Julia hieß, machte ich das mal eben mit links. Den anderen fiel es genauso leicht, mit Ausnahme von Bernie, der hatte eine wirklich lange Leitung. Mit den Gedanken war er immer noch beim Winterschlussverkauf und den saublöden Verkäuferinnen, mit denen er geschlagen war.

»Kommt die dämliche Kuh doch gestern mit einem grauen Jackett zu mir und fragt, ob wir das auch reduzieren«, klagte er.

Was das für eine absurde Frage war, wussten wir ja spätestens seit der Geschichte mit dem dunkelblauen

Wintermantel. Wäre es ein gelb-grünes Hahnentrittja-ckett gewesen, hätte die Sache schon anders ausgese-hen. Aber Grau war klassisch, das konnte man ja auch noch im nächsten Jahr an den Mann bringen.

»Armer Bernie«, sagte Rosi mitleidig. »Aber so ist das, wenn man sein eigenes Geschäft hat.«

Stefan verteilte Blätter mit Aufgaben, die wir zu Hause lösen sollten. Netterweise verteilte er die Lösungen gleich dazu.

»Nix da«, sagte Fred und riss Rosi das Lösungsblatt aus der Hand. »So lernst du das doch nie.«

»Das macht er immer«, flüsterte mir Rosi bekümmert zu. »Nur, damit ich zu Hause nicht nachgucken kann.«

»Nimm mein Lösungsblatt«, bot ich flüsternd an. »Ich kann bei Rebecca nachschauen.«

Rosi faltete mein Blatt zusammen und steckte es heim-lich in die Känguruhtasche ihres glitzerblauen Sweaters. Ihre Outfits waren farblich immer perfekt aufeinan-der abgestimmt: Leggings, Oberteil, Schuhe, Ohrclips – alles ein Farbton, in der Regel aus lichtreflektierenden, atmungsaktiven Materialien und mit Markenlabels ver-sehen, die man auf derartigen Klamotten niemals er-wartet hätte. Nur der türkisfarbene Lidschattenbalken blieb in jeder Stunde der gleiche. Bille meinte, es handle sich hierbei um einen besonders hartnäckigen Fall von Permanent-Make-up.

»Riechst du das?«, fragte Rosi wie beim letzten Mal und sah wieder zu Jack hinüber. »Wie eine ganze Schnaps-fabrik!«

Ich schnupperte. Nein, ich roch nichts.

»Ich sag's nur ungern«, flüsterte Rosi. »Aber der Jack ist wirklich immer besoffen!«

»Rosi!«, zischte Fred. »Los, Gruppenarbeit!«

Rosi lächelte mir noch einmal verschwörerisch zu.

Ich wollte mit Rebecca zusammenarbeiten, aber die hatte schon, ohne mich zu fragen, eine Gruppe mit Dirk gebildet. Soweit ich mitbekam, redeten sie nicht über Kurse und Distanzen, sondern über Woody-Allen-Filme.

»Also ›Bullets over Broadway‹ gefiel mir nicht so gut wie ›Verbrechen und andere Kleinigkeiten‹«, sagte Dirk, und Rebecca stimmte ihm von ganzem Herzen zu.

Und wie sie dabei lächelte! Ganz und gar unpassend für ein Mutti, das ein zahnendes Kleinkind und einen Ehemann zu Hause sitzen hatte. Aber meine strafenden Blicke nahm das Rabenmutti gar nicht wahr. So, als wäre ich nicht vorhanden.

Als ich mich wieder auf mich besann, hatten sich bereits alle anderen zu Paaren zusammengefunden: Bille und Bernie, Heinrich und Ursel sowie Ulf und Jack. Nur Angela und ich waren noch solo. Wohl oder übel setzten wir uns nebeneinander an eine Seekarte.

»Sag mal, sind deine Haare eigentlich von Natur aus rot?«, erkundigte sich Angela.

»Aber ja«, log ich verärgert.

»Sieht aber nicht so aus«, meinte Angela besserwisserisch, wobei sie ihr staubfarbenes Haar in den Nacken warf.

Auch bei den Aufgaben wusste sie alles besser. Ständig riss sie mir Geodreieck und Zirkel aus der Hand und sagte: »Lass mich das lieber machen, ich bin genauer.«

Als Stefan vorbeikam und fragte, ob wir zurechtkämen, sagte sie: »Ja, und was Judith nicht versteht, erkläre ich ihr schon.«

Ich konnte es mir gerade noch mal verkneifen, ihr den Zirkel in den Arm zu piken.

86

»Wusstest du, dass das Abitur über den zweiten Bildungsweg viel, viel anspruchsvoller ist?«, fragte Angela unvermittelt. »Ich hatte einen Schnitt von eins Komma drei.«

Ah, daher weht der Wind. Angela war eine von diesen Frauen, die ständig fürchteten, man könne ihnen das Abitur nicht ansehen.

Ich sagte nichts dazu.

»Was hattest du denn für einen Durchschnitt?«, wollte Angela wissen.

Ich tat, als könne ich mich nicht mehr so genau erinnern.

»Zwei Komma noch was«, sagte ich, was auch der Wahrheit entsprach. Zwei komma neun exakt.

»Aha«, sagte Angela und presste zufrieden ihre Lippen aufeinander. Ich konnte mir nicht helfen, aber die Frau war mir einfach unsympathisch.

Als wir nach dem Unterricht wieder auf ein Bier in den Froschkönig gingen, setzte ich mich möglichst weit von ihr weg. Ich wollte aber auch nicht in Ulfs oder Ursels Nähe sitzen. Deshalb setzte ich mich diesmal zwischen Bille und Rebecca.

Aber nicht, dass ich mich deshalb besser unterhalten hätte – im Gegenteil. Bille erzählte sich wieder Witze, diesmal mit Jack und Bernie, die auf ihrer anderen Seite saßen, und Rebecca unterhielt sich blendend mit Dirk, diesmal über Bauhausarchitektur. Ich saß in der Mitte, und keiner kümmerte sich um mich.

»Ich mag ja mehr die Architektur von Hundertwasser«, versuchte ich mich am Gespräch links (äh – rechts?) zu beteiligen.

Es war, als hätte ich gar nichts gesagt. Weder Dirk

noch Rebecca schenkten meinen Worten irgendwelche Beachtung.

Daher versuchte ich es auf der anderen Seite. Bernie erzählte gerade einen Verkäuferinnenwitz: »Sagt die eine Verkäuferin zur anderen: ›Du, mein Macker hat mir gestern soooo 'nen Rosenstrauß geschenkt. Aber dafür musste ich dann auch die ganze Nacht die Beine breit machen.‹ Sagt die andere: ›Wieso, habt ihr keine Vase?‹«

Ausnahmsweise lachte ich mal ganz herzlich, so was verbindet. Währenddessen grübelte ich verzweifelt über einen Witz nach, den ich zum Besten geben konnte. Der einzige, der mir einfiel, war der, wo Tünnes und Schäl zusammen Rad fahren und Schäl dem Tünnes immer sagt, dass sein Schutzblech rappelt, und Tünnes immer fragt: ›Wie bitte?‹ Und am Ende, da sagt er dann, dass er den Schäl nicht versteht, weil sein Schutzblech rappelt. Also, das ist ein echt komischer Witz, da könnte ich mich immer wieder drüber totlachen. Aber als ich ihn erzählen wollte, riefen Bille, Jack und Bernie wie aus einem Mund: »Ach, der ist doch uralt!«

Schließlich gab ich es auf und begnügte mich damit, die Leute zu beobachten. Es war wieder knüppelvoll im Froschkönig, und dementsprechend laut war auch der Lärmpegel. Ich konnte also nur raten, worüber sich die anderen unterhielten. Fred und Heinrich sprachen vermutlich wieder über ihre Boote, und Ursel machte Rosi Panik, dass sie besser schon mal mit den Prüfungsfragen beginnen solle, ehe es zu spät sei, und dass sie und Heinrich schon bei Frage vierhundertachtzehn angelangt seien.

Stefan saß wieder neben Angela, und diesmal glaubte ich nicht mehr an puren Zufall. Diese Angela hatte es eindeutig auf ihn abgesehen. In Anbetracht ihrer Haare, die der Farbe eines verdurstenden Dromedars glichen, hatte sie wohl schlechte Karten, denn Stefan stand bekanntlich auf Rothaarige. Nicht, dass ich ihn ihr nicht gegönnt hätte. Er war ja nun wirklich nicht mein Typ, auch wenn ich zur Zeit zufällig rothaarig war. Schöne Augen hin, schöner Hintern her – der Kerl war mir einfach zu trocken. Und Männer, die sich meinen Namen nicht merken konnten, fand ich grundsätzlich nicht toll.

Weil sich niemand um mich kümmerte, beschloss ich, eine Weile auf dem Klo zu verschwinden. Als ich mich an der Bar vorbeigedrängelt hatte, hielt ich Ausschau nach einem Pfeil, der den Weg zur TOILETTE wies, aber da war keiner.

»Die Toiletten?«, erkundigte ich mich bei einer vorbeikommenden Kellnerin.

»Die sind links die Treppe runter, den Gang rechts, dritte Tür links«, sagte sie, und ehe ich sie auf mein Rechts-links-Problem aufmerksam machen konnte, war sie auch schon im Gedränge verschwunden.

Glücklicherweise fand ich die Treppe beinahe sofort, verlief mich dann ein wenig im Gang, öffnete jede Tür und fand das kleine Weiblein, das die Damentoilettentür zierte, gerade noch rechtzeitig, bevor ich mir in die Hosen machte.

Auf dem Rückweg hatte ich mehr Probleme. Rekonstruierend denke ich heute, dass ich gleich zu Anfang rechts und links verwechselte und daher nach kurzer Zeit in einer Sackgasse landete, die von einer Eisentür versperrt wurde. Mir war klar, dass ich hier verkehrt war, aber wenn ich jetzt umkehrte, würde ich vermutlich bis an mein Lebensende in diesem Keller herumirren. Ich würde mich von den Krümeln ernähren, die den anderen Gästen von der Kleidung fielen, und eine Ratte zähmen, die mir in der Einsamkeit Gesellschaft leistete. Meine Haare wüchsen bis zum Boden, meine Kleider verfielen langsam, bis sie nur noch in Fetzen an mir herunterhingen. Und nach vierzig Jahren würde mich jemand entdecken, und ich käme ins Guinness-Buch der Rekorde, gleich hinter dem Mann, der drei Wochen lang um den Arc de Triomphe gekurvt war, ohne eine Lücke im Verkehr zu finden.

Über der Tür leuchtete ein grünes Notausgangschild. Na bitte, ging doch auch. Wie erwartet befand sich dahinter eine Treppe, die neben dem Haus ins Freie führte.

Aber kurz bevor ich die Treppe ganz erklommen hatte, sah ich an der Hausecke unter der Laterne zwei Männer stehen.

Einer davon war Stefan.

Den anderen erkannte ich nicht sofort, aber als ich ihn lachen hörte und sich durch die Locken fahren sah, fiel ich beinahe wieder rückwärts die Treppe hinab.

Es war Mick, die Maus.

Was hatte er mit Stefan zu belachen? Vorsichtig zog ich mich in den Schatten zurück und wartete ab.

Stefan lachte nicht mit. Er öffnete vielmehr mit bierernstem Gesicht seine Fleecejacke und holte ein helles Couvert aus der Innentasche. Dabei sagte er etwas zu Mick, was ich auch nicht hätte verstehen können, wenn ich Lippenleserin gewesen wäre, denn Stefan sprach bekanntlich, ohne die Lippen zu bewegen.

Mick nahm den Umschlag entgegen und lachte noch einmal. Wieder verzog Stefan keine Miene. Er schüttelte nur den Kopf und verschwand dann um die Hausecke.

Mick folgte ihm, nachdem er das Couvert sorgfältig in seiner Hosentasche verstaut hatte.

Was sollte man davon halten?

Während ich so im Dunkeln auf der Kellertreppe stand, dämmerte mir die ganze schreckliche Wahrheit. Mick und Stefan waren alte Bekannte. Stefan hatte Mick bestochen, damit er in der ersten Segelschnupperstunde allen weiblichen Interessenten mit seiner unwiderstehlichen Art das Segeln schmackhaft machte! Und wenn sich dann alle wegen Mick zum Segelkurs angemeldet hatten, brauchte Mick nicht mehr zu kommen. Lediglich die Bestechungssumme musste noch übergeben werden.

Empört schnappte ich nach Luft. Ja, genauso musste es sein. Dieser Stefan wusste nur zu gut, dass sein langweiliger Unterricht allein kein Ansporn war, aber wenn er Mick als Lockvogel einsetzte, konnte er selbst die größten Zweifler überzeugen. Unglaublich! Wer weiß, wie viele Segelkurse er auf diese Art und Weise schon besetzt hatte.

Ich folgte Mick und Stefan um die Hausecke, zurück in das Menschengewimmel in der Kneipe. Mick entdeckte ich an der Theke. Stefan war nicht zu sehen. Sicher war er wieder zu den anderen gegangen.

Vorsichtig pirschte ich mich an Mick heran. Er bestellte sich gerade ein Kölsch. Von der Seite betrachtet, machte er einen äußerst zufriedenen Eindruck. Kein Wunder, das war wirklich leicht verdientes Geld gewesen. Wie viel mochte Stefan ihm dafür bezahlt haben, dass er sich einen Abend ins Mutter-Teresa-Heim gesetzt und seine Sympathie verströmt hatte? Wie viel waren wir ihm wohl wert?

Ich beschloss, der Sache sogleich auf den Grund zu gehen. Die anderen würden mich sowieso nicht vermissen. Wahrscheinlich hatten sie nicht einmal gemerkt, dass ich überhaupt weg war.

Als der Mann neben Mick seinen Platz räumte, nutzte ich die Gunst der Sekunde und schob mich blitzschnell auf den freigewordenen Barhocker.

»Hallo«, sagte ich.

Mick musterte mich wohlwollend, dann lächelte er. Er konnte wirklich überzeugend lächeln. Leider schien er mich nicht wiederzuerkennen.

»Ich bin Mick, man nennt mich auch Micky, und wer bist du?«, fragte er.

»Judith«, antwortete ich.

»Schnucklig«, meinte Mick. »Bist du allein hier?«

»Nicht direkt.« Ich wusste nicht so recht, wie ich das Gespräch auf das Thema Bestechung lenken sollte. Glücklicherweise kam mir Mick unbeabsichtigt zu Hilfe. Er holte nämlich das weiße Couvert aus seiner Jeans und legte es auf die Theke.

Schwer atmend beugte ich mich vor. Ich musste einfach wissen, wieviel Stefan ihm bezahlt hatte: Einen Hunderter? Zwei?

Mick holte Tabak und Zigarettenpapier aus seiner anderen Hosentasche und begann sich eine Zigarette zu drehen. Bevor er das Papier zusammenklebte, griff er in Stefans Umschlag und holte ein paar bräunliche Krümel heraus, die er auf den Tabak bröselte. Mein Gehirn arbeitete fieberhaft. Bei den Krümeln konnte es sich natürlich um pulverisierte Fünfzigmarkscheine handeln, es konnte aber auch…

»Rauschgift!«, entfuhr es mir entsetzt. Stefan hatte Mick mit Rauschgift bezahlt.

»Ach was, das ist bloß grüner Afghane«, erklärte Mick. »Willst du dir auch eine drehen?«

»Äh, ja«, sagte ich.

Meine Gehirnzellen arbeiteten auf Hochtouren. Meine Lockvogeltheorie konnte ich vergessen. Sollte Stefan am Ende mit Drogen dealen? Vom Segelunterricht allein konnte er sich jedenfalls diesen dicken BMW-Kombi nicht leisten, mit dem er durch die Gegend brauste.

Ja, jetzt fiel es mir wie Schuppen aus den Haaren.

Mick hatte sich die fertiggerollte Zigarette angezündet und ein paarmal tief inhaliert. Die Zigarette zwischen den Lippen, begann er eine zweite zu rollen. »Für dich, Schnuckelchen.«

»Vielen Dank!« Zitternd nahm ich das belastende Indiz entgegen. Etwas irritiert beobachtete Mick, wie ich es in meiner Jeanstasche verschwinden ließ.

»Für später«, erklärte ich ihm.

Mick fand das nicht weiter verdächtig. Er lächelte sein überwältigend schönes Lächeln.

»Ich will mir die harten Sachen ja abgewöhnen«, vertraute er mir an. »Zu teuer. Koks gibt es nur noch am Wochenende.«

Das wurde ja immer besser! Ich tippte auf das Couvert mit dem grünen Afghanen. »Sag mal, wo das herkommt, kriegst du da auch Kokain her?«

Mick nickte. »Wieso? Interesse?«

Das konnte man wohl laut sagen! Stefan dealte auch mit Koks! Wahrscheinlich schmuggelte er die Drogen auf seinen diversen Nordseetörns von Holland rüber. Und dabei sah der Typ so harmlos aus, so richtig bieder.

»Was kaufst du denn noch alles bei dem?«

»Ach, mal dies, mal das«, antwortete Mick vage. »Sag mal, bist du allein hier?«

Hatten wir das nicht schon hinter uns?

»Ja«, log ich diesmal.

»Schnucklig«, erwiderte Mick. »Wie sagtest du gleich, dass du heißt?«

»Judith.«

»Schnucklig«, wiederholte er zum dritten Mal.

Hier stockte die Kommunikation ein wenig. Aber ich wusste ja schon, was ich wissen wollte. Es war schon fast zu viel für einen einzigen Abend und einen einzigen Menschen. Wie bestellt klopfte mir von hinten jemand auf die Schulter.

Es war Bille.

»Mensch, Judith, hier bist du! Rebecca und ich suchen dich verzweifelt. Wir wollen fahren.«

»O ja, natürlich. Ich habe völlig die Zeit vergessen. Bille, du kennst doch noch Mick? Mick, das ist Bille.«

Bille war sprachlos. Sie starrte Mick nur an.

»Man nennt mich auch Micky.« Mick lächelte sein ver-klärtes Lächeln, und Bille dachte prompt, es gelte ihr. Sie lächelte hocherfreut zurück.

»Schnucklig«, sagte Mick zu Bille. »Bist du allein hier?«

Ich räumte bereitwillig meinen Barhocker für sie. »Ich hole nur schnell meine Tasche, dann können wir fahren.«

»Lass dir ruhig Zeit«, murmelte Bille. »Bloß keine Hetze!«

Die anderen waren ebenfalls im Aufbruch begriffen, als ich ankam. Stefan war soeben dabei, Angela in den Man-tel zu helfen. Es war ein Dufflecoat in der Farbe von ver-schimmelten Vollkornbrötchen, passend zu ihrem Haar.

»Wo warst denn du die ganze Zeit?«, fragte Stefan verärgert.

»Ich habe einen alten Bekannten getroffen«, antwor-tete ich und sah ihm direkt in die Augen. Sie waren das einzig Lebendige in seinem Gesicht, dunkelbraun mit winzigen goldenen Flecken. Die Augen eines Drogendealers, nein, eines verwegenen Piraten des späten zwanzigsten Jahrhunderts – verräterisch. Aber er versteckte sie geschickt hinter seiner langweiligen Brille, wohl wissend, dass von einer perfekten Tarnung alles abhing.

Ein wohliger Schauer lief mir den Rücken hinab.

Stefan musterte mich irritiert. »Hab' ich was an der Brille kleben?«

Ich schüttelte den Kopf und wandte mich ab. Er durfte nicht merken, dass ich sein Geheimnis kannte, man wusste ja, wozu Drogendealer fähig waren. Ich würde einfach abwarten und weiter Beweise zusammentragen. Früher oder später würde ich einschreiten und ihn enttarnen.

Aber alles zu seiner Zeit. Ich fühlte, wie sich mein Magen vor Aufregung zusammenzog. So wie es aussah, kam ich jetzt doch noch zu meinem Abenteuer.

Die abgestandene Kneipenluft schmeckte auf einmal wild und gefährlich.

Rebecca verabschiedete sich von Dirk mit Küsschen auf die Wange. Links, rechts, links, rechts – ich stieß sie unsanft in die Rippen. »Komm schon. Bille wartet.«

»Bis Samstag«, sagte Dirk.

»Wieso Samstag?«, fragte ich, kaum dass wir außer Hörweite waren.

»Dirk kommt zu unserem Volleyballturnier«, erklärte mir Rebecca.

»Und wo ist Kaspar solange?«

»Er wollte mit Charlotte in den Zoo.«

Augenblicklich vergaß ich meine sensationelle Entdeckung. Das konnte dem Mutti so passen, Mann und Kind in den Zoo zu schicken und in kurzen Hosen vor einem wildfremden Mann Hechtbagger zu vollführen! Es wurde allerhöchste Zeit, mich für den Schutz der kleinsten Keimzelle des Staates, der Familie, einzusetzen. Im Grunde war das nicht nur meine schwesterliche, sondern auch meine patriotische Pflicht.

Am besten, ich würde Kaspar und Charlotte ebenfalls zu dem Turnier lotsen, das würde bei Dirk gleich alle Hoffnungen im Keim ersticken.

Bille war kaum von dem Barhocker neben Mick loszureißen.

»Gott, der ist ja süß«, sagte sie im Auto. »Ich sei schnucklig, hat er gesagt. Er ist öfter im Froschkönig, da kann man ihn jederzeit antreffen. Wenn ich das Burghart erzähle, platzt er vor Eifersucht.«

Ich sagte ihr nicht, dass Mick sie nur angemacht hatte, weil er ziemlich zugedröhnt war. Sie hatte mir ja auch nicht gesagt, dass der Kanadier gar kein Kanadier war.

»Ich freue mich ja so auf unseren Segeltörn«, sagte Bille. »Ich finde die alle total nett. Selbst Ulf mit seiner Wollmütze. Was meinst du, warum er sie ständig trägt? Ich denke, er versteckt eine Glatze darunter. Männer sind ja so eitel.«

»Nicht Ulf«, sagte ich. »Der trägt Mütze aus Prinzip.«

»Wetten, er ist glatzköpfig?«, fragte Bille.

»Die Wette gilt«, antwortete ich prompt. »Die Verliererin muss der Gewinnerin ihre dunkelgrüne Bluse schenken.«

»Du hast überhaupt keine dunkelgrüne Bluse«, sagte Bille.

»Brauch' ich ja auch nicht. Ich werde bald eine haben.«

Rebecca sprach die ganze Heimfahrt über kein Wort. Sie lächelte bloß stillvergnügt vor sich hin und überfuhr dabei zwei dunkelgelbe Ampeln.

Bisher hatte mich das Volleyballspiel meiner Schwester herzlich wenig interessiert. Ich meine, sie spielte schließlich nicht in der Bundesliga, sondern in einer gemischten Hobbymannschaft. Allerdings gab es zwei Gründe, die mich bewogen, diesem Sport doch noch etwas abzugewinnen. Zumindest als Zuschauer. Zum einen erhoffte ich mir die längst fällige Enttarnung von Rebecca als Rabenmutti, und zum anderen witterte ich eine günstige Gelegenheit, den Segelstefan zu beschatten und, wenn möglich, neue Indizien zu sammeln.

Es ergab sich überdies praktischerweise, dass Leonard das Wochenende bei seinen Eltern in der Nähe von Heidelberg verbrachte und ich wie üblich keine Lust hatte, mitzufahren. Leonards Eltern waren sicher nette Leute, nur vor mir hatten sie das bisher erfolgreich verborgen. Sein Vater konnte sich meinen Namen nicht merken und nannte mich immer nur ›Fräulein‹, und seine Mutter schwärmte bei jedem Treffen in den höchsten Tönen von Leonards Exfreundin Astrid. Astrid war so hübsch, so schlank, so klug, so reich, so geschickt und immer so lieb zu Leonard gewesen, dass seine Mutter unaufhörlich von ihr reden musste. Ganz klar, dass meine Schwiegermutter in spe mich damit ärgern wollte, aber ich musste leider immer lachen, wenn die Rede auf Astrid kam. Das lag daran, dass der Name aus dem Mund einer Heidelbergerin ungefähr so klang wie ›Arschtritt‹. Und wer kann schon auf eine Person namens Arschtritt eifersüchtig sein?

»Fahr du mal allein«, sagte ich zu Leonard. »Ich glaube, bei mir ist eine Erkältung im Anzug.« Zur Bestätigung nieste ich zweimal.

»Hatzi, mein Schatzi. Wenn das Näschen laufen will, leg dich ins Bett, und halt ganz still«, reimte Leonard spontan und fuhr ohne mich nach Süddeutschland.

Am Samstag wartete ich, bis meine Schwester mit der Sporttasche das Haus verlassen hatte, und klingelte dann bei Kaspar. Mit List und Tücke bot ich mich an, mit in den Zoo zu gehen und anschließend Rebecca eine Freude zu machen und mit Mann und Maus auf dem Volleyballturnier aufzutauchen.

Kaspar fand meinen Vorschlag gut. Mit ein paar gezielten verbalen Manipulationen brachte ich ihn noch dazu, seinen schwarzen Cashmirpullover anzuziehen, in dem er einfach umwerfend aussah. Charlotte zwängte ich in ihr niedlichstes Anzügelchen. Ich wollte, dass Dirk Rebeccas Familie von ihrer besten Seite erlebte.

Als wir gerade das Haus verlassen wollten, trafen wir auf Mo, der die Nacht offenbar außer Haus und mehr oder weniger schlaflos verbracht hatte. Ich streichelte ihm im Vorübergehen über den Kopf. Liebeskummer konnte man ihm immer auf zehn Kilometer Entfernung ansehen. Das lag bei uns in der Familie.

»Was ist für dich bei einem Mann das Wichtigste?«, fragte er mich mit Leichenbittermiene. »Ich meine, worauf legst du am meisten Wert?«

»Puh!«, machte ich. Die Antwort darauf konnte ich nun wirklich nicht aus dem Ärmel schütteln.

»Sag schon!«, verlangte Mo ungeduldig.

»Dass er mich nicht langweilt«, meinte ich.

»Nicht, dass er sein eigenes Geld verdient?«

»Meine Güte, Mochen, hat sie dir das etwa vorgeworfen?«

Mo nickte bekümmert. »Ja. Peggy ist jetzt schon die Zweite, die mir so was sagt. Von wegen, mit siebenundzwanzig müsste man langsam in der Lage sein, eine Familie zu ernähren. Meine anderen Qualitäten zählen überhaupt nicht.«

Einfühlsamerweise fragte ich nicht, welche anderen Qualitäten er meine. Ich sagte nur, dass mancher Arbeitnehmer glücklich wäre, wenn ihm so viel Geld zur Verfügung stünde wie Mo. Er bekam Bafög, ging zweimal die Woche kellnern und kassierte Tantiemen für meine Marionetten. Und wenn alle Stricke rissen, schickte Papa ihm einen Hunderter aus Gran Canaria. Mit dem Geld könne er sogar eine Frau mit Drillingen durchbringen, sagte ich ihm.

Mo schien ein wenig getröstet.

»Aber wir bereden das ein andermal, jetzt müssen wir nämlich gehen«, sagte ich.

Da packte Mo meinen Arm und heulte fast. »Ich komme mit euch, egal wohin. Hauptsache, ich bin nicht allein.«

»Wir gehen erst in den Zoo, und danach schauen wir Rebecca beim Volleyballspielen zu«, sagte Kaspar.

»Au ja!«, rief Mo aus, der sich für Rebeccas Volleyballspiel so wenig interessierte wie für das Schwarze unter meinen Nägeln. Diese Peggy musste ihm wirklich zugesetzt haben. Ich an seiner Stelle wäre jetzt in meine Wohnung gegangen und hätte mein Adressbuch nach vernünftigen Alternativen durchforstet. Aber im Grunde war's gut, dass er mitkam. Je größer die Familie, mit der Dirk konfrontiert wurde, desto abstoßender würde Rebecca auf ihn wirken.

Charlotte hatte sich mit Eis bekleckert und eine volle Windel, als wir endlich in die Turnhalle kamen. Aber sie war bester Laune, vor allem die Giraffen hatten es ihr angetan. Wir waren länger im Zoo geblieben, als ich geplant hatte, aber das war nicht Charlottes Schuld, sondern Mos. Er war stundenlang bei seinen Freunden auf dem Affenfelsen stehengeblieben und hatte dem Oberpavian sein Herz ausgeschüttet.

»Du hast es gut! Gleich drei Weibchen lausen dich hingebungsvoll und ziehen klaglos deinen Nachwuchs auf«, hatte er ihm vorgejammert.

Der Oberpavian hatte sich am Hintern gekratzt und gegrinst.

»Und dabei verdienst du nicht mal dein eigenes Geld«, hatte Mo geklagt.

»Nein, aber er ist affenstark«, hatte ich mich eingemischt. »Das kommt gleich hinter Geld. Vielleicht solltest du Mitglied im Fitnessstudio werden.«

»Geh weg! Das hier ist ein Gespräch von Mann zu Mann«, hatte Mo gesagt, und der Oberpavian hatte sich weiter am Hintern gekratzt und gegrinst. Erst als er einem seiner Weibchen ohne erkennbaren Grund einen Kinnhaken verpasst hatte, hatte Mo sich entschließen können, weiter zu den Pinguinen zu gehen.

Das Volleyballturnier war noch in vollem Gange, als wir dazustießen. Ich überflog mit meinen Adleraugen die Tribüne und erspähte tatsächlich Dirk auf einem der Sitze. Unauffällig dirigierte ich meine ganze Familie in die Reihe hinter ihm.

Unten auf dem Spielfeld verlor Rebeccas und Stefans Mannschaft gerade mit 15 : 3. Rebecca machte trotzdem eine gute Figur. Woher hatte sie mitten im Winter so braune Beine? Stefan sah auch nicht übel aus, die Behaarung hielt sich in erträglichen Grenzen. Allerdings haute er seinen Aufschlag dreimal ins Netz. Na ja, wie gesagt, es war eben nicht die Bundesliga!

Beim Seitenwechsel schaute Rebecca zu Dirk hoch und lächelte. Aber als sie hinter Dirks Kopf unsere Gesichter erblickte, verging ihr das Lächeln. Allerdings, das muss der Neid ihr lassen, nur für den Bruchteil einer Sekunde. Dann winkte sie. Wir winkten alle zurück, auch Charlotte.

Dirk drehte sich zu uns um.

»Na so was!«, sagte ich zu ihm. »Was machst du denn hier?«

»Das wollte ich dich gerade fragen.«

»Och, wir wollten meine Schwester ein bisschen anfeuern«, erwiderte ich, und um die Sache ein für alle Mal zu klären, setzte ich hinzu: »Das ist mein und Rebeccas kleiner Bruder Moritz, das sind Rebeccas Mann und ihre Tochter.«

Dirk trug es mit Fassung. Er lächelte uns alle an. »Hallo! Ich habe gar nicht gewusst, dass Rebecca eine so große Familie hat.«

»Alle konnten heute leider nicht kommen«, sagte ich, und damit war die Angelegenheit wohl erledigt.

»Da ist ja heute der halbe Segelkurs hier vertreten«, staunte Dirk. »Angela ist auch hier!«

»Wo?«, fragte ich, aber da sah ich sie auch schon. Sie saß in der ersten Reihe und trug einen Hosenanzug, der die Farbe von verwesenden Kamelen hatte, passend zu ihrem Haar. Sie klatschte frenetisch Beifall, als Stefan sein Service zur Abwechslung mal über das Netz brachte. Damit war es ja wohl amtlich, dass sie hinter ihm her war.

Peinlich, diese offensichtliche Anmache. Diese langweilige Person konnte sich doch an zwei Fingern ausrechnen, dass sie nicht sein Typ war.

Obwohl – nach dem letzten Satz ging er zu ihr hin und unterhielt sich eine ganze Weile mit ihr. Warum? Wohl kaum, weil er sie attraktiv fand. Nein, das musste ganz andere Gründe haben. Am Ende wollte er sie in seine Drogengeschäfte verwickeln? Vielleicht brauchte er demnächst eine Ökotrophologin für sein geheimes Ecstasy-Labor? Wenn Angela einen Schnitt von eins Komma drei hatte, war sie bestimmt auch eine Kanone in Chemie.

Ich wagte es natürlich nicht, mich zwecks Beschattung in die Herrenumkleide zu schleichen, aber vermutlich würde Stefan an so einem Ort kaum Umsätze machen. Diese Sportler achteten zu sehr auf ihre Gesundheit. Obwohl er mehrmals nur ein paar Meter entfernt an mir vorbeilief, bemerkte er mich nicht, was wohl daran lag, dass ich mich so dezent im Hintergrund hielt, oder daran, dass er seine Brille nicht aufgesetzt hatte. Für mich war das ein Vorteil. So konnte er keinen Verdacht schöpfen, dass ich ihm auf der Spur war.

Rebecca kam gutgelaunt aus der Dusche. Sie säuberte Charlottes Eiscremegesicht und nahm sie sogar in Dirks Gegenwart auf den Arm. Ganz klar, jetzt war sie für ihn endgültig als das Mutti abgestempelt! Apropos Stempel: Sogar ihre Beine sahen aus der Nähe eher gelb als braun aus. Bei ihrem Selbstbräuner war womöglich schon das Haltbarkeitsdatum überschritten.

»Huch«, sagte Mo. »Seit wann habe ich eine Chinesin zur Schwester?«

»Mir gefällt's«, sagte Kaspar erwartungsgemäß.

Rebecca zog sich eine lange Hose an.

»Das war meine Idee, dass wir alle hergekommen sind«, erklärte ich. Sie sollte ruhig wissen, wem sie das Ende ihrer Romanze zu verdanken hatte. »Wir hätten ja auch noch Oma abgeholt, wenn sie nicht so weit weg wohnen würde. Und Tante Paula und Cousine Simone mit ihrem Baby. Aber da ging niemand ans Telefon. Es geht doch nichts über die Familie, oder?«

Rebeccas Lächeln fiel ziemlich kühl aus. »Judith, soll ich dir mal was zeigen? Siehst du da hinten die zwei kleinen Jungs?«

»Von denen der eine das Trikot von der Frau mit der Nummer vierzehn vollsabbert?«

»Genau die. Das sind Dirks Söhne.« Sie machte eine Pause, in der mir vermutlich der Unterkiefer herabfiel. »Und Nummer vierzehn ist seine Frau. Eine hervorragende Spielerin.«

Dazu konnte ich nichts mehr sagen. Die Welt war wirklich schlecht.

Billes geheimes Tagebuch

15. FEBRUAR.

Jetzt reicht's! Alles muss man sich nicht gefallen lassen. B. hat unser gemeinsames Frühstück abgesagt, weil er mit Melanie zum INLINESKATEN verabredet ist.

Habe ich ihm gesagt, er soll sich nicht wundern, wenn ich demnächst auch mit anderen Männern zum Inlineskaten gehe.

B. hat nur gelacht. Erstens kenne ich keine anderen

Männer, und zweitens könne ich nicht inlineskaten, Melanie aber sehr wohl.

Bin inzwischen im Telefonbuch bei K angelangt. Bisher dreiundvierzig Melanies. Wird schwer werden, die richtige zu finden. Aber wenn, dann gnade ihr Gott!

Judith sagt, Dirk ist verheiratet und hat zwei Kinder! Das ist nicht fair! Finde, er hätte mir unter diesen Umständen keine Hoffnungen machen dürfen. Aber so sind die Männer. Reichen einem lächelnd einen Zirkel und denken sich nichts dabei! Judith sagt, Rebecca stört sich nicht daran, dass Dirk verheiratet ist. Und was noch schlimmer sei: Dirk stört sich nicht daran, dass Rebecca verheiratet ist.

Ist Dirk blind? Sieht er nicht, dass Rebecca eine Nase wie Pinocchio hat? Konnte schlecht mit Judith darüber diskutieren, weil sie haargenau den gleichen Gesichtserker hat. Sie nennt so etwas eine römische Nase und findet es auch noch gut! B. sagt, die langen Nasen der beiden seien so etwas wie eine Familienkrankheit. Hahaha!

6

In der kommenden Woche passierte etwas Fürchter-
liches. Ich kann es mir bis heute nicht erklären.

»Oh, Stefan!«, seufzte ich, als ich mit Leonard im Bett
lag, und zwar in einem ziemlich unpassenden Augenblick.

»Wer ist Stefan?«, wollte Leonard natürlich wissen.

Ich war selber so entsetzt, dass mir absolut nichts einfiel, um die Situation zu entkrampfen. Sonst hätte ich
zum Beispiel gesagt: Wohin wir Ostern fahren, hab' ich
gefragt, du taube Nuss!

Aber so starrte ich nur fassungslos an die Decke.

»Ich glaub', ich brauche 'ne Therapie«, brachte ich
schließlich heraus.

Leonard zog sich wortlos an und ging nach Hause. Ich
konnte es ihm nicht verübeln. Ich hätte es auch nicht
gern gehört, wenn er mich in einem solchen Augenblick
Stefan oder – noch schlimmer – Stefanie genannt hätte.

Ich ließ ihm zwei Tage Zeit, dann rief ich ihn an und
fragte, ob er noch sauer wäre.

»Wer ist Stefan?«, fragte er nur.

Ich hatte beschlossen, mich an die Wahrheit zu halten.
»Stefan ist unser Segellehrer, aber ich schwöre, dass ich
nichts mit ihm habe. Ich finde ihn nicht mal sympathisch,
ehrlich. Ich weiß auch nicht, warum ich seinen Namen

gesagt habe. Du kannst mir glauben, das ist mir selber ein Rätsel.«

Merkwürdigerweise glaubte Leonard mir. Am nächsten Abend feierten wir wieder einmal furiose Versöhnung, und ich verkniff mir diesmal jegliches Liebesgeflüster. Sicher war sicher!

Also war eigentlich alles bestens. Trotzdem war ich beunruhigt.

Dieser Zwischenfall war mir unheimlich. Spätestens wenn ich den Namen »Ulf« stöhnen würde, wüsste ich, dass ich dringend einer Therapie bedurfte.

Zu Beginn der nächsten Stunde ließ Stefan eine Liste herumgehen, auf der man sich für den geplanten Segeltörn auf der Ostsee eintragen konnte. Er sollte in den letzten beiden Maiwochen stattfinden.

»Kann sein, dass ich nur eine Woche Urlaub bekomme«, gab Bille zu bedenken.

Stefan musterte sie mürrisch. »Das ist dein Problem«, sagte er dann.

Ulf kratzte sich an der Wollmütze. »Also, ich kann da überhaupt nicht mitfahren«, sagte er. »Mir geht es auch mehr um den Sportführerschein See, und den machen wir ja hier auf dem Rhein, oder? Der andere Kram ist was für Schickimickis, der interessiert mich nicht.«

»Das ist kein Problem«, sagte Stefan erneut. »Fährt sonst noch jemand nicht mit?«

»Ich«, meldete sich Angela. »Ich habe Prüfungen im Mai. Aber das hatte ich dir ja schon gesagt.«

Ich freute mich. Angela und die stinkende Wollmütze

würden mir diesen Segeltörn schon mal nicht verleiden. Aber warum Bille nur eine Woche mitfahren konnte, war mir ein Rätsel.

»Weil ich doch in den Osterferien Urlaub mache«, erklärte sie. »Mit Burghart auf einem Katamaran. Wie jedes Jahr. Die Woche im Mai kriege ich nur noch mit Ach und Krach, und der nächste Urlaub ist dann frühestens im September drin. Und Burghart sagt, eine Woche Segeln mit ihm bringe mehr als zwei Wochen Ausbildungstörn mit Stefan.«

Ich dachte an Burgharts Karnickelfalle und seine logischen Erklärungen über Sinus, Cosinus und Pythagoras.

»Das ist dein Problem«, sagte ich mitleidlos.

»Bleiben also zehn Mann«, rechnete Stefan. »Dann werde ich zwei Boote chartern und einen zweiten Skipper engagieren.«

»Wir können ja ein Mädchen- und ein Jungenschiff bilden«, schlug Ursel vor. Sie war wohl von allen guten Geistern verlassen!

»Das geht doch nicht!«, sagte Jack. »Wir Männer kommen auf einem Boot nicht ohne Frau klar!«

Da seinen Worten schockiertes Schweigen folgte, fügte er hastig hinzu: »Ich meine, wer soll denn sonst kochen?«

»Besser, wir losen aus«, mischte sich Rosi ein.

Stefan schüttelte den Kopf. »Nein, die Aufteilung übernehme ich.«

»Aber die Ehepaare sollten nicht auseinandergerissen werden«, rief Ursel aus. War sie nicht soeben noch für Geschlechtertrennung gewesen?

»Warum denn nicht?«, fragten Fred und Rosi wie aus einem Mund.

»Das entscheide ganz allein *ich*«, sagte Stefan in einem

Tonfall, der keine Widerrede duldete. »Daran könnt ihr euch schon mal gewöhnen. Disziplin ist die allerwichtigste Voraussetzung, um auf einem Segelboot klarzukommen. Der Skipper, und nur der Skipper, bestimmt, was zu tun ist. Dadurch ist ein reibungsloser Ablauf auch in Stresssituationen gewährleistet.«

»Aber«, fing Ursel wieder an. Ein einziger Blick von Stefan brachte sie zum Schweigen. Wir schwiegen alle mehr oder weniger beeindruckt.

Stefan nutzte die Stille, um uns noch mal so richtig Angst zu machen.

»Segeln ist die Sportart, die statistisch betrachtet die meisten Todesopfer jährlich zu beklagen hat«, sagte er mit Grabesstimme.

Na, wenn das mal stimmte!

»Da hätte ich mich ja gleich zum S-Bahn-Surfing anmelden können«, flüsterte ich Rebecca zu. »Da wär' ich auf jeden Fall billiger davongekommen!«

Stefan sagte dann noch, dass der Segeltörn von Rostock aus zur Insel Fehmarn ginge und von dort in die sogenannte dänische Südsee. Der genaue Törnablauf sei allerdings wetter- und windabhängig und richte sich nach unseren Fähigkeiten.

Und natürlich nach deinen geheimen Plänen für den Drogenhandel, setzte ich in Gedanken hinzu. Die Ostsee war vermutlich das ideale Schmuggelrevier, die gesamte Polen- und Russenmafia konnte hier ihr Unwesen treiben. Vielleicht stieg Stefan ja auch noch ganz groß in den Marken-Jeans-Schmuggel ein.

Mich durchrieselte ein wohliger Schauer. Um diesem Kerl das Handwerk zu legen, würde ich allerdings noch einige Hilfsmittel brauchen. Ein Nachtsichtgerät wäre vielleicht von Nutzen und eine kleine handliche Pistole – für alle Fälle. Wenigstens eine Attrappe, falls ich jemanden in Schach halten musste. Mo hatte als Kind eine Wasserpistole besessen, die hatte täuschend echt ausgesehen. Vielleicht lag sie ja noch in irgendeiner Spielzeugkiste auf unserem Speicher.

Den ganzen Unterricht verträumte ich mit derartigen Überlegungen. Nur am Rande bekam ich mit, dass die anderen sich intensiv mit der Kreuzpeilung beschäftigten. Am Ende der Stunde wurde ich wieder aufmerksam, als wir einen neuen Knoten lernten, und zwar den Kreuzknoten, eine Variante des Gemeinen Doppelknotens. Außer Bernie und Rosi erkannten wir aber alle den Unterschied.

Als wir an diesem Abend vom Parkplatz in den Froschkönig schlenderten, bemerkte ich zwei interessante Dinge: erstens, dass Rosis türkisfarbener Lidschatten im Dunkel leuchtete, und zweitens, dass Burgharts Auto vor der Kneipe parkte. Ich erkannte es an dem Schlumpfaufkleber, auf dem stand: »Burghart on Tour«.

Ich stieß Bille in die Rippen. »Was macht Burghart denn hier?«

»Wo?«

Ich zeigte auf seinen Wagen. Bille wurde blass.

»Stimmt was nicht?«

»Er ist sicher mit dieser Melanie hier«, sagte sie.

»Was für eine Melanie?«

»Eine Arbeitskollegin. Sieht aus wie Julia Roberts. Burghart und sie verstehen sich ganz gut. Nicht, dass du denkst, er hat was mit ihr, oder so. Das ist rein platonisch.«

Wie Julia Roberts sah Burgharts Arbeitskollegin jedoch beim besten Willen nicht aus. Das konnten wir feststellen, als wir die beiden an einem der Tische im Gedrängel ausfindig gemacht hatten. Allerdings platonisch sah das Ganze beim besten Willen auch nicht aus. Burghart hatte den Arm um Melanies Schulter gelegt und küsste gerade ihr Ohrläppchen.

Bille wurde noch eine Spur blasser.

Ich sah mich nach einem freien Barhocker um, den sie auf Burgharts Kopf in Stücke schlagen konnte. Aber Bille wollte nicht.

»Tun wir so, als hätten wir sie nicht gesehen«, schlug sie vor. »Burghart denkt sonst, ich würde ihm hinterherspionieren. Und dass ich kein Vertrauen zu ihm hätte und so.«

Ich sah noch einmal zu den beiden hinüber. Die Lage war unverändert, nur lutschte jetzt Melanie zur Abwechslung an Burgharts Ohr.

»Hör mal, Bille, du hast sie doch nicht mehr alle!«

»Glaub mir, ich weiß, was ich tue«, erklärte Bille.

»Nämlich nichts«, sagte ich, aber da war Bille schon weitergegangen.

Zwecks Recherche setzte ich mich diesmal neben Stefan. Aber aus einem persönlichen Gespräch, in welchem ich mal hier und da auf den Busch hatte klopfen wollen, wurde nichts. Angela quetschte sich nämlich an seine andere Seite und knallte ihm einen Stapel Kopien vor die Nase.

»Hier. Alles über Allergien, was ich bisher gefunden habe. Nächste Woche kriegst du noch mehr.«

»Vielen Dank«, sagte Stefan. Es klang richtig erfreut.

»Du wirst sehen, es ist gar kein so großer Aufwand, die Ernährung umzustellen. Bei mir hat es nur ein halbes Jahr gedauert.« Angela warf ihr Haar in den Nacken. »Und jetzt sieh mich an: Kein Kopfhautjucken mehr, kein Niesen, kein Ausschlag an den Armen, keine Blähungen, keine permanente Müdigkeit – ich fühle mich wie neugeboren. Das Einzige, was mir jetzt noch zu schaffen macht, sind Tierhaare. Und Nickel. Und Birkenpollen natürlich. Alles andere hab' ich durch die Ernährung im Griff. Kein Zucker, kein Fett, keine tierischen Eiweiße, kein Alkohol – it's so easy, wenn man weiß wie.«

»Bei mir sind es ja vor allem die Gräserpollen«, erklärte Stefan. »Zur Maisblüte geht es mir auch immer beschissen. Und dann hab' ich auch noch eine Neoprenkontaktallergie. Das hat mir die Surferei verleidet.« Er seufzte schwer. »Und dann immer diese Magenschleimhautreizungen, sobald ich unter Stress leide. Es ist schrecklich.«

»Zusätzlich zur Ernährungsumstellung solltest du vielleicht eine Amalgamentsorgung vornehmen lassen«, sagte Angela nachdenklich. »Bedauerlicherweise zahlt das die Kasse nicht.«

Mit wachsendem Staunen hatte ich den beiden zugehört. Mit allem hatte ich gerechnet, nur nicht mit einem Gespräch unter Allergikern. Als Angela nun auch noch vorschlug, dass Stefan sich das Rauchen mittels Akupunktur abgewöhnen solle, und er tatsächlich sagte, er würde es sich überlegen, fiel ich völlig vom Glauben ab. Was sollte man davon halten?

»Wogegen bist du denn allergisch?«, fragte mich Angela.

Ich überlegte einen Augenblick.

»Gegen nichts«, sagte ich dann.

Angela runzelte die Stirn.

»Das ist aber auch nicht normal«, sagte sie und tippte auf meine Cola light. »Weißt du übrigens, dass das Zeug pures Gift ist? Wenn ich so was trinken würde, wäre ich von Kopf bis Fuß mit roten Pusteln bedeckt. Ein echter Allergiker würde so was niemals anrühren.«

Wie das klang! Als seien Allergiker die besseren Menschen.

Ich wandte mich seufzend ab. Zwar musste ich Stefan insgeheim dafür bewundern, wie er es schaffte, nach außen hin den langweiligen, harmlosen Hypochonder zu mimen und damit Lichtjahre von seinem wahren Ich abzulenken, aber für mich war dieser Abend ein verlorener Abend.

Wieder mal hatte ich mir den falschen Platz ausgesucht. Alle anderen amüsierten sich prächtig, vor allem Dirk und Rebecca. Sie lachte so sehr über irgendetwas, was er gesagt hatte, dass sie vor lauter Erschöpfung ihren Kopf an seine Schulter legen musste. Rosi und Ursel fragten sich gegenseitig die Schallsignale ab, der Rest erzählte sich Witze.

»Kommt ein Hai mit einer alten Schwimmflosse angeschwommen und sagt zu seinem Freund: ›Für die einen ist es nur eine Schwimmflosse, für die anderen der längste Kaugummi der Welt‹«, sagte Bernie. »Versteht ihr? Der längste Kaugummi der Welt! Versteht ihr? Hahaha! Versteht ihr?«

Bille war zwar immer noch blasser als sonst, aber sie lachte sich schimmelig. Niemand wäre auf den Gedanken gekommen, dass nebenan ihr Freund saß und sich am Ohrläppchen herumnuckeln ließ.

Als wir endlich gingen, war der Tisch von Burghart und Melanie in der Ecke bereits leer.

Am Sonntag darauf hatten wir die erste Übungsstunde für den Sportbootführerschein See. Dafür stand uns im Rheinauhafen ein größeres Motorboot und ein unbekannter, natürlich bärtiger Skipper zur Verfügung. Es war eiskalt, die Wolken hingen tief über dem Wasser, ein kräftiger Wind blies uns vereinzelte Graupelkörner ins Gesicht. Rebecca und ich hatten uns in Skianoraks gehüllt, Skimützen und Skihandschuhe übergestreift. Ich hatte sogar eine lange Unterhose an und kam mir ausgesprochen vernünftig und professionell vor.

Als wir aber an der Kaimauer auf die anderen trafen, konnte ich sogleich erkennen, dass erfahrene Segler auch über entsprechende Garderobe verfügten. Heinrich und Ursel waren mit blau-weiß-roten Segelhosen und Jacken bekleidet und mit passenden Gummistiefeln, Handschuhen und Kapitänsmützen ausgestattet. Auch Fred und Rosi sahen professionell aus, nur dass Rosi zu ihrer Segeljacke einen breitkrempigen Cowboyhut mit goldenen Troddeln trug. Der Hut wurde nur von einem Gummiband unter dem Kinn daran gehindert, vom Wind davongetragen zu werden.

Wir waren alle ein wenig aufgeregt, und Stefan unternahm nichts, um uns die Angst zu nehmen.

»Verdammt stürmischer Tag, um das erste Mal aufs Wasser zu gehen«, sagte er nur. Alles Weitere überließ er dem fremden Skipper.

»Warum machst *du* das nicht mit uns?«, fragte Rosi enttäuscht.

»Ich bin Segellehrer, für diesen Binnengewässerpipifax unter Motor bin ich nicht zuständig«, erwiderte Stefan und setzte sich mit hochgeschlagenem Jackenkragen in die hinterste Ecke des Bootes.

Unsere Angst war eigentlich unberechtigt. Die Bedienung des Schiffes war nämlich so simpel wie die eines Autoscooters. Es gab drei Vorwärtsgänge und einen Rückwärtsgang sowie einen Leerlauf, den man immer dann einlegen sollte, wenn einem etwas in die Quere kam, das von der Schiffsschraube zerkleinert werden konnte.

Wenn man dann aber hinterm Steuer stand, machte das Boot, was es wollte. Es fuhr mal hierhin, mal dorthin, nur nicht unbedingt dahin, wo man es eigentlich haben wollte.

»Das ist völlig normal«, beruhigte uns der Skipper. »Jedenfalls am Anfang.«

Der Reihe nach mussten wir den Motor anlassen und eine Runde im Hafen drehen. Von der Hafenmauer wegzukommen war leichter, als sich einen Popel aus der Nase zu bohren, schwieriger waren dagegen die Anlegemanöver. Aber hier zeigte sich, wie nützlich die Fender waren, die mit – ich überprüfte es – Webeleinsteks an der Reling befestigt waren. Auch wenn man mal etwas zu steil oder zu schnell auf die Hafenmauer zusteuerte oder der Wind dem Boot einen zusätzlichen Schubs verpasste, konnte so ein Fender immer noch das Schlimmste verhindern. Die Dinger waren schrecklich robust. Es wäre eine Überlegung wert, sie im Straßenverkehr einzuführen.

Als alle einmal abgelegt hatten, erklärte uns der Skipper das Mann-über-Bord-Manöver. Alles in allem schien es mit ein bisschen Übung kein großes Kunststück zu sein, zumal wir es natürlich nicht mit einem echten Mann, ja nicht mal mit einem Dummi versuchten, sondern lediglich mit einem Rettungsreifen. Daher durften

114

wir auch nicht »Mann über Bord« rufen, sondern lediglich »Boje über Bord«, eine Feststellung, die mich im wirklichen Leben höchstens zu einer Äußerung wie »Na und?« veranlasst hätte.

Natürlich klappte es nicht bei jedem auf Anhieb. Ich zum Beispiel behauptete, die Boje an Steuerbord aufnehmen zu wollen, leider aber trieb sie dann an Backbord vorbei. Fred semmelte mehrmals in voller Fahrt über die Boje hinüber, wäre es ein Mann gewesen, wäre er vermutlich in zwei Teile geschnitten worden. Und Angela schaffte es leider niemals, näher als zwanzig Meter an die Boje heranzukommen.

»Na ja«, sagte Stefan, der überwiegend stumm in seiner Ecke gesessen hatte. »Wir haben ja noch zwei Übungsstunden bis zur Prüfung.«

Immerhin, das anschließende Anlegemanöver führte ich vorbildlich aus, auch wenn ich bis heute nicht weiß, wie mir das gelungen ist. Nur zwei von drei Fendern kamen überhaupt mit der Hafenmauer in Berührung. Der Skipper lobte mich, indem er sagte, das sei das bisher gelungenste Manöver des Tages.

»Wie bitte?«, fragte ich, weil ich fürchtete, dass es nicht alle deutlich genug gehört hatten.

»Jetzt ist Heinrich an der Reihe«, erinnerte uns Ursel, und Heinrich postierte sich hinter dem Steuerrad, rückte seine Kapitänsmütze gerade und legte den ersten Gang ein.

Bevor er aber losfahren durfte, verlangte der Skipper, dass ich das Boot einmal pro forma vertäuen und wieder losmachen sollte, was ebenfalls eine mögliche Prüfungsaufgabe sein könnte.

Zwischen Boot und Treppe lag schätzungsweise ein

Meter graues Rheinwasser, den ich mit einem einzigen anmutigen Hüpfer zu überwinden gedachte.

Gedacht, getan. Graziös wie eine Feder flog ich durch die Luft. Leider war meinen kurzsichtigen Augen eine entscheidende Kleinigkeit entgangen, nämlich ein im Boden befestigter Eisenring. Auf diesem Ring machte ich eine kurze Zwischenlandung, bevor mein Fuß umknickte und ich ungefähr so graziös wie ein Kartoffelsack im Rhein verschwand.

Als ich mit dem Kopf wieder an die Wasseroberfläche kam, hörte ich den Bootsmotor aufjaulen.

»Mann über Bord!«, brüllte Heinrich ganz vorschriftsmäßig.

Ich beeilte mich, auf die Treppe loszupaddeln, bevor die Schiffsschraube mich zu Mus verarbeiten konnte.

»Ich krieg' das Ding nicht los, ich krieg' das Ding nicht los!«, hörte ich Rosi verzweifelt rufen, und eine andere Stimme – ich glaube, die von Fred – schimpfte laut: »Falsch, falsch, falsch! Ganz falsch!«

Ein Schatten glitt über mich hinweg, gleichzeitig fiel neben mir etwas ins Wasser, das, wie ich später erfuhr, die Heckleuchte war. Rosi hatte sie in der allgemeinen Hektik aus Versehen statt des Rettungsrings losgeknotet.

In der Zwischenzeit hatte ich die Treppe erreicht. Mein Daunenanorak hatte sich wie ein Schwamm mit Wasser vollgesogen, ich wog schätzungsweise eine Tonne. Trotzdem gelang es mir, mich aufzurichten und mich bis zur Brust aus dem Wasser zu hieven. Aber ehe ich einen weiteren Schritt ins Trockene wagen konnte, landete etwas Schweres auf meinem Kopf und brachte mich erneut aus dem Gleichgewicht.

»Verdammt!«, gurgelte ich. Es war der Rettungsreifen,

der mir das halbe Ohr abriss, bevor er auf meinen Schultern hängenblieb.

»Getroffen«, rief Ursel aufgeregt. Ich sah ihr Gesicht neben denen Rebeccas, Angelas und Billes über der Reling hängen. Bille hatte die Hand vor den Mund gelegt, bei Rebecca konnte man bis zu den Mandeln blicken. Angela lächelte mitleidig.

Zähneknirschend zog ich mich weiter auf den rutschigen Stufen an Land. Auf den letzten Zentimetern streckte mir Stefan seine Hand entgegen. Er sah ziemlich erschrocken aus.

»Was sollte denn das werden?«

Der Schock saß mir noch in allen Gliedern, ebenso die eiskalte Schmutzbrühe von Vater Rhein. Daher fiel mir so schnell keine schlagfertige Antwort ein. Ich kämpfte vielmehr mit den Tränen.

Stefan schien auch gar keine Antwort zu erwarten.

»Macht erst mal ohne uns weiter«, sagte er zu den anderen, die mich mit schreckgeweiteten Augen anstarrten. »Ich kümmere mich um Judith.«

Zum ersten Mal hatte er meinen Namen richtig ausgesprochen. Als er dann auch noch seinen Arm um meine nasse Schulter legte und mich die Treppe hinaufführte, hätte ich wirklich fast geweint.

Das Boot mit den anderen legte wieder ab und steuerte im Zickzackkurs zur gegenüberliegenden Seite.

Stefan lotste mich zu seinem Auto und zog mir meinen Anorak aus. Jetzt erst kam ich dazu, mich fürchterlich zu genieren. Mein Gott, was hatte ich gemacht? Wie unendlich peinlich, vor aller Augen ins Wasser zu fallen!

»Das kann ich schon allein«, sagte ich.

»Zieh alles aus«, befahl Stefan. »Auch die Unterwäsche. Sieht ja keiner, hier ist es menschenleer. Ich habe ein Handtuch und trockene Klamotten im Kofferraum.«

»Wie praktisch«, murmelte ich und sah mich um. Die Gegend war tatsächlich so gut wie menschenleer, bis auf einen LKW-Fahrer, der in seinem Lastwagen Butterbrote verzehrte. Aber daran durfte ich mich nicht stören, es war Februar, saukalt und ich klatschnass.

Der LKW-Fahrer sah mit Interesse zu, wie ich mich meiner Garderobe entledigte, er hörte sogar für eine Weile auf, an seinem Butterbrot zu kauen.

Stefan holte in der Zwischenzeit die trockenen Klamotten aus seinem Kofferraum. Es handelte sich um ein T-Shirt, einen Fleecepullover und eine Jogginghose, Größe XXL. Sogar Socken hatte er anzubieten. Zähneklappernd zog ich mir alles über. Dann ließ ich mich auf den Beifahrersitz fallen und frottierte mir die Haare. Stefan schaltete die Standheizung auf volle Leistung.

»Du bist wohl nicht ganz schwindelfrei?«, erkundigte er sich.

Ich schüttelte den Kopf.

»Und ein bisschen kurzsichtig«, gab ich zu.

»Wie wär's denn mit einer Brille?«

»Die verliere ich immer«, sagte ich. Außerdem standen mir Brillen einfach nicht.

Ich nieste.

»Ich wollte, ich hätte noch eine Thermoskanne mit Glühwein mitgebracht«, sagte Stefan.

»Tja«, seufzte ich unglücklich. Allmählich wurde mir wieder warm.

Stefan nahm seine Brille ab, auf der winzig kleine Wassertröpfchen standen, vermutlich von mir. Die meisten Menschen sehen ohne Brille auf den ersten Blick nackt

118

und hässlich aus. Bei Stefan war es genau umgekehrt. Seine Augen waren so überwältigend lebendig und faszinierend schön, dass ich schnell wieder wegsah.

»Normalerweise bin ich gut im Weitsprung«, versuchte ich mich zu rechtfertigen. »Ich konnte mal fünf Meter zehn weit springen.«

Stefan lachte überraschenderweise. »Das muss dir nicht peinlich sein, so was passiert manchmal.« Er zupfte den Kragen meines Fleecepullovers zurecht. »Ist dir alles ein bisschen groß, was? Ich hatte eher damit gerechnet, dass Rosi ins Wasser fällt.«

Bei der Vorstellung musste ich ebenfalls lachen. Ja, die ungeschickte, dicke Rosi, die hätte ich mir auch gut vorstellen können, wie sie ins Wasser fiel. Aber leider, leider hatte ich diesen Part übernommen.

Stefan machte Anstalten auszusteigen. »Dann lass ich dich jetzt mal allein und fahre mit den anderen noch eine kleine Runde durch den Hafen, okay? Du kannst dir auch Musik machen. Ich lasse den Schlüssel hier.«

»Danke.« Das war eine blendende Gelegenheit, in seinem Handschuhfach nach Indizien zu suchen. Aber als er gegangen war, sah ich stattdessen pflichtvergessen seine CDs durch. Joe Cocker, Marius Müller-Westernhagen, Eric Clapton, Fool's Garden, Billie Joel, Tom Waits, alles Sachen, die ich auch mochte. Ich legte einen Sampler mit sogenannten Rocklegenden ein, lehnte mich zurück und schloss die Augen. Der Fleecepulli roch nach Waschpulver und ganz zart nach Gauloises Blondes, und Bonnie Tyler sang *The total eclipse of my heart*.

Auf einmal war ich geradezu unheimlich glücklich. Unter anderen Umständen hätte ich auf die Idee kommen können, das komische Gefühl, das sich meiner bemächtigt hatte, als Verliebtsein zu bezeichnen. Aber das war ja ausgeschlossen. Wer verliebt sich schon in einen Drogendealer? Vergeblich versuchte ich, meinen rasenden Puls zu beruhigen.

»Mir ist fast das Herz stehengeblieben«, sagte Bille. »Wie du da durch die Luft flogst und wie ein Stein ins Wasser plumpstest, also ehrlich, du tust mir ja so leid! Ich, glaube ich, wäre eher ertrunken als wieder aufzutauchen.«

»Du nimmst am besten erst mal ein heißes Bad«, meinte Rebecca. »Nicht, dass so viel Blödheit auch noch Folgen hat.«

Aber es war zu spät. So viel Blödheit hatte bereits Folgen.

Mir gingen Stefan, seine Augen und die Art, wie er meinen Pulli zurechtgezupft hatte, einfach nicht mehr aus dem Sinn.

Verwirrt klapperte ich mit den Zähnen. Aber das war ja die klassische Situation, ich hätte damit rechnen müssen: Schließlich verliebte sich die Staatsanwältin immer in den Angeklagten, die Kommissarin in den Mörder und der weibliche Detektive in den smarten Mafiaboss. Die Tochter des Gouverneurs verliebt sich grundsätzlich in den Rebellen, die Braut des Marshalls in den Revolverhelden, die Unschuld vom Lande in den Freibeuter der Meere.

Was hatte ich denn erwartet? Dass ich es schaffen würde, einem Naturgesetz zu widerstehen? Wer war ich denn?

Abgesehen davon, dass ich mich schon lange nicht mehr so gut gefühlt hatte.

Zu Hause ließ ich mir, wie empfohlen, ein heißes Bad einlaufen und war weiter zwischen Entzücken und Entsetzen hin- und hergerissen. Immer und immer wieder ließ ich etwas Wasser ab und heißes nachlaufen. Egal wie ich auch grübelte, es gab nur zwei Möglichkeiten. Nummer eins: Ich musste Stefans Vertrauen gewinnen und versuchen, ihn vom Pfad des Verbrechens abzubringen. Das machten die Staatsanwältinnen, weiblichen Detektives, Kommissarinnen etc. auch immer. Oder aber Nummer zwei: Ich musste mich auf die Seite des Gesetzesbrechers schlagen wie die Unschuld vom Lande, die Tochter des Gouverneurs und die Braut des Marshalls. Sie folgten dem Geliebten in die Welt der Vogelfreien, lernten im Sherwood Forrest mit Pfeil und Bogen zu schießen, versorgten die Verwundeten an der Seite des Tigers von Eschnapur, oder sie starben im Kugelhagel an der Seite eines Kerls namens Clyde.

Nummer zwei erschien mir trotz Bonnies bedauerlichen Endes wesentlich reizvoller, als ich so in meiner Wanne lag und mit geschlossenen Augen vor mich hin träumte.

Erst das Telefon riss mich aus meinen Gedanken.

»Hi, ich bin's«, sagte eine mir unbekannte Männerstimme.

»Wer ist da?«

»Leonard«, erwiderte die Männerstimme. »Du weißt schon, der, mit dem du dich letzte Nacht gestritten hast, weil du der Meinung warst, ein Kondom gehöre im gelben Sack entsorgt und nicht im Restmüll.«

Leonard, du meine Güte! Den hatte ich ja völlig vergessen. Binnen weniger Stunden war er zu einer absoluten Nebenfigur in meinem Leben verkommen. Nur, wie sollte ich ihm das möglichst schonend beibringen?

»Ich habe gerade eine erschütternde Nachricht erhalten«, sagte Leonard.

Auch das noch. Eine erschütternde Nachricht hatte er bereits erhalten – wie sollte er dann noch die meine verkraften?

»Du kennst doch meine Exfreundin, die Astrid, oder?«

»Vom Hörensagen«, antwortete ich. Die von seiner Mutter so vielgelobte ›Arschtritt‹ kannte ich überdies von einem Foto, das noch an Leonards Pinnwand hing.

»Jedenfalls hat die mir eine Hochzeitsanzeige geschickt«, sagte Leonard. Er klang ungewöhnlich aufgeregt.

»Ja und? Ist doch schön für sie.«

»Eben nicht. Ihr Zukünftiger heißt …« An dieser Stelle machte Leonard eine dramatische Pause.

»Wie? Sag schon!« Mein Gott, so schlimm konnte es nicht sein. Dieter Bohlen war, soviel ich wusste, schon wieder vergeben.

»Morgenschweiß!«, rief Leonard.

»Wie bitte?«

»Der Mann heißt Morgenschweiß. Zwar mit s am Ende, aber das spielt doch keine Rolle! Stell dir mal vor, die arme Astrid stellt sich in Zukunft irgendwo vor: ›Morgenschweis mein Name.‹ Ja, da lachen sich doch alle tot!«

Ich war ebenfalls erschüttert. Arschtritt Morgenschweis – etwas Schrecklicheres konnte man sich kaum vorstellen.

»Das ist wirklich schlimm«, musste ich zugeben.

»Was soll ich denn jetzt machen?«

»Wieso du?«

»Ja, ich kann sie doch nicht offenen Auges in ihr Unglück rennen lassen«, sagte Leonard. »Schließlich haben wir uns mal geliebt!«

»Wann ist denn die Hochzeit?«

»In anderthalb Monaten«, sagte Leonard.

»Dann ist es noch nicht zu spät«, meinte ich. »Allein die Tatsache, dass sie dir eine Anzeige geschickt hat, kann als Hilferuf gedeutet werden.«

»Und du bist auch bestimmt nicht sauer, wenn ich nächstes Wochenende noch mal runter nach Heidelberg fahre?«

»Aber nein, ich wollte sowieso gerade mit dir Schluss machen.«

Leonard seufzte hörbar.

»Ist es wieder mal so weit?«, fragte er dann.

»Ja.«

»Also dann: See you later, alligator.«

»He warte!«, schrie ich, aber Leonard legte einfach auf.

Das war nicht fair. Er hätte mich wenigstens nach meinen Gründen fragen können. Ich hätte so gern mit jemandem über Stefan geredet. Aber mit wem? Rebecca würde mich auslachen, und überhaupt, vor ihr war mir die Sache irgendwie peinlich. Mo war als Gesprächspartner okay, aber er kannte Stefan nicht, das machte es nur halb so reizvoll. Das Gleiche galt für alle meine Freundinnen.

Also blieb mir nur Bille. Draußen begann es bereits zu dämmern, als ich bei ihr klingelte.

Sie öffnete mir mit verweinten Augen.

»Was ist denn los?«

»Ach nichts!«

»Nun sag' schon. Es ist sicher wegen dieser Melanie?«

Bille schüttelte den Kopf. »Nein. Es ist nur, Burghart

versteht mich nicht. Als ich ihn mal so ganz vorsichtig auf diese Melanie angesprochen habe, hat er gesagt, ich würde mir nur mein eigenes Grab schaufeln, wenn ich einen auf eifersüchtig machen würde. Wenn mir was an unserer Beziehung läge, würde ich akzeptieren, dass er mal andere, experimentelle Wege ginge.« Sie holte tief Luft. »Dabei bin ich ja gar nicht eifersüchtig. Ich wollte halt nur wissen, wie es weitergehen soll.«

Ja, du meine Güte, was sollte man dazu sagen? Alle meine Ratschläge bezüglich Burghart schlug sie ohnehin immer in den Wind. Einmal hatte ich auch versucht, ihm an Billes Stelle die Meinung zu sagen. Das war, als Burghart sie nicht mit zur Hochzeit seiner Schwester genommen hatte, mit der Begründung, Bille sei ihm nicht repräsentativ genug. Bille hatte zwei Tage ununterbrochen geheult, und schließlich hatte ich es nicht mehr ausgehalten und bei Burghart geklingelt. Ich hatte gesagt, ähnlich wie die Idgie in ›Grüne Tomaten‹, wenn er meiner Freundin jemals wieder so etwas antun würde, kriegte er eins von mir übergebraten. Um meinen Worten Nachdruck zu verleihen, warf ich eine Megaflasche Eau de toilette auf den Fußboden, wo sie in zwei dicke Teile zerbrach.

Natürlich hat es überhaupt keine Wirkung gezeigt. Anders als die Ruth in ›Grüne Tomaten‹ hatte Bille Burghart natürlich nicht verlassen, sondern stattdessen zwei lange Wochen nicht mehr mit mir gesprochen. Außerdem wollte sie, dass ich Burghart eine neue Flasche *Egoîste* kaufte, weil das ihr Weihnachtsgeschenk gewesen sei.

Seit dieser Zeit hielt ich mich aus diesen speziellen Burghart-Herzensangelegenheiten heraus. Das Einzige, was ich tun konnte, war, sie auf andere Gedanken zu bringen.

Ich ließ mich auf ihr Ledersofa fallen und verlangte nach etwas Trinkbarem. »Am besten Champagner, wenn du hast.«

Bille sah mich mürrisch an. »Du kannst was von meinem Kamillentee abhaben, wenn's sein muss.«

»Auch gut«, sagte ich und beschloss, mit der Tür ins Haus zu fallen. »Bille, ich bin verliebt.«

Ein desinteressierter Blick aus rotverweinten Augen streifte mich flüchtig.

»In einen Drogendealer, einen Kokainschmuggler«, fuhr ich fort und erntete nur einen weiteren Blick voller Desinteresse.

»Du kennst ihn, es ist Stefan!«, ließ ich die Katze aus dem Sack.

Bille glotzte in ihren Kamillentee. »Was denn für'n Stefan? Etwa unser Segelmensch?«

»Ja«, seufzte ich. .

»Und der ist ein Kokainschmuggler?«

»Ja!« Diesmal seufzte ich noch schwerer. »Aber Bonnie hat Clyde auch geliebt.«

»Judith, hast du dir vielleicht heute bei deinem Rheinfall den Kopf verletzt? Dieser Typ ist so wenig ein Drogendealer wie du und ich. Und nur Vollidioten verlieben sich in einen Kerl mit solchen *Schuhen*.«

Damit brachte sie mich aus dem Konzept. »Stimmt was nicht mit seinen Schuhen?«

»Ich wusste es. Du hast sie noch nicht mal gesehen. Das machst du nie, bei Leuten auf die Schuhe achten. Solltest du aber mal, das würde dir eine Menge Leid ersparen. Stefan trägt Camel Boots aus dem vorigen Jahrhundert.«

»Wenn das alles ist ...«

»Und er hatte bisher jedesmal den gleichen Pullover an, ist dir das etwa auch nicht aufgefallen? Dann kriegt er beim Sprechen die Zähne nicht auseinander, und diese Brille ist ein unmögliches Kassengestell. Herrgott noch mal, und seine Haare sehen aus, als würde er sie sich selber schneiden. Außerdem raucht er, und du findest Raucher ekelhaft.«

»Hast du mal seine Augen gesehen?«, hielt ich dagegen.

»Nö«, sagte Bille. »So genau habe ich mir den alten Langeweiler noch nicht angesehen.«

Ich lehnte mich mit der Tasse Kamillentee zurück ins Sofa. »Er hat die schönsten Augen der Welt. Für dich mag er vielleicht ein Langeweiler sein, aber ich weiß, dass er in Wirklichkeit ein Abenteurer ist. Ein Mann, der täglich mit dem Risiko lebt.«

»Ach ja, stimmt, er schmuggelt ja Drogen.« Bille verzog das Gesicht zu einer Art misslaunigem Grinsen. »Vielleicht war in dem Rheinwasser ja eine bewusstseinsverändernde chemische Substanz, die du aus Versehen geschluckt hast. Du solltest dich untersuchen lassen.«

»Seine Augen sind wundervoll. Sie sind braun wie dieser besondere Edelstein, dessen Name mir im Moment nicht einfällt, mit goldenen Flecken«, fuhr ich ungerührt fort. »Und seine Hände sind unglaublich...«

Bille gähnte unflätig. »Ach Judith, sei still! In so einen Typ verliebt man sich einfach nicht. Und wenn doch, dann behält man es besser für sich.«

»Wenn du dich sogar in einen Idioten wie Burghart verlieben darfst, dann kann ich mich auch in Stefan verlieben. Aber du hast recht, ich hätte dir besser nichts erzählt. Wie konnte ich auch nur erwarten, dass du ein offenes Ohr für meine Probleme hast!«

»Was denn für Probleme? Ach so, ich vergaß, der Kerl ist ja ein international gesuchter Verbrecher. Du willst jetzt sicher wissen, ob du ihn an Interpol ausliefern sollst oder nicht, stimmt's?«

»Ach, mit dir kann man ja überhaupt nicht reden!« Wütend ließ ich Bille mit ihrem Kamillentee allein. Eine frische Liebe ist ein zartes Pflänzchen, das gehegt und gepflegt werden muss, und Bille war darauf herumgetrampelt. Ich war echt sauer.

Aber noch war der Tag nicht verloren. Zu Hause wartete Mo mit einer frohen Botschaft auf mich. Seitdem er von seiner Peggy abserviert worden war, hatte er sich überaus motiviert in die Arbeit gestürzt. Es war ihm gelungen, mehrere Interviewtermine für mich zu vereinbaren. Die Rundschau und die Stadtillustrierte wollten beide ein Künstlerporträt über mich bringen, ebenso das Kulturmagazin, das man kostenlos bei allen Banken und Sparkassen bekommen konnte.

»Ach du grüne Neune, was zieht man denn da an?«, fragte ich aufgeregt. Ich würde in die Zeitung kommen, und alle würden mein Foto sehen. Auch Stefan. Der Gedanke machte mich total nervös. Ich würde aufpassen müssen, was ich sagte, schließlich sollte er nur Gutes über mich zu lesen bekommen.

»Erstmal fährst du Ostern zu Mama und Papa«, sagte Mo. »Da kannst du dir dann alles andere in Ruhe überlegen. Die Termine habe ich auf Anfang April gelegt, in die Woche vor Ausstellungseröffnung.«

Plötzlich war meine Laune wieder blendend. Ich war frisch verliebt, beruflich kurz vor dem großen Durchbruch, und vor mir lagen drei Wochen kostenloser Urlaub auf Gran Canaria. Ich nahm Mos Kopf zwischen meine Hände und küsste ihn überschwenglich. »Das Leben ist doch phantastisch, oder?«

Mo rieb sich die Ohren. »Geht so, würde ich sagen.«

Natürlich hatte man über meinen peinlichen Sturz ins Rheinwasser nicht einfach den Mantel des Vergessens gebreitet.

»Ich hoffe, du weißt, was für ein Glück du hattest«, sagte Ursel. »Wenn Heinrich und ich nicht vorschriftsmäßig reagiert hätten, dann wärst du ertrunken.«

Jack lachte dröhnend. »Na, ich würde mal sagen: Gut, dass die Maus schwimmen konnte, sonst wäre sie von der Schiffsschraube zu Matsch verarbeitet worden.«

»Ich habe mich ganz vorschriftsmäßig verhalten«, widersprach Heinrich. »Das kannst du überall nachlesen, dass man sich zuerst mehrere Schiffslängen von der Unfallstelle entfernen soll. Oder hast du nicht aufgepasst?«

Jack lachte nur noch dröhnender.

»Diese Regelung gilt nicht, wenn das Boot still liegt«, mischte sich Stefan ernst ein. »Wenn Judith nicht solches Glück beim Fallen gehabt hätte, hätte das sehr böse ausgehen können.«

Von Glück beim Fallen konnte natürlich keine Rede sein. Glücklich wäre ich gewesen, wenn ich überhaupt nicht gefallen wäre. Oder wenn die anderen wenigstens taktvoll geschwiegen hätten.

Es war ein Fehler gewesen, Bille mein Geheimnis anzuvertrauen. Aber in einem gewissen Sinn hatte ich ihr damit geholfen, sie etwas von ihrem eigenen Kummer über Burghart und Melanie abzulenken.

Die verbleibenden Segelstunden vor den Osterferien waren furchtbar. Bille hatte jedesmal ein unbeschreiblich dämliches Grinsen im Gesicht. Sobald Stefan mal wegguckte, stieß sie mich in die Rippen.

»Da«, flüsterte sie zum Beispiel und zeigte auf seine Schuhe, »sicher sind sie so ausgebeult, weil er darin Kokain versteckt hält.«

Und dann lachte sie, bis sie einen Schluckauf bekam. Ich schämte mich schrecklich für sie.

Stefan schien auch nicht so recht zu wissen, was er von ihrem hysterischen Gekicher halten sollte. Manchmal versuchte er es mit einer strengen Frage. »Weshalb darf bei laufender Drehstromlichtmaschine nie die Batterie abgeklemmt werden, Bille?«

Bille wischte sich die Lachtränen aus den Augenwinkeln. »Was weiß denn ich? Aber ich verspreche, dass ich das niemals tun werde!« Und dann lachte sie weiter, als habe sie völlig den Verstand verloren.

Später im Froschkönig hatte sie sich halbwegs beruhigt. Bis Stefan sich erhob und mal für ›kleine Königstiger‹ musste.

Da stieß Bille mich erneut in die Rippen und sagte: »Möchtest du ihm nicht folgen? Sicher trifft er auf dem Klo einen seiner Kleindealer und verklappt mal eben die zwei Kilo Kokain aus seinen Schuhen.«

Und wieder fünf Minuten Gegacker ohne Ende. Als Stefan wiederkam, wurde sie noch indiskreter.

»Judith, das sehe ich ja jetzt erst! Du hast ja *Lippenstift* aufgelegt!« Und zu Stefan gewandt, fügte sie hinzu: »Das macht sie sonst nur zu außergewöhnlichen Anlässen, Weihnachten und so.«

»Quatsch, den hab' ich doch schon seit Jahren«, versuchte ich, die Situation zu retten.

»Sag' ich doch«, brüllte Bille und wollte sich ausschütten vor Lachen. »Nur bei dir wird Lippenstift so alt.«

Es war die Hölle. Ich war heilfroh, als die Osterferien anbrachen und ich mit Rebecca, Kaspar und Charlotte nach Gran Canaria fliegen konnte. Einzig Stefan würde ich schrecklich vermissen.

_____ *Billes geheimes Tagebuch* _____

24. MÄRZ.

Jetzt reicht's! Alles muss ich mir nicht gefallen lassen! B. weiß es nicht, aber er spielt mit seinem Leben.

Hatte mir extra Urlaub über Ostern genommen und damit auf eine Woche Ausbildungstörn verzichtet. Aus Liebe! Und was macht B.? Er fährt ohne mich nach Holland. Mit dieser Melanie.

Habe natürlich geheult, und B. hat gesagt, ich sehe schrecklich aus mit roten Augen und Flecken im Gesicht.

Aber warum tust du mir das an?, habe ich ihn gefragt, und da hat er gesagt, dass er nur das BESTE für unsere Beziehung will.

Das A und O einer intakten Partnerschaft sei die Abwechslung, hat er gesagt. Und dass jeder seinen Freiraum braucht. Und außerdem sei diese Melanie eben eine attraktive Frau, da könne ich nicht erwarten, dass er sich blind und taub stellt.

Und dann hat er gesagt: Ob ich mal darüber nachgedacht hätte, dass ich ihn mit meiner Heulerei und meiner krankhaften Eifersucht nur in ihre Arme treiben würde!

130

Da habe ich aufgehört zu heulen, denn das will ich mir wirklich nicht nachsagen lassen.

Aber jetzt habe ich mir extra Urlaub genommen, habe ich gesagt, und da hat er geantwortet, ich könne die Zeit ja nutzen für eine DIÄT. Dabei habe ich jetzt schon drei Kilo abgenommen. So wenig habe ich das letzte Mal als Vierzehnjährige gewogen.

Gestern Morgen ist er dann tatsächlich mit Melanie zum Segeln gefahren. Stand drei Stunden am Türspion, um einen Blick auf sie zu erhaschen. Bin mir nicht ganz sicher, aber ich glaube, sie hat einen dickeren Hintern als ich.

26. MÄRZ.
Habe versucht, in der Buchhandlung meinen Urlaub rückgängig zu machen und doch im Mai zwei Wochen zu nehmen, aber es ging nicht. Das alte Arschgesicht hat gesagt, ich solle mich lieber jetzt mal richtig erholen, ich sähe in letzter Zeit so abgekämpft aus.

Weiß nicht, was ich mit der Zeit anfangen soll. Judith ist immer noch auf Gran Canaria, Tina in Tunesien, und bei Sabine geht nur der Anrufbeantworter dran. Werde mal meine Mutter besuchen.

29. MÄRZ.
Meine Mutter hat gesagt, eine Frau muss um ihre Beziehung kämpfen. Ich solle mich nicht ausbooten lassen. Sie hat recht. Kampflos werde ich B. dieser Melanie nicht überlassen. Habe gestern noch die Buchstaben O bis R im Telefonbuch nach Melanies durchforstet. Haufenweise Melanies. Hatte dann die

zündende Idee. Rief bei Burghart in der Firma an, einfach irgendeine Durchwahl, und sagte, ich wolle mit Melanie sprechen.

Welche Melanie, wollte die hilfsbereite Frau am anderen Ende der Leitung wissen.

Wieso, habt ihr denn mehrere?, fragte ich zurück.

Ja, hatten sie. Eine Melanie Herrlich und eine Melanie Bechtermünz. Beide stehen im Kölner Telefonbuch. Ich werde ihnen bei Gelegenheit einen Besuch abstatten.

31. MÄRZ.

Habe gestern die eine Melanie angerufen. Sie war zu Hause, also kann sie nicht B.'s Melanie sein. Seine Melanie heißt demnach Herrlich mit Nachnamen. Wenn ich mit ihr fertig bin, wird der Name ganz und gar nicht mehr passen. Habe auf dem Wochenmarkt Fisch besorgt, den ältesten, den ich kriegen konnte.

1. APRIL.

Habe der Herrlich einen Besuch abgestattet und den Fisch in den Briefkasten geworfen. Vorher hatte ich ihn in Geschenkpapier mit lauter Herzchen drauf gewickelt. Es stank jetzt schon bestialisch.

Hatte unverschämtes Glück. Vor der Tür stand ein weißer Golf auf den Anwohnerparkplätzen, Nummernschild K – MH 123. MH steht ganz klar für Melanie Herrlich. Waren leider zu viele Leute unterwegs, muss heute Abend noch mal vorbei und mich in Ruhe um das Auto kümmern. Ziehe meinen schwarzen Anorak an, dann sieht mich niemand.

So. Das Auto der Person ist ziemlich hinüber. Habe den Lack zerkratzt, die Antenne abgebrochen und eine Kartoffel in den Auspuff gesteckt. Zum Schluss habe ich die Scheinwerfer eingeschlagen. Erhole mich bis jetzt prächtig.

3. APRIL.

B. ist wieder da. Der Urlaub sei ganz toll gewesen, sagt er, und Melanie ein Naturtalent im Segeln. Und eine tolle Wohnung hätte sie auch. Kein Wort darüber, dass es bei ihr stinkt oder dass jemand ihr Auto demoliert hat. Vielleicht gehörte es ja doch nicht ihr. Vielleicht stand MH für Manfred Hackethal, weiß man's? Sorry, Manni, das habe ich wirklich nicht gewollt.

Jedenfalls kommt B. heute Abend zum Essen. Habe seine Lieblingsspeise gekocht, Kerzen aufgestellt und mein schwarzes Samtkleid angezogen. Sehe darin so dünn aus, dass es schon fast nicht mehr schön ist. Werde B. heute zeigen, dass ich tausendmal toller bin als diese Melanie.

Jetzt reicht's aber. Alles muss ich mir nicht gefallen lassen. B. kam eben nur kurz runter, um das Essen abzusagen. Melanie sei völlig demoralisiert, jemand habe ihr Auto total ruiniert. War zwar froh, wegen Manfred und so, aber im Großen und Ganzen war das ja wohl die größte Gemeinheit, die er mir antun konnte.

Und was ist mit dem Braten?, fragte ich ihn.

Er könne das morgen früh noch kalt essen, hat er gesagt, aber Melanie sei jetzt einfach wichtiger. Wahrscheinlich stecke ihr Exfreund hinter dem Psychoterror. Er sei nämlich eifersüchtig wegen B. und drehe total durch. Das müsse ich doch verstehen.

Gut, habe ich gesagt, wenn du zu Melanie gehst, lade ich mir eben einen anderen Mann ein.

B. sagte wieder mal, dass ich doch überhaupt keinen anderen Mann kennen würde.

Hast du eine Ahnung, schrie ich ihn an, an jedem Finger zehn.

B. strich mir nur mitleidig über den Kopf. Nimm's nicht so schwer, sagte er, ich bin ja morgen früh wieder da. Spätestens. Dann können wir über deine Probleme reden.

Habe sofort im Telefonbuch nach einer dieser Agenturen gesucht, die Männer vermietet. Fand aber nichts, auch nicht in den Gelben Seiten. Und in der Zeitung standen nur drei Callboys. Habe bei einem namens Luc angerufen und gefragt, was er dafür nimmt, wenn er nur so TUT, als habe er die ganze Nacht bei mir verbracht.

Er hat gesagt, die ganze Nacht kostet fünfhundert Mark. Fand das etwas überteuert. Habe ihm gesagt, dass er nur still daliegen und erschöpft aussehen muss, sonst nichts. Außerdem bekäme er einen Braten für umsonst.

Aber Luc hat gesagt, die ganze Nacht kostet IMMER fünfhundert, egal, was er tut oder nicht tut. Und dann hat er noch gesagt, sein SCH... sei im erigierten Zustand vierundzwanzig Zentimeter lang. Habe eine Weile mit meinem inneren Geizhals gerungen. B.'s ist HÖCHSTENS halb so lang, und wenn Luc morgen früh mit seinen vierundzwanzig Zentimetern auf meinem Bett läge, würde B. vor Neid platzen. Aber fünfhundert Mark für vierundzwanzig Zentimeter schien mir immer noch arg überteuert.

Luc hat dann gesagt, wenn ich nicht wisse, was ich wolle, müsse ich jetzt auflegen, weil er mir sonst den Anruf in Rechnung stellen würde. Habe natürlich aufgelegt.

Es kann doch wohl nicht wahr sein, dass ich keinen einzigen Mann in mein Bett kriege, es sei denn, ich zahle ihm GELD dafür!!! Nicht in DEM Kleid und mit DEM Braten! Werde jetzt in den Froschkönig fahren, vielleicht ist dieser Mick da.

4. APRIL.

Es hat geklappt. Mick liegt nebenan in meinem Bett. Wenn B. gleich zum Frühstück kommt, kriegt er den Schock seines Lebens. Hoffentlich wird es ein heilsamer Schock sein und ihn ein für alle Mal lehren, dass er mit mir nicht ALLES machen kann.

Es war ganz einfach. Mick war tatsächlich im Froschkönig, er stand an der Theke und machte einen ziemlich besoffenen Eindruck. Aber er war TOTAL nett zu mir. Ich fackelte nicht lange und sagte ihm, dass ich einen leckeren Braten in der Röhre hätte, da kam er schon von ganz allein mit. Zu Hause habe ich dann gemerkt, dass er gar nicht betrunken war, sondern voll auf Koks oder so. Gegessen hat er auch nichts. Im Badezimmer hat er sich gleich noch mal was eingepfiffen, habe ein paar Krümel auf dem Waschbeckenrand gefunden.

Es stimmt nicht, dass Männer auf Kokain die absoluten Bringer sind. Mick hat jedenfalls gar nichts

135

gebracht. Vielleicht war es ja auch kein Koks, sondern anderes weißes Zeug – was weiß denn ich? Er kam ins Wohnzimmer zurückgetaumelt und ist ohne ein Wort auf den Teppich gesunken. Dort hat er dann gepennt, und in seinen Mundwinkeln hat sich rosafarbener Schaum gebildet. Hätte unter anderen Umständen einen Notarzt verständigt, aber ich wollte nicht, dass meine Mühe völlig umsonst war. War eine Heidenarbeit, Mick ins Bett zu kriegen. Musste ihn mit dem Teppich ins Schlafzimmer zerren, aufs Bett hieven und ausziehen. Kann nur sagen, vierundzwanzig Zentimeter sind das nicht mal annähernd. Aber egal, Hauptsache B. sieht ihn nachher in meinem Bett liegen. Von wegen, ich kenne keine anderen Männer. Ha, ha, ha …

Habe das durchsichtige Nachthemd an, was B. früher immer so scharf fand, und mir selber einen Knutschfleck auf die Schulter gemacht.

Da, es klopft dreimal. B. ist früh dran. Um so besser.

7

Als ich sonntags in aller Frühe in Köln aus dem Flieger stieg, war ich ein neuer Mensch. Erholt, sonnengebräunt und von Elternliebe verwöhnt.

Aber ich hatte zweieinhalb Wochen nicht über meine große Liebe sprechen können und platzte beinahe vor Sehnsucht, mit jemandem über Stefans Vorzüge zu reden. Einmal war ich sogar so weit gegangen, mir eine Packung Gauloises Blondes zu kaufen, die Zigaretten der Reihe nach anzuzünden und den Duft zu inhalieren. Aber das hatte meine Sehnsucht nur gesteigert.

Noch vor dem Kofferauspacken fuhr ich gleich weiter zu dem einzigen Menschen, den ich ins Vertrauen gezogen hatte, zu Bille. Wenn ich genug geredet hätte, würde ich wieder nach Hause fahren und meine von Meerwasser und Sonne gebleichten Haare übertönen. Stefan konnte ja später immer noch ganz allmählich an die Tatsache gewöhnt werden, dass ich eigentlich eine Blondine war. Zunächst aber würde eine Packung ›Kanadischer Ahorn‹ aus mir wieder seine rothaarige Traumfrau machen.

Der Typ aus der Wohnung unter der von Bille brachte gerade seinen Müll raus, als ich ankam. So konnte ich, ohne zu klingeln, ins Haus schlüpfen. Ich musste dreimal an Billes Wohnungstür klopfen, bevor sie mir öffnete.

In ihrem Blick stand das pure Entsetzen, als sie meiner ansichtig wurde.

»Ich stör' wohl gerade?«, sagte ich und starrte auf ihre eine Brust, die aus dem Nachthemd herausgefallen war.

»Judith«, hauchte Bille.

»Ist ja schon gut. Ich will euch gar nicht aufhalten. Ich komm' dann später noch mal wieder.«

Fehlte gerade noch, dass ich auch Burghart begegnete, dem ein Ei aus der Hose heraushing!

Aus dem Schlafzimmer erklang ein eigenartiges Stöhnen. Bille wurde gleich noch um eine Nuance blasser.

»Also, ich geh' dann mal«, sagte ich, als Bille mein Handgelenk packte und flüsterte: »Geh nicht! Er wacht auf! Du musst mir helfen, ihn wieder zum Schlafen zu bringen.«

»Kommt ja gar nicht in Frage«, verwahrte ich mich, aber da hatte Bille mich auch schon mit Bärenkräften über ihre Schwelle gezogen und die Tür hinter mir geschlossen.

»Wo bin ich?«, fragte eine unheimliche Stimme aus dem Schlafzimmer.

»Bitte, hilf mir«, flüsterte Bille wieder. »Wenn er jetzt aufsteht und geht, war alles umsonst!«

Was sollte ich davon halten? Die einzige vernünftige Erklärung, die mir in der Eile einfiel, war folgende: Bille hatte versucht, Burghart mit, sagen wir mal, einer Weinflasche zu erschlagen, aber leider nicht fest genug zugehauen. Und jetzt lag der halbtote Burghart in ihrem Schlafzimmer und erwachte zu neuem Leben. Was wollte Bille von mir? Dass *ich* noch einmal mit der Weinflasche zuschlug, nur fester?

So reizvoll mir der Gedanke auch in der Theorie vorgekommen war, jetzt, wo es ernst wurde, bekam ich es mit der Angst zu tun.

»Das kann ich nicht machen«, stotterte ich, aber Bille zog mich schon Richtung Schlafzimmer.

»Wo bin ich hier?«, stöhnte die Stimme erneut, und im gleichen Augenblick sah ich das ganze Ausmaß der Katastrophe.

Nicht Burghart lag halbtot in Billes Bett, sondern ein wildfremder Mann mit zerrauften Locken und einer leichenfahlen Gesichtshaut. Er hatte seine Augen halb geschlossen und röchelte: »Durst!«

»Schnell, du musst ihn wieder betäuben, und dann ab in den Schrank mit dir«, stieß Bille hervor. »Burghart kann jeden Augenblick hier sein.«

Ich kniete neben dem armen Halbtoten auf dem Bett nieder und tastete nach seinem Puls. Es war kein Herzschlag zu spüren.

»Wir brauchen einen Krankenwagen für diesen armen Kerl.«

»Ach Judith, jetzt hör schon auf mit diesem Blödsinn«, schrie Bille mich plötzlich an. »Das ist kein armer Kerl, das ist Mick, und er ist vollkommen stoned.«

Mick-man-nennt-mich-auch-Micky, die Maus! Er war es tatsächlich, ich hatte ihn nur nicht erkannt, weil er so anders aussah. Verquollene Augenlider, Mundgeruch, Sabber in den Mundwinkeln.

»Aber was macht Mick in deinem Bett?«

»Mein Gott, du bist wirklich schwerfällig. Er liegt in meinem Bett, weil Burghart jeden Augenblick erscheint und ihn hier sehen soll. Kapiert?«

»Wo bin ich hier? Durst«, jammerte Mick. Er machte sogar den Versuch, den Kopf zu heben. Beruhigend tätschelte ich seine nackte Schulter, um dann gleich darauf schockiert zurückzufahren.

»Hast du ihn etwa ausgezogen?«

Bille nickte. »Musste ich ja wohl, oder?«

»Ute? Bist du's?«

»Ja, ja«, sagte ich völlig verwirrt.

»Du musst ihn wieder einschläfern«, rief Bille eindringlich.

»Und wie bitte, du kleine Klugscheißerin?« Und warum, bitte? Und weshalb ich, bitte? Bille war wirklich ein Herzchen.

Jetzt brach sie zu allem Überfluss in Tränen aus.

»Es hätte so schön hingehauen. Burghart wäre vor Eifersucht geplatzt. Warum kannst du nicht einfach noch weiterpennen?«, schrie sie den armen Mick an.

»Ute?«, röchelte er erschreckt zurück und »Durst.«

»Ach Scheiße«, heulte Bille

Das war ja nicht mit anzusehen. Nach einem kurzen Blick auf Mick entschloss ich mich, tatkräftig einzugeifen. Ich schob die heulende Bille beiseite und stapfte in die Küche.

Bille folgte mir schniefend. »Was machst du?«

»Wir brauchen was zu trinken für deinen Gast«, knurrte ich. »Wo ist dieser widerwärtige Korn, den du zum Desinfizieren deiner Mitesser nimmst?«

»Im Badezimmer natürlich.« Bille lief, um ihn zu holen.

In der Zwischenzeit durchforstete ich ihren Arzneischrank. Pflaster, Aspirin, Baldrianpillen und Vitamin-E-Tabletten – das war alles. Die Frau war widerwärtig gesund. Nach kurzem Zögern nahm ich die Baldrianperlen heraus.

»Zwei vor dem Schlafengehen«, murmelte Bille, die mit dem Korn in der Hand zurückgekehrt war. »Bei nervösen

Einschlafstörungen. Die hab' ich in letzter Zeit manchmal, wegen Burghart. Rein pflanzlich, die Dinger.«

»Ute! Durst!«, tönte es aus dem Schlafzimmer. Es klang schon kräftiger.

»Mick hat ebenfalls nervöse Einschlafstörungen«, diagnostizierte ich und kippte die ganze Flasche Baldrianperlen in ein Wasserglas. Das füllte ich bis obenhin mit Billes Gesichtswasser auf. Die Perlen drängten zuerst an die Oberfläche, dann begannen sie sich in dunklen Schlieren aufzulösen.

»Wenn er das trinkt, schläft er wie ein Baby«, meinte ich und rührte einmal kräftig um. »Oder er kratzt ab.«

»Macht nichts«, sagte Bille. »Hauptsache, Burghart denkt, ich hätte 'ne heiße Nacht gehabt.«

Wir rannten zurück ins Schlafzimmer. Mick hatte es geschafft, sich halb aufzurichten. Mit glasigen Augen blickte er uns entgegen.

»Ute? Wen hast du da mitgebracht?«

»Was Feines zum Trinken«, sagte ich sanft. »Hier, das wird dir guttun.«

Und Mick schlürfte die ganze grausige Mixtur durstig in sich hinein. Ein Teil tropfte auch aufs Bettzeug.

»So, und jetzt wird der liebe Micky sich noch etwas ausruhen«, sagte ich und drückte ihn ins Kopfkisssen zurück.

Mick schloss die Augen. »Du bist so gut zu mir, Ute«, murmelte er.

»Ja, ich weiß.« Besorgt schaute ich auf ihn nieder. Die totenbleiche Gesichtshaut, der Speichel in seinen Mundwinkeln – nicht gerade ein Anblick für die Götter.

»Ist ja ein süßer Kerl«, sagte ich zu Bille. »Aber das wissen nur wir beide. Burghart wird er mit seinem Anblick nicht in rasende Eifersucht treiben. Er wird denken, du hast den Typ am Bahnhof aufgelesen, mit nichts als einer Plastiktüte bekleidet.«

Bille hatte ihre Tränen getrocknet. »Ich weiß, aber immer noch besser als nichts.«

»Das wollen wir doch mal sehen. Ich brauche Kamm, Rouge und ein Handtuch«, kommandierte ich.

Bille rannte ins Badezimmer. »Aber beeil dich, Burghart kann jeden Augenblick hier sein«, sagte sie über die Schulter.

Mit gekämmten Locken, gewaschenem Gesicht und einer gehörigen Portion Rouge auf Wangen und Kinn sah Mick schon viel besser aus. Dank meines Cocktails schlief er wieder wie ein Stein. Aber leider stank er dabei wie eine ganze Schnapsfabrik.

Bille rannte noch einmal ins Bad und kam mit einer großen Flasche *Tresor* zurück, die sie großzügig im Raum versprühte.

»Und jetzt in den Schrank mit dir«, sagte sie zu mir.

Weil es im gleichen Augenblick klopfte, tat ich ihr den Gefallen. Ich quetschte mich zwischen ihre Sommerkleider, und Bille eilte zur Tür, immer noch eine Brust neben dem Nachthemd.

»Ah, Burghart!«

»Wie siehst du denn aus? Ich dachte, wir wären zum Frühstück verabredet. Ich habe eine schreckliche Nacht hinter mir. Melanie ist wieder mit ihrem Exfreund zusammen. Kannst du dir das vorstellen? Dabei hat der Kerl ihr Auto völlig demoliert! Und sie sexuell praktisch so gut wie nie befriedigt. Erst durch mich hatte sie ihren ersten vaginalen Orgasmus!«

Was zum Teufel meinte er denn *damit*? Ich wünschte,

Bille hätte sich näher nach diesem Phänomen erkundigt, aber sie sagte nur: »Du kannst gerne mit uns frühstücken.«

»Uns? Du meinst mit Judith und dir? Ich hab' ihr Auto vor der Tür gesehen.«

»Judiths Auto? Das kann nicht sein, die ist auf Gran Canaria.«

»Das ist Judiths Wagen. Nur sie hat diesen blöden Aufkleber, von wegen: ›Ich bremse auch für Männer!‹«

Der ist noch von der Vorbesitzerin, du Idiot, dachte ich im Kleiderschrank. Auf mich traf dieser Spruch definitiv nicht zu.

»Dann hat sie ihn sicher Mo geliehen«, beharrte Bille. »Der hat eine Freundin hier in der Nachbarschaft wohnen. Bitte sprich was leiser, Mick schläft noch.«

»Mick?«

»Psssst, nicht so laut! Das war eine ziemlich – ähm – wilde Nacht.«

»Hast du was getrunken? Hier riecht es ganz widerlich nach Schnaps und diesem Nuttenparfüm, mit dem du dich immer einnebelst.«

»Pssssst, Burghart. Du darfst Mick nicht aufwecken. Er sieht so süß aus, wenn er schläft.«

»Ute«, hauchte Mick.

»Schnauze«, flüsterte ich ihm durch die Schranktür zu.

»Billig, Bille, blöd und billig«, erging sich Burghart in Alliterationen. »Das ist doch neurotisch, dass du dir wegen Melanie so eine alberne Geschichte ausdenkst. Hysterisch und krankhaft eifersüchtig, das bist du.«

»Nicht mehr, seit ich Mick kenne«, entgegnete Bille. »Bei dem habe ich endlich gelernt, was vaginale Orgasmen sind. Multiple!«

Kurze Pause. Dann sagte Burghart: »Du bist doch reif für die Klapse. Dir einen Typen zu erfinden, das ist total neurotisch!«

»Du glaubst wohl, dass ich keinen realen Kerl abkriege, was?«

»Uuuute«, flüsterte Mick eindringlich.

»Nur noch eine Minuuuute«, wisperte ich zurück.

»Das glaubst du doch, oder?«

»Na, sagen wir mal so«, sagte Burghart. »Du bist ja jetzt auch nicht mehr die Jüngste. Und seit du so dick geworden bist ...«

»Dann geh doch ins Schlafzimmer und frag Mick, was er von mir hält!« Billes Stimme klang plötzlich ganz nah. Wahrscheinlich zerrte sie Burghart am Arm hinter sich her wie zuvor mich.

»Da liegt er, mein imaginärer Liebhaber!« Man konnte nur hoffen, dass das Rouge noch hielt und Mick nicht wieder zu sabbern angefangen hatte.

Burghart war jedenfalls baff.

»Aber, aber ...«, stotterte er.

»Das ist Mick«, sagte Bille mit triumphgeschwängerter Stimme.

»Aber«, stotterte Burghart wieder.

Mick stöhnte. Glücklicherweise nannte er diesmal keinen Namen.

»Besser, du gehst jetzt«, schlug Bille vor. Ich – im Kleiderschrank – nickte zustimmend.

»Ich kann nicht glauben, dass du mir das angetan hast.« Burgharts Stimme entfernte sich wieder. Offenbar ließ er sich willenlos von Bille zur Tür ziehen.

»Was ist der Kerl denn von Beruf?«

»Er ist Lehrer für Sport und Erdkunde«, log Bille spontan,

weil sie wusste, dass Sportlehrer immer Burgharts Traumberuf gewesen war. »Wir haben uns im Segelkurs kennengelernt. Er hat eine eigene Yacht.«

Letzteres fand ich ein bisschen übertrieben, aber es verfehlte seine Wirkung nicht.

»So ein – neureicher Snob«, würgte Burghart hervor. »Dass du so tief sinken würdest…«

»Ute«, stöhnte Mick beinahe zeitgleich. Burghart hielt es wohl für ein Echo.

»Wir können ja heute nachmittag mal drüber reden«, sagte Bille. »Über Mick und über Melanie. Und über uns.«

»Ja«, sagte Burghart matt. Dann fiel die Wohnungstür ins Schloss.

Ich sprang aus dem Schrank. Bille kam mit einer fröhlichen Pirouette hereingetänzelt. »Hast du das gehört? Er ist geplatzt vor Eifersucht. Ich wünschte, du hättest sein Gesicht sehen können.«

Ich konnte aber nur Micks Gesicht sehen, und das wurde ganz grün.

»Bille, hör auf, dich zu drehen. Dem armen Kerl wird ganz schlecht«, sagte ich alarmiert.

Aber Bille hörte mir gar nicht zu.

»Er liebt mich noch! Er liebt mich noch«, jubelte sie.

»Ute!« Mick setzte sich mit einem Ruck auf. »Ich muss kotzen.«

Und das tat er dann auch.

Mick verschwand ein paar Stunden später aus Billes Wohnung und damit vermutlich auch aus unserem Leben. Als er endlich erwacht war, hatte er weder Bille noch mich erkannt, und das Ganze war ihm unheimlich peinlich.

»Tja, man sieht sich«, murmelte er nur noch, bevor er verschwand.

Das Rouge klebte ihm immer noch an Wangen und Kinn und würde es Ute eventuell erleichtern, ihn in Gnaden wieder aufzunehmen.

So viel also zu Mick. Friede seiner Asche!

Bille war über die Wirkung seines Besuches so aufgeregt, dass sie nicht in der Lage war, mit mir über Stefan zu reden.

»Da ist doch gar nichts Konkretes«, sagte sie. »Der weiß ja nicht mal was von seinem Glück, der alte Drogendealer.«

Letzteres hatte sie ironisch gemeint, sie weigerte sich nach wie vor hartnäckig, meiner Theorie Glauben zu schenken. Die Bezeichnung Drogendealer hatte ja auch irgendwie einen hässlichen Beigeschmack, genau wie die Tatsache, dass Leute wie Stefan das Leben von Leuten wie Mick ruinierten. In den drei Wochen, in denen ich auf Gran Canaria allein in der Hängematte vor mich hin geträumt hatte, war mir klargeworden, dass Stefan kein gewöhnlicher Verbrecher sein konnte, sondern eine Art moderner Pirat, mutig und verwegen. An seiner Seite würde das Leben ein einziges Abenteuer werden.

Aber davon wollte Bille nichts hören.

»Pure Spekulationen langweilen mich«, sagte sie und fing wieder von Burghart an, dessen zweiter Vorname bekanntlich Langeweile war.

Ich sah ein, dass ich sie im Augenblick mit meinen eigenen Angelegenheiten überforderte, und fuhr nach Hause. Dort überkam mich eine Art Jetlag. Ich schaff-

te es gerade noch, meine Haare zu tönen, zum Kofferauspacken oder Aufräumen hatte ich einfach keine Energie mehr.

Am Morgen danach rief der Journalist von der Stadtillustrierte an, mit dem Mo einen Interviewtermin ver-
einbart hatte.

»Ich wollte nur sagen, ich fahre jetzt los und könnte so
in einer halben Stunde bei Ihnen sein«, sagte er.

»Was, *heute*?«, fragte ich gedehnt. Ich hatte gedacht,
der Termin sei erst nächste Woche.

»Mir fehlt nur noch eine Wegbeschreibung. Ich bin
nämlich Neukölner«, sagte der Mann.

»Ja, also, da fahren Sie am besten…« Was hatte er
gesagt, wann er da sein könne? In einer halben Stunde?

Ich sah mich um. Hier sah es entsetzlich aus. Dreckige
Wäsche türmte sich überall in der Wohnung, das letzte
Mal Staubsaugen lag mehrere Wochen zurück, ebenso
der letzte Abwasch. Fenster geputzt hatte ich irgendwann
im letzten Sommer. Im Badezimmer klebte die Zahnpasta zentimeterdick im Waschbecken, und das Klo konnte
auch nur jemand benutzen, der's mit der Hygiene nicht
so genau nahm.

In einer halben Stunde war das Chaos unmöglich zu
beseitigen. Und dann – was würden dann die Millionen
und Abermillionen von Lesern von mir denken?

»Äh«, sagte ich und überlegte fieberhaft. Dann kam
mir die geniale Idee schlechthin.

»Also, dann fahren Sie am besten von der Inneren
Kanalstraße links… äh, rechts… äh, also stadtauswärts,

147

biegen hinter dem Kaufhof links...äh, rechts... äh, in die Florastraße. Da ist es dann die Hausnummer dreiundzwanzig. Zweite Klingel von unten.«

»Ich dachte, Sie wohnen in der Antwerpener Straße?«

Das tat ich auch. In der Florastraße wohnte Bille. Und deren Wohnung war garantiert aufgeräumt. Mit dem Fahrrad konnte ich in zwanzig Minuten da sein.

»Nein, das muss ein Missverständnis gewesen sein«, sagte ich. »Florastraße 23, in einer halben Stunde.«

Ich warf den Hörer auf die Gabel, schnappte mir die nächstbeste Marionette, stopfte sie in meinen Rucksack und raste die Treppe runter. Genau siebzehn Minuten später warf ich mein Fahrrad bei Bille in den Hinterhof und hechtete schweißüberströmt in den zweiten Stock. Welch ein Segen, dass ich ihren Wohnungsschlüssel besaß! Für alle Fälle und für die Blumenpflege, wenn sie in Urlaub war. Dies hier war ›alle Fälle‹, ein Notfall – Bille hatte sicher nichts dagegen, dass ich ihre Wohnung vorübergehend als die meine ausgab.

Wie erwartet sah es bei ihr wie geleckt aus, die Fenster blinkten vor Sauberkeit, der Fußboden war vollkommen fusselfrei. Im Schlafzimmer war sogar das Bett frisch überzogen. Der hellgraue, flauschige Velourteppichboden sah aus, als hätte Mick, die bekiffte Maus, niemals Korn, aufgelöste Baldrianpillen und weiß der Himmel was noch alles draufgekotzt.

Billes Wohnung war perfekt gestylt, sparsam möbliert, hier eine restaurierte Weichholzkommode, dort eine noble Corbusier-Liege, die Wände weiß und jungfräulich. Die Frau hatte Geschmack, wenn auch einen ganz anderen als ich.

Aber leider hatte Burghart einen besonders miesen

Geschmack, und der hatte in Billes Wohnung seine Spuren hinterlassen wie auch überall sonst in ihrem Leben.

Als Erstes entfernte ich daher in aller Eile vierzehn gerahmte Fotos von Burghart, auf denen man ihn überwiegend in sportlicher Aktion bewundern konnte. Das wollte ich dem Reporter von der Stadtillustrierte doch ersparen, genauso wie Unterstellungen, von wegen der Idiot auf den Fotos könne mein Freund sein. Ich entsorgte die peinlichen Bilder allesamt in Billes Garderobenschrank. Anschließend machte ich mich daran, Burgharts sogenannte Kunstwerke zu verstecken.

Burghart scheute nämlich nicht nur nicht davor zurück, zu malen, zu töpfern und sich als Bildhauer zu betätigen, nein, er besaß auch noch die Frechheit, anderen diese Kunstwerke als Geschenke zuzumuten. Als Letztes schob ich eine dreibeinige Katze aus massivem Ton in die Garderobe.

Das Tier – das dritte Bein sollte im Übrigen den Schwanz darstellen – hatte Burghart Bille zum letzten Geburtstag geschenkt. Es war so scheußlich, dass wir vor Entsetzen den Mund nicht mehr zubekommen hatten.

Burghart hatte unsere Fassungslosigkeit natürlich anders gedeutet.

»Ja, ich weiß«, hatte er gesagt. »Wenn ich das professionell betriebe, könnte ich Unmengen von Geld verdienen.« Er hatte sich nach einem passenden Platz für seine unermessliche Kostbarkeit umgesehen und dann Billes antiken Kerzenleuchter beiseitegeschoben.

»Das rostige Ding kannst du einmotten«, hatte er erklärt und die dreibeinige Katze auf seinen Platz gestellt.

Dort stand sie nun und gab allen Besuchern Rätsel auf. War sie absichtlich so scheußlich, oder war hier ein schlimmer Stümper am Werk gewesen?, fragten sie sich, und nur wenn sie hörten, dass das Vieh von Burghart war, wussten sie die Antwort. Ich hatte Bille schon mehrfach angeboten, die raumdominierende Scheußlichkeit mit einem gezielten Staubsaugerhieb gaaanz zufällig irreparabel zu zerstören.

Aber Bille … ja, mein Gott, da war eben einfach nichts zu machen. Sie hatte mir sogar den Kerzenleuchter, der Burghart nicht gefiel, mitgegeben. Bei mir machte er sich so gut, dass ich Angst hatte, Bille würde ihn eines Tages zurückfordern, wenn die Sache mit Burghart jemals überstanden sein sollte. Aber dann würde ich sagen: Geschenkt ist geschenkt und wiederholen ist gestohlen! Das hatte ich mir schon zurechtgelegt.

Schließlich waren alle Spuren von Burghart getilgt, schnell drapierte ich noch die Marionette aus meinem Rucksack malerisch auf dem Esstisch, dann rannte ich in Billes Bad, um das Beste aus meinem verschwitzten, geröteten Gesicht zu machen. Ich schaffte es sogar noch, meine nervöse Blase zu erleichtern, Billes Kaffeemaschine in Gang zu setzen und eine Kanne Kaffee zu kochen.

Als es klingelte, war ich mit Hilfe von Billes teurem Make-up restauriert, die Wohnung von allen Scheußlichkeiten bereinigt, und ein köstlicher Kaffeeduft durchzog die Räume. Seit ich bei mir zu Hause den Hörer aufgelegt hatte, waren genau vierunddreißig Minuten vergangen. Ich war von meiner eigenen Schnelligkeit beeindruckt.

Zuversichtlich drückte ich auf den Türöffner.

»Frau Raabe?« Ein rundlicher, rothaariger Mann mit einem riesenhaften Fotokoffer quälte sich die Treppe herauf.

»Ja«, sagte ich. »Und Sie sind sicher der Herr von der Stadtillustrierte?«

»Ich dachte schon, ich wäre falsch. Auf dem Klingelschild stand Geldmacher.«

»Äh, ja. Judith Raabe ist nur mein Künstlername. Sie verstehen das hoffentlich. Ein Künstler mit Namen Geldmacher wäre wohl kaum glaubwürdig.«

Ich lotste den Mann in meine – pardon, in Billes Küche und bot ihm einen der bequemen Korbsessel an.

»Kaffee?«

»Lieber Tee, wenn es nicht zu viel Mühe macht.«

Wozu hatte ich denn Kaffee gekocht? »Aber überhaupt nicht.« Die Frage war nur, wo Bille ihren Tee aufbewahrte, falls sie überhaupt welchen im Haus hatte. Ich öffnete etwas kopflos mehrere Schränke. Glücklicherweise fand ich eine Schachtel mit allerlei Teebeuteln, die Bille sich von Zeit zu Zeit auf die Augen legte. Aber das sah man den Beuteln ja nicht an. Es war außerdem bester Earl Grey, wie auf dem Etikett zu lesen war. Einen Teekessel fand ich beinahe sofort hinter der zweiten oder dritten Schranktür, die ich öffnete. Künstlerinnen dürfen ruhig ein wenig schusselig sein, beruhigte ich mich, als ich die irritierten Blicke des Zeitungsmannes in meinem Rücken zu spüren glaubte.

»Ich hätte dann gleich mal ein paar Fragen zu Ihrem Privatleben«, fing er an. »Leben Sie hier allein?«

»Ja«, sagte ich. »Wissen Sie, getrennte Wohnungen sind für mich *das* Geheimnis einer funktionierenden Partnerschaft.«

»Aha!« Der Mann notierte sich dieses Bonmot natürlich. »Daraus entnehme ich, dass Sie einen Partner haben?«

»Äh, nein«, sagte ich. »Zurzeit nicht.«

In diesem Augenblick klopfte es an die Wohnungstür. Ich wäre beinahe aufgestanden, als mir einfiel, dass dies ja Billes Wohnung war. Und Bille war noch in ihrer Buchhandlung, konnte also die Tür schlecht öffnen. Ich rührte mich nicht von der Stelle.

»Wie können sich denn unsere Leser den Alltag einer Künstlerin vorstellen?«

»Meistens schlafe ich lange, dann frühstücke ich in aller Ruhe und kümmere mich um den Haushalt.« Haha, guter Witz! Aber in dieser makellosen Wohnung konnte ich schlecht behaupten, dass sich die Hausarbeit von selber erledigte. Vielleicht hätte ich besser eine Putzfrau erfinden sollen. Aber dazu war es jetzt zu spät. Ich musste mich bemühen, mein Künstlerimage auf andere Weise aufzupäppeln.

»Erst ab mittags bis spät in die Nacht, bei jeder Menge – ähm – Rotwein…«

Es klopfte wieder, diesmal nachdrücklicher.

»…umgeben von mehr oder weniger chaotischen Freunden mache ich mich dann an die Arbeit«, fuhr ich fort.

»Bille? Ich weiß, dass du da bist. Ich habe vorhin die Klospülung gehen hören.«

Um Himmels willen! Das war Burghart. Warum war er nicht bei der Arbeit? Wahrscheinlich hatte er Durchfall wegen der Mick-Geschichte oder, noch wahrscheinlicher, wegen Melanie und ihrem Exfreund. Auf jeden Fall musste er sofort wieder verschwinden, sonst würde er noch alles verderben.

Ich sprang auf. »Entschuldigen Sie mich einen Augenblick.«

Burghart stand im grün-weiß gestreiften Schlafanzug vor der Tür. Er glotzte überrascht, als er mich erblickte.

»Was willst du? Bille ist nicht da!«

»Was machst du denn dann hier?« Er streckte seinen Kopf in den Flur. Ich hatte die Küchentür offengelassen, und Burghart und der Zeitungsmann tauschten einen irritierten Blick.

»Wer ist der dicke Feuermelder in Billes Küche?«

Der Zeitungsmann lüftete seinen Hintern vom Küchenstuhl und sagte: »Berghaus von der Stadtillustrierte.«

»Was haben Sie denn hier zu suchen?«, fragte Burghart doch tatsächlich und stellte blitzschnell den Fuß zwischen die Tür.

»Bille hat die Wahl zur ›Miss-Buch des Monats‹ gewonnen«, flüsterte ich. »Eine Art Playmate des Buchhandels. Die Presse reißt sich um sie, ich teste, ob die Herren auch seriös sind.« Dabei versuchte ich ihn von der Schwelle zu schubsen, aber Burghart war natürlich stärker.

»Sie würde sich niemals nackt fotografieren lassen!«, brüllte er den armen Zeitungsmann an.

Der Zeitungsmann schüttelte entsetzt den Kopf.

»Das hatten wir auch gar nicht vor«, beteuerte er.

»Nicht nackt!«, zischte ich Burghart ins Ohr. »In ihrer Fischunterwäsche! Der Mann möchte eine Homestory über sie schreiben, über ihr Privatleben, ihre Freunde et cetera! Aber du machst dich nicht so gut in deinem Pyjama. Also hau ab, sonst ruinierst du noch Billes Karriere!« Ich stemmte mich mit ganzer Kraft gegen ihn.

»Ich denke gar nicht daran«, keuchte Burghart, und dem Zeitungsmann rief er zu: »Ich habe sie zu dem gemacht, was sie heute ist! Ohne mich wäre sie ein Nichts!«

In der Küche begann der Teekessel zu pfeifen.

Burghart verdoppelte seine Kräfte. »Ich will auch auf die Fotos! Sie können ja nur Porträts von mir machen, wenn Sie den Schlafanzug nicht auf dem Bild haben wollen. Ich bin das Wichtigste in ihrem Leben!«

»Geh endlich«, rief ich und drückte ihm in meiner Not die flache Hand aufs Gesicht.

»Alles in Ordnung?«, fragte der Zeitungsmann verunsichert. Ich sah seinen Artikel schon vor mir, durchgeknallte Künstlerin kämpft mit Mann im Schlafanzug, der unbedingt aufs Foto wollte. Du meine Güte!

»Nei-iin«, brachte ich hervor. Der Teekessel schrillte jetzt in den höchsten Tönen. Burghart hatte es mittlerweile fast geschafft. Jetzt wischte er meinen Arm zur Seite wie einen toten Tintenfisch.

»Und wenn überhaupt«, keuchte er, »dann wäre ich der Richtige, um Billes Karriere zu managen. Du hast doch keine Ahnung von public relations!«

»Geh nach Hause«, rief ich am Rande der Verzweiflung.

In der Küche wurde der Stuhl zurückgerückt, und auf einmal wurde es geradezu unheimlich still in der Wohnung. Zuerst hörte der Wasserkessel auf zu pfeifen. Dann erschien die Gestalt des Zeitungsmannes auf der Türschwelle. Sein Schatten füllte die ganze Küchentür aus. Ich nutzte Burgharts vorübergehende Verwirrung und knallte ihm die Tür vor den Schuh.

Als ich zum zweiten Mal ausholte, fing der Zeitungsmann die Tür ab und schob mich sachte beiseite.

»Ich denke, Sie gehen jetzt besser«, sagte er zu Burghart, trat den völlig Verdutzten mit voller Wucht gegen das Schienbein und versetzte ihm einen Stoß, der ihn gegen das Treppengeländer taumeln ließ.

Dann, ehe Burghart sich von seinem Schrecken erholt hatte, schloss er die Wohnungstür und legte die Sicherheitskette vor.

»Ein aufdringlicher Verehrer?«

»Das wird ein Nachspiel haben«, brüllte Burghart draußen vor der Tür. Für solche Sprüche war er sich niemals zu schade.

»Ja«, sagte ich. »Furchtbar aufdringlich. Vielen Dank, dass Sie mich gerettet haben.« Ich musste irgendwie wiedergutmachen, dass Burghart ihn einen dicken Feuermelder genannt hatte.

»Und wo ist eigentlich meine *Katze*?«, schrie Burghart vor der Tür. Im Nachhinein war ihm offenbar das Fehlen seiner herrlichen Skulptur aufgefallen. »Was hast du mit meiner Katze gemacht? Die muss auch aufs Foto.«

»Keine Ursache, ich kann zufällig Karate«, sagte der Zeitungsmann.

Der Schienbeintritt war also Karate gewesen. Na so was!

»Das müssen Sie mir unbedingt auch mal zeigen«, erwiderte ich, und weil ich nicht wollte, dass man mich für eine Tierquälerin hielt, die die Katzen anderer Leute verschwinden ließ, öffnete ich Billes Garderobenschrank und deutete auf die dreibeinige Katze.

»Sehen Sie, er glaubt, das Vieh *lebt*!«

»Grundgütiger, wie entsetzlich!«, rief der Zeitungsmann aus, und damit war das Eis gebrochen. Wir unterhielten uns zwei Stunden auf das Ungezwungenste, und er verschoss zwei Filme von mir und der Marionette in Billes Wohnzimmer. Während der ganzen Zeit ging in der Wohnung über uns wie wild die Klospülung. Mit jedem anderen außer Burghart hätte ich Mitleid gehabt.

»Das wird ein superinteressanter Artikel«, versprach mir der Zeitungsmann. »Aber zum Schluss noch eine Frage: Wer ist dieser Bill?«

Hä? Bill? Wie immer fiel der Groschen bei mir in Zeitlupe. Aber dann kapierte ich. Er meinte Bille. Burghart hatte ja oft genug ihren Namen gesagt.

»Ähm, Bill, ja, hm«, sagte ich. »Bill ist ein Freund. Er ist Fassadensprayer und lebt meistens im Underground. Ab und zu wohnt er auch bei mir.«

Der Zeitungsmann war beeindruckt.

»Wie romantisch«, sagte er und zwinkerte vielsagend.

»Äh, ja. Aber Bill ist schwul«, setzte ich hinzu, um Missverständnissen vorzubeugen. Aber damit verwirrte ich den Zeitungsmann nur noch mehr.

»Dann ist dieser Kerl im Schlafanzug also auch an Bill interessiert?«

»Teils, teils«, murmelte ich. Wie tief hatte ich mich in meinen eigenen Lügen verstrickt! Da konnte doch keiner mehr durchblicken.

Aber der Zeitungsmann war wirklich clever. Er lächelte gewitzt: »Ein bisschen *bi* schadet nie, wie es so schön heißt.«

»Genau das ist auch mein Motto«, sagte ich erleichtert. Wir verabschiedeten uns wie alte Freunde.

_____ *Billes geheimes Tagebuch* _____

12. APRIL.
HEUREKA! Sieg auf der ganzen Linie!
B. und ich haben noch einmal einen Neuanfang

gewagt. Feierlich zogen wir einen Schlussstrich unter Melanie. Und unter Mick, obwohl da ja eigentlich nichts war. Aber das werde ich B. höchstens mal in unserer Hochzeitsnacht beichten.

In B. ist eine seltsame Veränderung vorgegangen. Er scheint durch die Sache mit Mick richtig aufgerüttelt worden zu sein.

Er sagte, die Diät und die Augencreme hätten sich bezahlt gemacht, und ich hätte es ihm zu verdanken, dass ich wieder eine attraktive Frau sei. Richtig gut sähe ich aus, und ob ich nicht mal meine Fischunterwäsche anziehen könnte, nur für ihn.

Und dann sagte er noch, dass ich sein ganz persönliches Playmate sei und dass Melanie längst nicht mehr so toll aussähe, seit sie wieder mit ihrem Exfreund zusammen sei!

Es tat mir so gut, zu hören, dass er diese Melanie jetzt hässlich findet. Richtig verbraucht wirke sie, hat er gesagt.

Jetzt wird alles gut!

Judith spinnt total. Sie ist nicht nur in den Langeweiler Stefan mit den unmöglichen Schuhen verliebt, sie hält ihn auch für einen DROGENDEALER! Zum Beweis hielt sie mir neulich einen völlig zerdrückten Joint unter die Nase, den Mick ihr angeblich gegeben hatte. Mick habe ihr auch gesagt, dass er den Stoff von Stefan habe. So was Bescheuertes! Könnte mich totlachen! Judith ist ja so was von leichtgläubig. Wenn ihr jemand sagte, Rosi würde einen Puff leiten oder Jack sei in Wirklichkeit eine Frau – sie würde es glatt schlucken!

*Nächste Woche ist schon die Prüfung für den Sport-
bootführerschein. B. sagt, er würde mich abfragen
und alles erklären, was ich bis jetzt noch nicht verstanden habe. Er ist ja so süß! Er redet auch immer
davon, dass ich als Modell ganz groß rauskommen
könnte, wenn er mich managen würde. Wer hätte das
gedacht?*

8

Auf die erste Segelstunde nach den Ferien freute ich mich wie ein Kind auf Weihnachten. Drei lange Wochen hatte ich Stefan nicht gesehen, drei Wochen, in denen ich mir unter anderem auch unser Wiedersehen ein- bis zweihundertmal ausgemalt hatte. Zum Beispiel so:

Ein heftiger Orkan braut sich über dem Mutter-Teresa-Seniorenheim zusammen. Trotz der niederschmetternden Wettervorhersage habe ich mich auf den Weg gemacht. Gerade als ich mein Auto abstelle und den Parkplatz überquere, tobt der Orkan los. Wie es der Zufall will, ist auch Stefan in diesem Augenblick angekommen. Er erkennt, dass der Sturm mich erfassen und in die Lüfte schleudern wird, sprintet aus seinem Auto und zieht mich unter Einsatz seines Lebens in den Schutz des Mutter-Teresa-Seniorenheimes (welches leersteht, weil die Senioren ausgerechnet heute ihren Wandertag haben). Wir sind die Einzigen vom Kurs, die es bis hierhin geschafft haben, die anderen sind entweder zu Hause geblieben oder im Sturm umgekommen (Angela). So verbringen wir die Nacht eingeschlossen im Aufenthaltsraum, während draußen entwurzelte Bäume und Straßenbahnen durch die Gegend fliegen. Natürlich bleibt es nicht aus, dass wir uns in einer solchen Nacht näherkommen – es könnte schließlich die letzte sein.

Tatsächlich verlief unser Wiedersehen etwas weniger dramatisch. Als Rebecca, Bille und ich eintrafen, stand Stefan wie gewohnt mit dem Rücken zu uns und malte ein bootsähnliches Gebilde an sein Flip-Chart. Bis auf Heinrich und Ursel saßen schon alle auf ihren Plätzen.

»Hallo, zusammen«, sagten Rebecca und Bille, und ich sagte auch »Hallo«, aber nur zu Stefan.

Möglich, dass er etwas darauf erwiderte, aber wenn überhaupt, ging es im allgemeinen Begrüßungstumult unter, zumal gleich hinter uns Ursel und Heinrich eintrafen. Ich war nicht wirklich enttäuscht, dazu war ich viel zu glücklich, Stefan wieder live vor mir zu sehen, von den ausgetretenen Boots bis hin zu den kurzgeschnittenen, ungestylten Locken.

Auch das Wiedersehen mit den anderen, von Angela und Ulf mal abgesehen, bereitete mir echte Freude. Daran merkte ich, dass sie mir alle ans Herz gewachsen waren. Rosi mit ihrem türkisfarbenen Lidschatten, heute übrigens in einem weißen Outfit mit goldenen Nieten, Fred, der Knötterbock, Heinrich und Ursel, so distinguiert und vornehm, Bernie mit seinem Handy, Jack, der Seebär, Dirk mit diesem breiten Lächeln, von dem ich vermutete, dass es in erster Linie Rebecca galt – ich liebte sie alle. Fast alle, wie gesagt.

»Das ist aber jetzt nicht deine Naturfarbe?«, meinte Angela, kaum dass ich saß. Nun gut, die Feststellung war berechtigt. Kanadischer Ahorn war auf dem sonnengebleichten Haar *etwas* kräftiger ausgefallen als auf der Packung angegeben. Meine Haare hatten jetzt die Farbe eines Schildes mit der Aufschrift ›Feuerwehrausfahrt freihalten‹.

Aber trotzdem sah ich immer noch besser aus als Angela. Sie hatte die Haare auf der Kopfmitte zu einem überdimensionalen Dutt getürmt, der dort ausgesprochen deplaziert wirkte. Sie sah aus wie Liselotte Pulver in ›Kolhiesels Töchter‹. Ich beschloss, ihre Frage einfach zu ignorieren, was um so leichter war, weil Stefan seinen Unterricht mit den üblichen, ungemein motivierenden Eingangsworten eröffnete.

»Heute wird es wieder mal gähnend langweilig. Wir müssen uns den Licht- und Schallsignalen widmen.«

Und während wir erfuhren, dass Seitenlichter über einen Horizontbogen von jeweils einhundertzwölfkommafünf Grad strahlen, und zwar entweder nach Steuerbord oder nach Backbord von recht voraus bis zweiundzwanzigkommafünf Grad achterlicher als querab, ließ ich meinen Gedanken wieder einmal freien Lauf.

Gut, die Prüfung für den Sportbootführerschein war schon in der nächsten Woche, und ich hätte vielleicht etwas mehr aufpassen sollen – aber wozu? Ich meine, diesen ganzen Theoriemist musste ich nicht wirklich verstehen, ich musste ihn nur auswendig lernen. Und darin war ich große Klasse.

Nehmen wir zum Beispiel Frage 280: Nach welcher Seite dreht sich im Allgemeinen das Heck im Rückwärtsgang bei einer rechtsgängigen Schraube? Darüber konnte man schon mal ins Grübeln geraten, wenn man *wirklich* hinter das Geheimnis schauen wollte.

Aber ich wollte gar nicht. Das Schiff dreht sich nach Backbord, und damit basta – warum, konnte mir doch schnurzegal sein.

In der letzten halben Stunde wurde es dann wieder interessant, weil wir das erste Törntreffen vereinbarten. Es wurde allmählich Zeit für eine detaillierte Planung. Stefan schlug vor, das Törntreffen in privater Atmosphäre abzuhalten, und fragte, wer dazu sein Heim zur Verfügung stellen wolle.

»Das können wir gerne bei Judith und mir machen«, erbot sich Rebecca. Bei einer der letzten Sitzungen im Froschkönig hatte sie unser Verwandtschaftsverhältnis ganz offiziell preisgegeben. Niemand war überrascht gewesen, im Gegenteil, alle hatten behauptet, uns die gemeinsamen Eltern sofort angesehen zu haben.

»Die gleichen lustigen langen Nasen, die gleichen lustigen geschwungenen Augenbrauen«, hatte Rosi gesagt. »Die gleichen lustigen Sommersprossen!«

»Und die gleichen lustigen Krähenfüßchen«, hatte Ursel ergänzt.

Ulf hatte einen undeutlichen Satz in seinen stinkenden Bart gemurmelt, in dem meines Erachtens das Wort »Körbchengröße« vorkam. Die gleiche lustige Körbchengröße, so was in der Art, vermutlich. Angela hatte die Frechheit besessen, zu fragen, wer von uns denn die Ältere wäre.

»Wenn schönes Wetter ist, können wir bei uns im Innenhof grillen«, meinte Rebecca jetzt, die sich zunehmend für die Idee zu erwärmen schien. »Das wäre auch deshalb ganz wunderbar bei uns, weil mein Mann die nächsten zwei Wochen auf Tournee ist und ich auf diese Weise unsere Tochter nicht allein lassen müsste.« So ganz pflichtvergessen war das Rabenmutti dann doch nicht, wenn es darauf ankam.

»Gute Idee«, sagte Stefan. »Also am nächsten Samstag bei Rebecca und Judith. Ich bringe dann auch den zweiten Skipper mit, damit ihr ihn kennenlernen könnt. Alles Weitere besprechen wir dann bei einem Fass Bier.«

»Ich werde einen Spießbraten stiften«, meinte Rosi. »Oder mag hier jemand keinen Spießbraten?«

»Ich«, sagte Kolhiesels Tochter. »Wegen mir muss kein Tier mehr sterben.«

»Du fährst doch ohnehin nicht mit«, entgegnete Bille. »Also brauchst du auch nicht zum Törntreffen zu kommen.«

»Das steht noch nicht fest«, sagte Angela.

»Wir denken darüber nach, ob Angela nicht wenigstens ein Wochenende dazustößt«, meinte Stefan.

Das war ja interessant.

»Mag sonst noch jemand keinen Spießbraten?«, fragte Rosi.

»Spießbraten ist meine Leibspeise«, erklärte Jack.

»Dann ist das ja schon mal geritzt«, meinte Rosi und wandte sich an Rebecca. »Hast du denn auch eine Drehvorrichtung an deinem Grill?«

»Äh, nein«, antwortete Rebecca.

»Auch nicht in deinem Backofen?«

»Nein. Geht das nicht auch ohne Drehvorrichtung?«

Rosi schüttelte bekümmert den Kopf. »Niemals!«

»Vielleicht grillen wir doch lieber Koteletts und Würstchen und Maiskolben und Auberginenscheiben und so was?«, schlug ich der Einfachheit halber vor.

»Nein, Kinder, das geht doch nicht.« Rosi senkte die Stimme und setzte hinzu: »Das könnt ihr Jack nicht antun. Spießbraten ist doch seine Leibspeise.«

Wir schwiegen betreten.

»Tja, was nun?«, fragte Rosi nur.

Tja, das war wohl die klassische Pattsituation. Wir hatten keine Vorrichtung für einen Spießbraten, aber ohne Spießbraten konnte das Törntreffen offenbar auch nicht stattfinden.

Rosi ließ uns noch ein paar Sekunden schwitzen, dann präsentierte sie uns die Lösung.

»Wir machen das Ganze einfach bei uns«, rief sie fröhlich aus. »Wir haben einen wunderbaren elektrisch betriebenen Spieß an unserem Grill. Da passt ein ganzes Spanferkel dran. Dazu kann ich verschiedene Salate servieren, und eine Nachspeise kann ich auch noch zaubern. Wie wäre es mit Tiramisu? Oder mag hier jemand kein Tiramisu?«

»Ich«, sagte Angela erwartungsgemäß. »Ich vertrage keine tierischen Eiweiße.«

»Also gut, dann findet das Ganze eben bei Rosi und Fred statt«, sagte Stefan. Rebecca und ich tauschten einen resignierten Blick. Es würde uns wohl nichts anderes übrigbleiben, als Charlotte mitzubringen, es sei denn, Mo war bereit, sich als Babysitter zur Verfügung zu stellen.

An diesem Abend gingen wir ohne Stefan in den Froschkönig, er hatte, wie er sagte, eine andere Verpflichtung. Was mich betrifft, war es deshalb ein verlorener Abend.

»Na, los, nichts wie hinterher«, kicherte Bille, als Stefan auf dem Parkplatz in seinen BMW stieg und davonfuhr. »Sicher geht er jetzt in die Disco und kippt ein paar unschuldigen Teenagern Heroin in die Cola!«

Ich würdigte sie keiner Antwort. So was würde Stefan niemals tun. Er gehörte ganz sicher nicht zu diesen gewissenlosen Geschäftemachern, die vor Schulen herumlungerten und achtjährige Kinder in die Drogenabhängigkeit trieben. Der Markt bestimmt die Nachfrage, oder war es umgekehrt? Stefan jedenfalls versorgte nur verkommene

Subjekte wie Mick mit Stoff, Leute, die es nicht besser verdient hatten. Aber was wusste Bille schon!

Im Froschkönig verbreitete Ursel wieder Panik von wegen der Prüfungsfragen und behauptete, wer jetzt noch nicht angefangen habe zu lernen, werde es niemals schaffen, sich bis nächste Woche alles einzutrichtern. Dabei stellte sich heraus, dass alle außer mir schon mit dem Lernen begonnen hatten.

»Auch du, Brutus?«, fragte ich Bille.

Sie nickte. »Burghart und ich sind schon bei Frage 303: Was verstehen Sie in amtlichen Wetterberichten unter frischem Wind?«

Überflüssig, an dieser Stelle zu erklären, warum Bille und Burghart immer noch ein Paar waren. Es würde doch niemand verstehen. Tatsache war nur, dass weder Melanie noch Mick noch der karatekundige Zeitungsmann dem Elend ein Ende bereitet hatten.

Um zu zeigen, wie gut sie sich alle schon vorbereitet hatten, begann nun das große gegenseitige Abfragen.

»Wie muss sich ein Fahrzeug unter Segel von weniger als zwölf Meter Länge oder unter Ruder auf Seeschifffahrtsstraßen verhalten, wenn es nicht mindestens ein weißes Rundumlicht führen kann?«, fragte Heinrich.

Es ist kaum zu glauben, aber alle außer mir kannten die Antwort. Ursel kannte sogar die Nummer der Frage.

»119, 119«, trompetete sie frohlockend.

»Und wie muss man sich bei Gewittergefahr verhalten?«, wollte Bernie ausgerechnet von mir wissen.

»Eichen meiden, Buchen suchen«, sagte ich, aber auf See war diese alte Bauernregel wahrscheinlich schlecht anwendbar. Ich sah schon, es wurde allmählich Zeit, dass auch ich mich auf diese Prüfung vorbereitete.

Erst als wir später zum Parkplatz zurückgingen, fiel mir auf, dass Angela gar nicht mit in den Froschkönig gekommen war. Aber wer hatte sie vermisst?

Immer, wenn ich mich hinter das Segelbuch klemmen wollte, kam etwas dazwischen. Zunächst einmal wurde meine Ausstellung in der Galerie am Brunnen eröffnet, da durfte ich natürlich nicht fehlen. Pünktlich zu diesem Ereignis war die neue Nummer der Stadtillustrierte erschienen und brachte ein doppelseitiges Porträt über mich mit einem riesengroßen, ziemlich schmeichelhaften Foto von mir vor Billes Bücherregal.

Überschrift: KUNST KOMMT VON KÖNNEN –, darunter kleiner: ... *wenn es von Wollen käme, hieße es Wunst.*

Na ja, da hatte Zeitungsmann nicht seinen besten Tag gehabt, oder vielleicht hatte auch ein Kollege getitelt. Auf jeden Fall war das kein Zitat von mir.

»Zwischen Genie und Wahnsinn.« So etwa hätte die Schlagzeile gelautet, wenn ich etwas zu sagen gehabt hätte. Aber im Grunde konnte ich mich nicht beschweren. Meine Marionetten zeugten von großem handwerklichen Können, von blühender Phantasie und von humorvoller Aussagekraft, stand da schwarz auf weiß. Ja, der Zeitungsmann war sogar so weit gegangen, die Ausstellung als unbedingt empfehlenswert zu bezeichnen, da meine Puppen die *Hysterie und Dekadenz der Gesellschaft auf satirische Weise widerspiegelten.*

Aha! So war das also.

Der Galerist war begeistert. Er wollte den Zeitungsmann anrufen, ihm persönlich danken und ihn noch einmal zu unserem Champagnerfrühstück am letzten Ausstellungstag einladen.

Ich widmete mich dem Teil des Artikels, der sich mit meiner Person befasste. *Die sympathische Kölnerin begrüßt uns in ihrer schlichten, aber behaglichen Wohnung mitten in Nippes.*

Sympathisch, ja in der Tat, schlicht, von mir aus, behaglich, na gut, aber wer war *uns*? Der gute Mann war doch ganz allein dagewesen! Wahrscheinlich hatte seine Doppelrolle als Fotograf und Journalist mittlerweile eine Persönlichkeitsspaltung bei ihm hervorgerufen, beruhigte ich mich und las weiter.

Schaut man sich in der eher karg möblierten, streng in Schwarz und Weiß gehaltenen Wohnung um, kann man kaum glauben, dass in dieser peinlich sauberen Umgebung solch farbenfrohe, opulente Gestalten entstehen. Man kann sich kaum vorstellen, dass sich diese äußerst bürgerlichen vier Wände am Nachmittag in ein Eldorado für die schrillsten Typen der Kölner Szene verwandeln. Literweise Rotwein, geheimnisvolle Sprayer aus dem Underground und jede Menge ausgeflippte Freunde sorgen für ein schöpferisches Chaos, Geburtsstätte der Wunderwerke an Fäden, die zurzeit in der Galerie am Brunnen zu besichtigen und zu erwerben sind. Märchenhafte Wassermänner, bierernste Kameltreiber und komische Magier in Anzug und Krawatte, die so ausgefallene wie witzige Namen tragen.

Bis hierher war so weit alles in Ordnung. Der Zeitungsmann, mein Freund und Helfer, dachte ich gerührt. Dann aber schnappte ich Luft.

Die neunundzwanzigjährige Schöpferin der verrück-
ten Puppen macht täglich eine geheimnisvolle Meta-
morphose durch. Bis Mittag scheint sie eine normale,
nahezu konservativ wirkende Person zu sein, die sich
um ihren Haushalt kümmert und im Supermarkt um
die Ecke Brot einkauft wie jede andere Hausfrau der
Stadt. Doch am Nachmittag verwandelt sie sich in
jene schillernde Persönlichkeit, die man hinter den
farbenfrohen Marionetten vermutet. Bis in die Nacht
hinein lebt sie ihr Künstlerinnenleben intensiv und
ausschweifend getreu ihrem Motto: »Ein bisschen bi
schadet nie!«

An dieser Stelle brach ich ab. Das hatte doch *er* gesagt, nicht ich. Ein bisschen bi schadet nie. Und ob das
schadet! Und selbst, wenn nicht, ich war kein bisschen
bi, sondern durch und durch hetero – oder wie das hieß.
Und *ausschweifend*! Dass ich nicht lache!

»Wenn ich diesen dicken roten Feuermelder jemals
wiedersehen sollte, dann vor Gericht. Ich und ein bisschen bi, der hat doch einen an der Waffel!«, brüllte ich.

Mo und der Galerist mussten mich beruhigen.

»Hauptsache, das Bild ist gelungen.«

»Hauptsache, die Leute finden dich interessant.«

»Und Hauptsache, sie kaufen die Marionetten!«

»Das ist gar nicht die Hauptsache«, heulte ich. »Was
sollen denn die Leute von mir denken!« Vor allem die,
die Stefan hießen!

»Wer anderen eine Grube gräbt, fällt selbst hinein«,
meinte Mo. »Du hättest dich eben in deiner natürlichen
Umgebung präsentieren und ganz normal geben sollen.
Also reg dich wieder ab!«

Was blieb mir auch anderes übrig? Als am nächsten

Tag die Pressefritzen vom Stadtanzeiger und der Rundschau sowie von diesem kostenlosen Kulturblättchen kamen, wollte ich sehr nachdrücklich darauf hinweisen, dass ich keineswegs sexuell an Frauen interessiert sei. Mo sagte aber, damit würde ich alles nur noch schlimmer machen. Wenn ich denn schon unbedingt mein wunderbar verruchtes Image wieder zerstören wolle, dann sei es besser, stattdessen auf meine anderen Persönlichkeitscharakteristika hinzuweisen.

»Hä?«, fragte ich.

»Ich meine zum Beispiel deine – ähm – Hobbys und Freizeitaktivitäten, deine Vorlieben und Abneigungen«, sagte Mo.

Meine Hobbys? Ich überlegte, welche meiner Vorlieben Stefan mit mir teilen konnte. Was wusste ich schon über ihn, außer dass er Drogen schmuggelte, einen BMW fuhr und Segelunterricht gab? Mochte er wie ich Tomaten mit Mozzarella und Basilikum über alles in der Welt? Oder war er dagegen allergisch? Konnte er sich zehnmal hintereinander *Die Ritter der Kokosnuss* anschauen und ganze Passagen daraus zitieren? *Zähle bis drei ... die Fünf scheidet ganz aus*, hahaha, konnte er darüber auch pausenlos lachen? Oder hielt er diesen Film für das Geschmackloseste, was jemals auf Zelluloid gebannt worden war?

Ich konnte kein Risiko eingehen. Das Einzige, was ich über ihn wusste, war, dass er sportlich war, Volleyball, Segeln und Surfen, bevor ihm die Neoprenallergie einen Strich durch die Rechnung gemacht hatte – so jemandem würde vermutlich eine sportliche Frau am besten gefallen. Und so kam es, dass in den anderen Artikeln, sofern sie denn gedruckt wurden, stand, dass ich mit

Leidenschaft joggen und schwimmen würde und dass Bewegung einer der wichtigsten Bestandteile meines Lebens wäre. Eine richtige Sportskanone, das war ich, jawohl!

Mo sagte später, dass er sich an meiner Stelle ob dieser faustdicken Lügen zu Tode geschämt hätte. Als Joggen bezeichne man lockeres Laufen über eine längere Distanz, Joggen sei keineswegs, wenn man fünfhundert Meter über den Schotter humpele und dann keuchend zusammenbreche. Und Schwimmen, sagte Mo, sei eine zielgerichtete, gesteuerte Bewegung durch Wasser, keineswegs meine man damit das Treiben auf einer Luftmatratze im Swimmingpool.

»Das spielt doch keine Rolle«, erklärte ich. »Man muss mit dem Herzen dabei sein!«

»So siehst du aus«, sagte Mo.

Rosis und Freds Haus stand in einem vornehmen Stadtteil und war von gigantischen Ausmaßen. Eine verschachtelte Sichtbetonkonstruktion mit riesenhaften Glasfronten, das Grundstück umgeben von einer zwei Meter hohen Steinmauer.

Es war schon fast dunkel, als wir dort vorfuhren, aber das Anwesen war taghell erleuchtet. Es war prächtig. Eine lange Auffahrt erstreckte sich bis zum Haus, war aber mit einem eisernen Tor abgesperrt. Also stellten wir unser Auto in der Straße ab und drückten auf den Klingelknopf unter einem goldenen Schild, auf welchem in verschnörkelten Buchstaben der Name *SCHMITZ* prangte.

»Herr und Frau Neureich«, sagte Bille und zuckte im

gleichen Augenblick zusammen, als aus dem Nichts eine Stimme »Ja, bitte?« quäkte.

»Wir sind's, Rosi!«, flötete ich in die Sprechanlage. »Rebecca, Bille und Judith.« Charlotte hatten wir zu Hause bei Mo gelassen.

Das Tor öffnete sich wie von Zauberhand.

»Meinst du, das mit dem ›Neureich‹ hat sie gehört?«, fragte Bille besorgt, während wir über die Einfahrt schritten. Ich hätte gern geschrieben, dass der Kies vornehm unter unseren Schuhen knirschte, aber wir schritten über Verbundsteinpflaster aus Beton, da knirschte überhaupt nichts. Rechts und links erstreckten sich Rasenflächen, so weit das Auge reichte, dazwischen standen hübsch angeordnete Gruppen von immergrünen Nadelbäumen.

Plötzlich löste sich ein Schatten aus den Bäumen und rannte auf uns zu.

»Ein Stier!«, schrie Rebecca entsetzt auf. Es *hätte* ja sein können. Aber in Wirklichkeit war es ein Hund mit den Ausmaßen eines Rindes. Ein Hund mit kurzem grauschwarzen Fell, einem riesigen Schädel und einem Brustkorb wie Dolly Buster.

Was sollten wir tun? Das Vieh rannte viermal so schnell wie Carl Lewis, an simples Davonlaufen war nicht mal zu denken. Die paar Bäumchen, die in Reichweite standen, waren zum Hinaufklettern nicht geeignet, und keiner von uns verfügte über Fähigkeiten zur Tierhypnose wie Crocodile Dundee. Also blieb nur eins.

»Hiiiiilfe!«, brüllte ich, so laut ich konnte.

Das Riesenvieh von Hund blieb verdutzt stehen.

Vom Haus her kamen eilige Trippelschrittchen auf uns zu. »Bubilein, du sollst die Leute doch nicht immer so erschrecken«, Gott sei Dank, es war Rosi. Bubilein lief

auf sie zu und steckte seinen dicken Kopf in ihre Achsel-
höhle.

Rosi lachte und sprach den klassischen Doppelsatz
aller Hundebesitzer: »Der tut nichts, der will nur spielen!«

Wie oft hatte ich diese Worte schon gehört! Wenn ich
für jedesmal eine Mark bekommen hätte, wäre ich heute
eine reiche Frau.

»Seht nur, er wedelt mit dem Schwanz!«, sagte Rosi
und tätschelte das vor Freude triefende Bubilein.

»Mit welchem Schwanz?«, flüsterte Rebecca, immer
noch einer Ohnmacht nahe. Sie hatte recht, Bubilein hatte
keinen Schwanz, nur eine kaum wahrnehmbare Ausbuch-
tung am Hinterteil. Die allerdings wackelte wie wild.

»Schön habt ihr's hier«, sagte Bille.

»Ach ja«, seufzte Rosi. Wir verstanden. War sicher
nicht das reine Zuckerschlecken, Fensterputzer, Zugeh-
frau, Gärtner und Swimmingpooldienst für ein so großes
Anwesen zu organisieren und koordinieren.

Allein die Eingangshalle, bei anderen *Flur* genannt,
war größer als meine ganze Wohnung. Nicht schöner,
aber größer. Rebecca meinte hinterher, bei diesen Dimensionen hätte selbst Rosi schlank und zierlich gewirkt.
Ein Trick, den man sich merken musste.

Außer uns waren schon alle da, nur Angela würde
später kommen, sagte uns Rosi. Der zweite Skipper saß
neben Stefan. Er war blond, sommersprossig und ansonsten ziemlich unscheinbar.

Bille neben mir seufzte tief vor Enttäuschung. Der
Skipper wartete, bis wir Platz genommen hatten, dann
stellte er sich kurz vor. Er hieß Hannes, war dreißig Jahre
alt und von Beruf Diplomingenieur. Bille seufzte gleich
noch einmal.

Die Temperaturen waren nicht fürs Freiluftgrillen geeignet, deshalb hatte man die Tafel aus Teakholz gedeckt, die trotz ihrer beeindruckenden Länge in diesem Esszimmer wie eine winzige Insel im Ozean wirkte. Bubilein umkreiste die Insel wie ein gigantischer Wal. Ab und zu legte er seinen Kopf auf einen der Teller, und wenn er das tat, dann lachte Rosi, und Fred wurde böse.

»Bubi soll bei Tisch nicht betteln«, sagte er. »Pfui, Bubi, böser Bubi.«

Ich hatte Bille einen unauffälligen Schubs gegeben, um den Platz gegenüber Stefan zu ergattern. Sie verdrehte zwar die Augen, rückte aber einen Platz weiter.

Ich lächelte Stefan an.

»Ich habe heute einen Artikel über dich gelesen«, sagte er.

Ich hörte auf zu lächeln.

»Man soll ja nicht alles glauben, was in der Zeitung steht«, murmelte ich.

»Da hast du recht«, mischte sich Jack ein. »Als ich mal unverschuldet in einen Unfall verwickelt war, stand in der Zeitung, dass der alkoholisierte Fahrer des Wagens im Krankenhaus seinen Verletzungen erlegen sei. Dabei war ich weder alkoholisiert noch verletzt.«

»Ja, genau«, sagte ich, »und ich bin weder bi noch bin ich bi.«

»Vielleicht meinten die den anderen Fahrer«, sagte Rebecca zu Jack.

Jack grinste. »Das ist natürlich möglich. Ich war nämlich mit dem Fahrrad unterwegs.«

Alle lachten.

»Weil er seinen Führerschein nicht mehr hat«, raunte mir Rosi zu, die an meiner anderen Seite Platz genommen hatte. Offenbar konnte der Spießbraten, der seinen Duft bis hierher verströmte, sich selbst überlassen werden. »Wusstest du, dass er wegen Trunkenheit am Steuer schon *fast* mal im Gefängnis gesessen hat?«

»Wer, Jack?«

»Ja, natürlich, Jack. Ich hab' aus ganz sicherer Quelle, dass er sogar bei den Anonymen Alkoholikern rausgeflogen ist.«

»Hm, hm«, machte ich.

»Das wird vielleicht was geben auf dem Boot«, flüsterte Rosi. »Hast du eine Ahnung, wie anstrengend so ein Süchtiger für eine Gruppe ist? Ich glaube, der Stefan weiß gar nicht, was er sich da aufbürdet. Ein einziger Säufer kann ein ganzes Boot zum Kentern bringen.«

Ich starrte sie entsetzt an.

»Hat Fred auch gesagt«, flüsterte Rosi. »Jack bringt uns alle in Lebensgefahr!«

Ich blickte verstohlen zu Jack hinüber. Er würde also unser Untergang sein! Und dabei sah er so harmlos aus! Aus seinem rotbackigen, leicht gebräunten Gesicht leuchteten einem der Bart, die buschigen Augenbrauen und kräftige Zähne schneeweiß entgegen, der massige Körper machte einen wohltrainierten, gesunden Eindruck.

Aber Rosi wusste es ja besser. Der Schein trog! Mit wenigen geflüsterten Worten ließ sie ein Horrorszenario vor meinen Augen entstehen: Eines frühen Morgens, noch vor Sonnenaufgang, würde Jack vergessen, die Seewasserventile der Klospülung zu schließen, das Meerwasser würde uns in der Koje überraschen, und während Jack draußen am Steg seinen ersten Schnaps trank, versank das Boot mit Mann und Maus vor seinen Augen.

174

»Das müssen wir dem Stefan aber noch klarmachen«, flüsterte Rosi. »Dass man einen Alkoholiker ständig unter Kontrolle behalten muss. Ohne dass er's merkt, natürlich.«

Ich nickte fröstelnd.

Stefan reichte eine Liste mit allen Sachen herum, die wir uns für den Segeltörn beschaffen sollten. Schlafsäcke, wasserdichte Kleidung, Gummistiefel und Bordschuhe mit hellen Sohlen, lange Unterwäsche und Segelhandschuhe. Fred, Rosi, Ursel und Heinrich besaßen so was natürlich längst, ebenso eigene Rettungswesten und Lifebelts der besonderen Art. Für uns, den Rest, gab es 08/15-Rettungswesten auf dem Boot.

»Die machen aber dick«, raunte mir Rosi zu. »Kauf dir besser was Anständiges.« Ich wunderte mich, dass sie hier immer noch so ruhig auf dem Stuhl saß, während der Spießbraten in der Küche sich selbst überlassen war.

»Und jetzt zur Aufteilung der Crews auf die beiden Boote«, sagte Stefan und raschelte mit einem Zettel. »Ich habe mir dafür viel Zeit genommen.«

»Wir finden, man sollte hierbei auch ein wenig die intellektuelle Kompatibilität berücksichtigen«, ließ sich Heinrich vernehmen.

»Jawoll, Heinrich! Recht haste!«, rief Jack. »Die Professoren auf das eine Boot, die Dachdecker auf das andere!«

»Das hat doch nichts mit dem Beruf zu tun«, mischte sich Ursel ein. »Auch Dachdecker können manchmal passable Menschen sein. Wir meinen nur, dass man bei der Aufteilung ein bisschen darauf achten sollte, dass die Leute zusammenpassen.«

Rosi stieß mich in die Seite. »Jack ist Dachdeckermeister, hast du das gewusst?«

Nein, hatte ich nicht, aber ich hatte es mir fast gedacht.

»Er war mal *fast* im Gefängnis, weil er einen anderen Dachdecker bei einem Streit vom Gerüst geschubst hat«, flüsterte Rosi. »Natürlich im Suff! Fred sagt, wenn die weiße Mäuse sehen, dann sind die zu allem fähig!«

Vor meinem inneren Auge sah ich Jack über das Boot wanken, einen gewaltigen Dachdeckerhammer in der Hand. Seine sonst so freundlichen blauen Augen waren rotgeädert und irrten hektisch über das Deck. Er sah weiße Mäuse! Überall nur weiße Mäuse! Delirium! Hilfe! Jetzt war er bei mir angekommen. Zu spät begriff ich, dass ich in seinen Augen nichts war als eine weiße Maus. Der Dachdeckerhammer sauste auf mich nieder…

»Die intellektuelle… äh… Kompatibilität spielt auf einem Segelboot keine Rolle«, lenkte mich Stefan ab. »Ich, ähm, wir versuchen zwei Wochen lang, Landratten das Segeln beizubringen. Für intellektuelle Gespräche wird da wenig Platz sein. Macht euch schon mal darauf gefasst, dass es an Bord nur drei Themen geben wird: das Essen, die Verdauung und das Wetter.«

Gutes Buch mitnehmen, notierte ich mir in Gedanken.

»Ja, aber trotzdem sollte man…«, fing Ursel wieder an, wurde aber von Stefan mit einem Blick zum Schweigen gebracht.

»Wenn ich jetzt mal fortfahren dürfte«, knurrte er. »Auf Boot eins werden schlafen…«

Ursel kniff besorgt die Lippen zusammen. Ich wusste, was in ihr vorging. Rosi hatte sie bestimmt auch über Jacks kleines Geheimnis und die damit verbundenen Gefahren an Bord informiert. Verständlicherweise wollte Ursel daher um keinen Preis auf dasselbe Boot.

»…Ursel, Heinrich, Dirk, Bernie und Bille«, fuhr Stefan fort. »Skipper ist Hannes.«

Ursel entfuhr ein Seufzer der Erleichterung. Jack the Ripper würde also auf unserem Boot sein Unwesen treiben!

»Boot zwei: Rebecca, Judith, Rosi, Fred und Jack, Skipper bin ich«, bestätigte Stefan unsere düsteren Vorahnungen.

»Na also«, sagte Ursel zufrieden.

Das Esszimmerportal öffnete sich, und im Türrahmen erschien, wie ein Relikt aus längst vergangenen Zeiten, die Köchin. Sie trug eine weiße Rüschenschürze und ein kleidsames Häubchen.

»Ah, Bärbel«, fragte Rosi, »ist der Spießbraten fertig?«

»In zwei Minuten«, antwortete das Relikt mit Häubchen. Klar, dass in ein Haus von solchen Dimensionen auch eine waschechte Haushälterin gehörte. Wer zum Beispiel sollte die Bilderrahmen abstauben, die abstrakte Kunstwerke in Fußballfeldgröße einfassten? Wer den offenen Kamin in Ordnung halten, der gut und gern als Kinderzimmer hätte umfunktioniert werden können? Rosi vielleicht?

Über einem Sessel aus schwarzem Leder und Chrom für gut und gern zehn Personen entdeckte ich eine Sammlung gerahmter Fotografien, die alle ein Funkemariechen in rot-weißer Gardeuniform zeigten.

Rosi war meinem Blick gefolgt.

»Das ist Bernadette!«, sagte sie, und jetzt flüsterte sie kein bisschen mehr. Im Gegenteil, sie schrie beinahe.

»Aha.«

»Bernadette ist meine Tochter«, setzte Rosi in Bühnenlautstärke hinzu. »Sie ist bei der Tanzgarde Rot-Weiß in Köln-Pesch!«

»Aha!« Ich hatte den Eindruck, als würde Rosi gar nicht mehr zu mir sprechen, sondern zu Stefan. Er musterte jetzt ebenfalls die Funkemariechen-Bilder.

Rosi sprang auf und riss eines der Bilder, ein Porträt mit Federhut und weißer Lockenperücke, von der Wand. Sie legte es Stefan auf den Teller. »Ist sie nicht wunderschön?«

»Schöner Hut«, zog Stefan sich taktvoll aus der Affäre.

»Bernadette ist achtundzwanzig und wiegt kein Gramm mehr als fünfzig Kilo. Sooo eine schmale Taille!«, meinte Rosi und umfasste mit den Händen ein imaginäres Baguette. »Und an jeder Hand zehn Verehrer! Die rennen ihr die Türen ein. Aber meiner Bernadette – nein, der ist keiner gut genug! Bis jetzt jedenfalls.«

»Ach!«, sagten Stefan und ich gleichzeitig. Zwei Dumme, ein Gedanke! Ganz entzückt über den Gleichklang unserer Seelen lächelte ich ihn an.

»Weil sie den Richtigen einfach noch nicht getroffen hat!«, rief Rosi aus und legte ihre Hand auf Stefans Arm. »Kannst du das verstehen? Bei dem Aussehen?«

»Nein«, murmelte Stefan. Was sollte er auch sonst sagen?

In diesem Augenblick geschahen zwei Dinge.

Eins davon veränderte mein Leben von Grund auf, äh – führte eine entscheidende Wende in meinem Leben herbei, äh – traf mich zutiefst! Ja, das tat es wirklich!

Zum einen brachte Rosis Haushälterin den Spießbraten herein, eine riesige Platte mit einem mehrere Kilo schweren Fleischklumpen. Bubi jaulte begeistert auf.

Aber nicht der Anblick des Bratens löste besagte Betroffenheit in mir aus, sondern Angela, die zeitgleich das Speisezimmer betrat. Sie trug wieder den unvorteilhaften Komposthaufen auf dem Mittelscheitel und einen Rollkragenpullover in ihrer Lieblingsfarbe, angestaubtes Kamel.

Und dann passierte es: Sichtlich entzückt sprang Stefan auf, und zwar so heftig, dass der Teakstuhl auf die geschliffenen Granitfliesen knallte.

»Angela! Endlich!«

Angela erwartete ihn mit einem huldvollen Lächeln auf der Mitte eines ungefähr hundert Quadratmeter großen Perserteppichs und ließ sich zur Begrüßung auf beide Wangen küssen.

»Das gibt's doch nicht!«, entfuhr es Rosi an meiner Stelle.

Ich schluckte trocken

»Das darf es doch nicht geben«, fügte Rosi sehr viel leiser hinzu. Sie sprach mir aus dem Herzen. Das durfte es einfach nicht geben!

Mit dem letzten Rest Energie, den ich aufbringen konnte, sah ich wieder zu den beiden hin. Es war unerträglich. Stefan hatte den Arm um Angelas Schulter gelegt, Angela ihren Kopf an seinen Pullover geschmiegt.

Sie tippte Jack auf die Schulter.

»Du, Jack, würde es dir was ausmachen, auf den leeren Platz dort hinten zu gehen? Stefan und ich möchten so gerne nebeneinandersitzen.«

»Klar«, sagte Jack freundlich und erhob sich. »So ein junges Glück darf man ja nicht voneinander trennen.«

»Eben«, kicherte Angela selig.

Jetzt hielt es Rosi einfach nicht mehr aus. Sie hatte das Funkemariechenporträt ihrer Tochter an ihre Brust gedrückt und starrte Angela und Stefan mit funkelndem Lidschatten an.

»Seit wann seid ihr denn ein Paar?« Rosi stellte genau die Fragen, die ich auch gestellt hätte, wenn ich Herrin meiner Stimmbänder gewesen wäre.

»Ach!«, lachte Angela. »So richtig erst seit letzten Mittwoch. Aber gefunkt hat es schon viel früher.«

»Ach, tatsächlich?« Rosi klang eine Spur aggressiv. »Da habe ich gar nichts von gemerkt.«

Ich auch nicht, Rosi, ich auch nicht. Fassungslos starrte ich in Stefans Gesicht. Er hatte ein einfältiges Lächeln aufgesetzt. Aber er vermied es sorgfältig, mich anzuschauen.

_____ *Billes geheimes Tagebuch* _____

16. APRIL.

Jetzt reicht's! Alles muss man sich ja nicht gefallen lassen! B. hat echt einen an der Waffel! Er ist sauer auf mich, weil ich nicht Playmate des Monats geworden bin! Beim Buchhandel! Als ob es im BUCHHANDEL eine Playmate-Wahl gäbe!!

Allerdings, wenn es eine gäbe, würde ich sie in der Tat gewinnen.

B. sagt, er fühle sich von mir betrogen. Er hätte gleich merken müssen, dass die Playmate-Geschichte eine Finte ist. Mit meinen Hüften hätte ich sowieso keine Chance! Ich weiß nicht, wie er überhaupt auf diese Schnapsidee gekommen ist! Wahrscheinlich steckt Judith dahinter. Muss sie unbedingt anrufen.

17. APRIL.

Jetzt reicht's! Alles muss man sich ja nicht gefallen lassen! B. war gestern mit einer Kollegin namens SASKIA zum Essen bei UNSEREM Chinesen. Er sagt, Saskia sei neu in der Firma und brauche ein bisschen Starthilfe. Außerdem sehe sie aus wie Claudia Schiffer.

Werde es diesmal nicht so weit kommen lassen wie bei Melanie – ihr Exfreund hab' sie selig! Wehret den Anfängen!

Lasse mir eine Dauerwelle machen. Termin: heute Nachmittag halb drei. Die wahre Liebe kann Opfer bringen.

18 APRIL.

Jetzt reicht's. Alles muss man sich ja nicht gefallen lassen!

B. ist ja so gemein!

Habe mir auf seinen AUSDRÜCKLICHEN Wunsch hin eine Dauerwelle machen lassen. Eine supersanfte, supernatürliche, superteure Dauerwelle. Es hat sich gelohnt. Sehe aus wie Julia Roberts in ›Pretty Woman‹, nur besser!

Und was macht B.? Er besitzt die Frechheit zu sagen, ich erinnerte ihn an einen WISCHMOPP! Und dass er außerdem mehr auf GLATTES, seidiges Haar stände. Am besten HELLBLOND. Ob ich nicht mal darüber nachdenken könnte, meine Haare bleichen zu lassen!!!

Bin heulend zusammengebrochen. Das hätte JEDER an meiner Stelle getan.

Und B.? Er verdrehte die Augen und sagte: GEHT DAS JETZT SCHON WIEDER LOS? Und dann ist er GEGANGEN! Vermutlich mit dieser Saskia ins Kino.

Jetzt reicht's aber WIRKLICH!

Ich hasse ihn. Ich möchte auf seiner Leiche Tango tanzen! Vorher soll er eines qualvollen Todes sterben! UND er soll endlich begreifen, dass ich die tollste Frau bin, die er je gehabt hat! Mehr wünsche ich mir gar nicht vom Leben.

Hatte gerade drei Stunden lang Besuch von Judith. Haben uns gestritten, wer von uns beiden schlimmer dran ist: ich wegen B. oder sie wegen Stefan. Stefan ist nämlich seit neuestem mit Angela aus dem Segelkurs zusammen. Musste Judith ausnahmsweise mal recht geben, Angela sieht wirklich VIEL schlechter aus als sie. Bis auf die Nase vielleicht.

Judith ist jedenfalls völlig fertig mit den Nerven. Sie bemerkte nicht mal meine Dauerwelle. Und das will was heißen. Deshalb machte ich ihr auch keine Vorwürfe wegen der Playmate-Geschichte. Sie sagt, Stefan sei ihre ganz, ganz große Liebe, obwohl die arme Verblendete immer noch glaubt, dass der Langweiler ein international gesuchter Verbrecher ist.

Und dann HEULTE sie sogar!

Um sie aufzumuntern, erbot ich mich, ihr dabei zu helfen, B. eines langsamen und qualvollen Todes sterben zu lassen. Sie war sofort getröstet.

Ab heute muss die Welt vor uns erzittern, sagte sie.

9

Mein Leben war nicht mehr das, was es einmal gewesen war. Wie konnte Stefan nur mit Angela anbändeln? Was hatte sie, was ich nicht hatte? *Was?*

Der Rest des grässlichen Abends ging völlig an mir vorbei. Möglich, dass ich etwas von dem Spießbraten probierte, ich weiß es nicht mehr. Bille und Rebecca sagten später, das Essen sei exquisit gewesen, ganz besonders die fünferlei Desserts, die Rosis – oder war es Freds? – Haushälterin auf einem Wagen hereingefahren hatte. Ich kann mich an nichts erinnern. Allein Angelas und Stefans verliebtes Lächeln ist mir im Gedächtnis haften geblieben und die Tatsache, dass offenbar niemand bemerkte, wie verheerend es in mir aussah.

Niemand, außer vielleicht Jack. Als sich die Gesellschaft auflöste und ich, eskortiert von Bubilein, Bille und Rebecca, die Einfahrt hinunter zum Auto ging, legte Jack im allgemeinen Verabschiedungstumult den Arm um meine Schulter.

»Tschüs, Maus«, sagte er und zog mich an seine breite Brust. Für einen Augenblick fühlte ich mich wunderbar geborgen. Am liebsten hätte ich mich in sein weiches Flanellhemd gekrallt und losgeheult. Er roch wunderbar nach Pfeifentabak und Wein.

»Nichts wird so heiß gegessen, wie's gekocht wird«, raunte er in mein Ohr.

Später im Auto war ich mir nicht mehr sicher, ob er es wirklich gesagt hatte.

Ich war nicht die Einzige, die die Neuigkeit mit Entsetzen aufgenommen hatte. Rosi war ja mindestens so konsterniert gewesen wie ich. Ich vermutete, dass sie Stefan für ihre Funkemariechentochter vorgesehen hatte. Sicher wusste sie nichts über seine finsteren Drogengeschäfte und hielt ihn aufgrund seines BMWs und seines seriösen Brillengestells für einen wünschenswerten Schwiegersohn. Und selbst wenn er nicht wohlhabend sein sollte, was machte das schon? Die rot-weiße Bernadette war eine reiche Erbin, wenn sie etwas hatte, dann Geld. Rosi jedenfalls war alles andere als begeistert, dass Stefan und Angela ein Paar waren.

Gleich am nächsten Morgen – ich hatte wider Erwarten ein paar Stunden schlafen können – weckte sie mich per Telefon.

»Jetzt sag aber mal!«, lauteten ihre ersten Worte. »Was hältst du denn davon?«, ihre nächsten.

»Na ja«, sagte ich.

»Also, ich finde, Angela ist die typische Vegetarierin. Sauertöpfisch, humorlos, bieder. Die passt doch gar nicht zu unserem Stefan!«

Ich nickte in den Hörer. Wo sie recht hatte, hatte sie recht.

»Die werden nicht glücklich miteinander, wenn du mich fragst«, fuhr Rosi fort. »Das geht nicht lange gut.«

»Meinst du nicht?«, fragte ich hoffnungsvoll.

»Nein«, rief Rosi. »Das kann gar nicht gutgehen! Da müssen wir dem Stefan auch mal ernsthaft ins Gewissen reden. Dem müssen doch die Augen geöffnet werden!«

»Ja, aber wie?«

»Das lass mal meine Sorge sein«, sagte Rosi. »Wir Frauen müssen schließlich zusammenhalten.«

Genau, wir Frauen gemeinsam gegen Angela. Vor allem sei es unsere heilige Pflicht, sagte Rosi, dass wir verhinderten, dass Angela uns auf dem Boot besuchen käme. Die habe da nichts verloren, sagte sie und hatte es plötzlich sehr eilig, aufzulegen. Rebecca und Bille sagten mir später, dass sie haargenau das gleiche Telefongespräch mit Rosi geführt hatten. Wir Frauen mussten schließlich zusammenhalten.

Als ich aufgelegt hatte, ließ ich meinen Kopf gegen die Wand fallen und heulte los. Angela war ja gar nicht das Problem. Im Notfall würde ich sie höchstpersönlich mit dem Auto überrollen, ein-, zwei-, dreimal, zur Sicherheit. Aber was würde mir das nutzen? Gar nichts. Das eigentliche Problem hatte ich damit noch nicht gelöst. Und das ließ sich mit drei verhängnisvollen Worten umschreiben:

Stefan liebt Angela.

Daran war nun mal nicht zu rütteln. Er hatte sich Angela mit der Ausstrahlung eines altbackenen Vollkornbrötchens ausgesucht, Angela mit ihren Allergien und ihrem Nahrungsmittelspleen, Angela mit ihrem Bildungskomplex und dieser widerwärtigen Art, nach jedem Wort ganz kurz die Lippen aufeinanderzupressen.

Warum?

Warum sie, obwohl *ich* doch gleich daneben gesessen hatte?

»**Hast du endlich** mit Lernen angefangen?«, fragte mich Rebecca, als ich wieder mal meinen trüben Gedanken nachhing. »In zwei Tagen ist Prüfung.«

»Ja, ja«, log ich. In Wirklichkeit hatte ich zwar das Buch aufgeschlagen, war aber über Frage zwölf (»Wann gelten Sie als Überholer?«) noch nicht hinausgekommen. Ich war so verzweifelt, dass ich sogar erwogen hatte, meine Beziehung zu Leonard wiederzubeleben, um meinen Schmerz zu betäuben. Aber gleichzeitig wusste ich, dass nichts und niemand mich von meinem Kummer ablenken konnte.

Ob Angela Stefans düsteres Geheimnis kannte? Ich bezweifelte es. Angela wäre sofort zur Polizei gerannt und hätte sich das Bundesverdienstkreuz abgeholt. Viel wahrscheinlicher war, dass sie ihn für das hielt, was er nach außen hin darstellte: ein ziemlich biederer Segellehrer mit ein paar sympathischen, verbindenden Allergien.

Der passte nämlich zu ihr.

»Sie sehen Leuchtkugeln mit weißen Sternen. Was bedeutet dieses Signal?«, unterbrach Rebecca meine Überlegungen.

»Frohe Weihnachten für alle Schiffe in Sichtweite«, riet ich zerstreut.

Also, Angela hatte sich in den langweiligen, harmlosen Segellehrer verliebt, so viel war klar. Aber in wen oder was hatte Stefan sich verliebt? Verliebten sich verwegene Abenteurer in vegetarische Krampfhennen mit eigenem Komposthaufen auf dem Kopf? Wohl kaum.

In mir keimte der Gedanke, dass Stefan mit Angela als Freundin seiner Tarnung nur den letzten Schliff gegeben hatte. Kein Mensch würde hinter einem Typ mit solch einer Freundin einen Drogenschmuggler vermuten.

»Ausreichend Abstand halten wegen militärischer Übungen von Fahrzeugen der Bundeswehr und des Bundesgrenzschutzes«, leierte Rebecca zwischen meine Überlegungen.

Ich ließ mich von meiner Spur nicht ablenken. Ja, das war eine Möglichkeit! Stefan liebte Angela nicht, sondern benutzte sie zu seiner Tarnung. Skrupellos und listig. So würde er alle auf besonders raffinierte Weise an der Nase herumführen.

»Hast du das nicht gewusst?«, fragte Rebecca.

»Nein«, sagte ich.

»Du wirst in Bausch und Bogen durch die Prüfung rasseln«, prophezeite Rebecca. »In zwei Tagen schaffst du es niemals, dir alles zu merken. Du wirst dich höllisch blamieren.«

Mir egal. Ich hatte wichtigere Sachen im Kopf. Meine soeben aufgestellte Theorie ließ mich immerhin einen zarten Hoffnungsschimmer am Horizont erkennen. Ich musste sie mit jemandem erörtern, und weil ich Rebecca auf keinen Fall ins Vertrauen ziehen wollte, blieb mir wieder nur Bille.

Aber Bille war wie üblich zu sehr mit ihren eigenen Problemen beschäftigt, um mir einfühlsam zuzuhören, geschweige denn eigene Überlegungen zu Stefan und Angela anzustellen. Ihr Problem hieß diesmal Saskia.

»Burghart war mit ihr bei unserem Chinesen!«, klagte sie.

»Stefan liebt Angela nicht, er benutzt sie nur zur Tarnung«, hielt ich dagegen.

»Ich habe ihre Adresse rausgekriegt. Meinst du, ich kann die Nummer mit dem alten Fisch noch mal abziehen, oder schöpft Burghart dann Verdacht?«

»Findest du an Angela *irgendetwas* toll?«

So redeten wir eine ganze Weile aneinander vorbei. Bis Bille mich schließlich am Ärmel packte und ausrief: »Sag mal, fällt dir hier eigentlich gar nichts auf?«

Ich sah mich um. Die dreibeinige Katze saß an ihrem Stammplatz und grinste sich einen, von vierzehn Bildern an der Wand glotzte Burghart auf uns nieder, und die Fenster waren sauber wie eh und je.

»Nein, nicht dass ich wüsste.«

»An *mir*!«, rief Bille.

Ich musterte sie gründlich.

»Du hast rote Flecken im Gesicht«, sagte ich. »Ist es das?«

»Guck doch mal genau hin! Es hat mich hundertachtzig Mark gekostet!«

»Etwa dieser Pullover? Da hast du aber zu viel bezahlt! Den habe ich im letzten Sommer schon für die Hälfte gesehen.«

»Bist du blind?«, brüllte Bille und raufte sich die Haare.

Da sah ich es endlich! Es war furchtbar. Billes Haare sahen aus, als habe sie ihre Finger in eine Steckdose gesteckt.

»Gefällt es dir?«, fragte sie flehend.

»Es ist gewöhnungsbedürftig«, sagte ich. »Und solange kannst du ja Hüte tragen.«

Bille fing an zu heulen. »Das ist alles Burghart schuld«, schluchzte sie. »Und jetzt steht er auf einmal auf Blond und Glatt! Ist das nicht gemein?«

»Doch«, musste ich zugeben. Das Schicksal meinte es einfach nicht gut mit uns beiden.

»Ich würd's ihm so gerne heimzahlen«, schluchzte Bille.

Ich wurde hellhörig. Bis jetzt hatte sie ihn doch immer nur wiederhaben wollen. »Ich denke, du liebst Burghart!«

»Ich *hasse* ihn«, rief Bille aus. Etwas leiser und sehr ernst setzte sie hinzu: »Ehrlich.«

»Dann auf ihn mit Gebrüll!«, sagte ich. Der imaginäre Ring um meine Brust hatte sich ein wenig gelockert. Alles musste man sich ja schließlich nicht gefallen lassen. »Ab heute muss die Welt vor uns erzittern!«

Damit ich nicht durch die Prüfung rasselte, erboten sich Rebecca und Bille, am Tag vor der Prüfung mit mir zu lernen. Beide waren mittlerweile zu der Überzeugung gelangt, dass es niemanden geben konnte, der unwissender war als ich.

»Sie kennt ja nicht mal die Verkehrszeichen«, sagte Bille zu Rebecca, als sei dies das höchste Alarmzeichen.

»Was gehört alles zur Sicherheitsausrüstung?«, fragte mich Rebecca.

»Erstens: Ohnmachtssichere Rettungswesten für alle«, sagte ich.

»Mit?«

»Mit Reißverschluss?«

»Mit Signalpfeife, du Dummkopf! Weiter!«

»Zweitens: Feuerlöscher«, sagte ich.

»Der Feuerlöscher ist erst siebtens«, mischte sich Bille ein. »Zweitens sind die Sicherheitsgurte in ausreichender Anzahl.«

Diese Korinthenkacker! Die Reihenfolge war ja wohl von nebensächlicher Bedeutung. »Ich glaube, ich lerne lieber für mich alleine«, sagte ich und erhob mich.

»Na dann, viel Spaß«, meinte Rebecca. »Du hast noch – genau zwanzig Stunden, dann wird's ernst.«

Sie und Bille blieben allein zurück, um sich gegenseitig abzufragen, die alten Streber. Denen würde ich's schon zeigen. Zwanzig Stunden waren eine Menge Zeit. Zwar musste ich mindestens sechs davon schlafen, sagen wir mal eine mit der Nahrungsaufnahme verbringen und eine mit so läppschen Dingen wie An- und Ausziehen, Zähneputzen und Eincremen. Blieben aber immer noch zwölf Stunden für dreihundertzweiundvierzig Fragen, das waren pro Stunde knapp dreißig Fragen.

Das war zu schaffen.

Das heißt, es *wäre* zu schaffen gewesen.

Aber kaum hatte ich mich in die Kollisionsverhütungsregeln vertieft, als Mo klingelte und zwei Flaschen Champagner schwenkte.

»Gute Nachrichten«, schrie er. »Von den achtzig Marionetten, die in der Galerie ausgestellt waren, sind bereits vierunddreißig verkauft. Für die restlichen gibt es jede Menge Interessenten.«

»Los, lass die Korken knallen«, rief ich übermütig. So wie es aussah, würde ich mir also nicht nur vernünftige Segelklamotten kaufen, sondern in diesem Sommer sogar Urlaub machen können, statt zu arbeiten.

Was wäre das Leben doch schön, wenn mir die Sache mit Stefan und Angela nicht alles vermiest hätte!

Mo und ich prosteten einander zu, Champagner konnten wir beide trinken wie andere Leute Wasser. Er schlug mir nur leicht aufs Gemüt. Nach dem ersten Glas fing ich an zu schniefen, nach dem zweiten heulte ich. Dann war die Flasche leider leer.

»Wozu hast du denn die zweite mitgebracht?«, erkundigte ich mich.

»Nur so«, sagte Mo und knibbelte bereits die Goldfolie ab. Und wieder knallte der Korken.

Im volltrunkenen Zustand brachte ich es fertig, Mo alles von Stefan, seinem gefährlichen Nebenjob und der unsäglichen Angela zu erzählen. Mo seinerseits erzählte mir alles über die unsägliche Peggy, die unsägliche Julia und die unsägliche Sabrina. Wir trösteten uns gegenseitig, so gut wir konnten. Dabei gingen wir irgendwann zu Rotwein über.

Um halb eins wankte Mo hinunter in seine Wohnung.

»Viel Glück für deine Prüfung«, lallte er.

»Danke«, lallte ich zurück. Ja, Glück konnte ich wirklich brauchen, das leuchtete mir selbst am Rande des Deliriums ein.

Als ich am späten Morgen erwachte, hatte ich genau noch vier Stunden bis zur Prüfung, stechende Schmerzen hinter den Augen und bleischwere Glieder. Vier Stunden für dreihundertachtundvierzig Fragen, das waren neunundachtzig im Durchschnitt pro Stunde – selbst für ein Superhirn wie meines war das unmöglich zu schaffen. Jetzt hatte ich drei Möglichkeiten. Ich konnte kapitulieren, die Prüfung abblasen und mich damit als Versagerin outen. Ich konnte in den Copyshop rennen, alle Fragen auf eine Briefmarke kopieren und in der Prüfung schummeln. Oder ich konnte versuchen, das Beste aus der Situation zu machen, zu lernen, was noch zu lernen war, und darauf zu bauen, dass mir das Glück hold sein würde.

Nach gründlicher Überlegung entschloss ich mich für die dritte Möglichkeit. Eine Versagerin wollte ich auf keinen Fall sein, für die Idee mit der Briefmarke waren meine Augen nicht scharf genug. Ich verplemperte eine weitere Stunde damit, mich durch Wechselduschen, ein kräftiges Frühstück und fröhliche Make-up-Farben wiederzubeleben. Die restlichen zweieinhalb Stunden, bevor Rebecca kam, um mich abzuholen, verbrachte ich vor dem Buch.

Mit Staunen merkte ich, dass ein Großteil der Fragen schon allein durch gesunden Menschenverstand zu beantworten war. Mit ein wenig Überlegung kam wohl jeder darauf, dass der Zeitraum von Sonnenaufgang bis Sonnenuntergang als ›Tag‹ zu bezeichnen war und der Zeitraum zwischen Sonnenuntergang und Sonnenaufgang als – na? na? richtig! – Nacht.

Neben diesen Fragen gab es eine Reihe von ungemein kniffligen Fragen, die alle mit ›Das Fahrzeug muss ausweichen‹ beantwortet werden mussten. Ich las mir daher die Fragen gar nicht mehr durch, sondern merkte mir nur diesen einen Satz. Im Zweifelsfall passte er immer.

Richtig schwer erschienen mir auch die Kennzeichnungen der Schleppverbände und die Schallsignale, aber hier konnte man immer noch raten oder sich an den Nachbar wenden. Ich würde mich neben Fred oder Heinrich setzen, um auf Nummer sicher zu gehen.

Voller Zuversicht stieg ich zu Rebecca in den Wagen.

»Na?«, fragte sie. »Meinst du, du packst es?«

»Klar«, sagte ich.

»Ach, und wie hat sich ein Segelfahrzeug auf hoher See oder außerhalb des Fahrwassers gegenüber einem manövrierbehinderten Fahrzeug zu verhalten, wenn die Möglichkeit der Gefahr eines Zusammenstoßes besteht?«

Ich tat, als würde ich nachdenken. Dann sagte ich den einzigen Satz, den ich auswendig gelernt hatte: »Es muss ausweichen.«

Rebecca schwieg beeindruckt.

Stefan war nicht in der Segelschule am Rhein, wo uns unbekannte, staatlich bestellte Prüfer zunächst die theoretische, anschließend die praktische Prüfung abnehmen würden. Auch Angela war nicht da. Ursel wusste zu berichten, dass sie für eine wichtige Klausur lernen müsste und Stefan als seelischen Beistand benötigte.

Alle Kursteilnehmer, sogar Mützenulf, waren sich einig, dass wir an einem solchen Tag mehr seelischen Beistand nötig gehabt hätten als Angela für ihren Ökothrophologie-Mist.

»Er ist sicher beleidigt, weil ich ihm zu verstehen gegeben habe, dass Angelas Besuch beim Ausbildungstörn nicht erwünscht ist«, meinte Rosi.

»*Das* hast du gesagt?«, fragte Rebecca.

»Sicher. Ich habe auch klargemacht, dass er schließlich unser Segellehrer ist und dafür bezahlt wird, uns das Segeln beizubringen, sofern wir es noch nicht können. Wenn er Urlaub mit seiner Freundin machen will, dann muss er das in seiner Freizeit tun.«

»*Das* hast du gesagt?«, wiederholte Rebecca.

»So ungefähr«, erwiderte Rosi. »Natürlich taktvoller. Durch die Blume sozusagen. Aber wenn ihr mich fragt, hält das sowieso nicht mehr lange mit den beiden. Die passen einfach nicht zusammen, das sieht doch ein Blinder.«

»Ich finde, die passen sogar ganz hervorragend zusammen«, entgegnete Rebecca naiv. Die Gute wusste ja auch nichts über Stefans kriminelle Doppelidentität.

Ich war als Einzige froh, dass mir seine Anwesenheit erspart blieb. Schließlich musste ich meine sieben Sinne zusammenhalten, um die Prüfung zu bestehen.

Um es kurz zu machen: Ich bestand mit null Fehlern, wie übrigens Fred auch. Bille und Rebecca hatten jeweils zwei, Ursel sogar vier. Und dafür hatten sie nun wochenlang gelernt und gelernt!

Wie viel lässiger war es doch, sich am Vorabend zu besaufen und sich dann während der Prüfung neben Fred zu setzen, der einfach alles wusste und rein zufällig den gleichen Fragebogen bekam wie ich.

Immer wenn er sich zu Rosi hinüberneigte und »Falsch, falsch, falsch« sagte, kamen die Aufsichtspersonen herbeigeeilt und wiesen Fred darauf hin, dass Reden während der Prüfung verboten sei. Und während Fred sich mit ihnen darüber stritt, ob er seiner eigenen Frau denn nicht wenigstens ein paar Tipps geben dürfe, linste ich in seinen Fragebogen und verglich seine Antworten mit meinen. Wo sie nicht übereinstimmten, änderte ich meine entsprechend um.

»Nicht schlecht«, sagte Bille, als wir hinüber zu unserem Prüfungsboot gingen. »Ich hätte nicht gedacht, dass du das noch packst!«

Ich zog nur wortlos eine meiner Augenbrauen hoch.

Der Mann, der uns die praktische Prüfung abnehmen sollte, war ein alter Bekannter. Jener bärtige Skipper, der uns das Bootfahren beigebracht hatte und Augenzeuge gewesen war, als ich damals in den Rhein gesprungen war. Wohl in Erinnerung an diesen denkwürdigen Tag nahm er mich als Erste an die Reihe und ließ mich ein Boje-über-Bord-Manöver fahren.

Es ging so weit alles gut, bis ich plötzlich unvermutet Stefan an der Pier entdeckte. Neben ihm stand Angela. Ihr Lächeln war selbst auf diese Entfernung zu erkennen. Zähneknirschend ballte ich meine Hände um das Steuerrad.

»Aufs Wasser schauen«, riet der Prüfer. Er stand mit dem Rücken zum Bug vor mir und hatte mein Tun bis jetzt mit wohlwollendem Lächeln beobachtet.

Rasch blickte ich zurück aufs Wasser. Aber es war zu spät. Der Reifen war verschwunden.

»Klarmachen zum Aufnehmen der Boje an Steuerbord«, rief ich trotzdem und schaltete in den Leerlauf.

Jack stellte sich mit dem Hakenstock, mit dem man die Boje wieder aus dem Wasser zog, an der Reling auf. Jetzt sah ich auch den Rettungsreifen wieder. Er trieb außerhalb von Jacks Reichweite an uns vorbei.

Verloren. Die Prüfung hatte ich vermasselt!

Aber Jack beugte sich über die Reling und tat so, als ob er nach dem Reifen angelte.

»Mist«, rief er dann aus. »Ich hab' dem Ding aus Versehen einen Schubs gegeben.«

»Aber so war's ja gar nicht«, sagte Fred, die alte Petze, aber Jack versetzte ihm einen Rippenstoß, dass ihm die Luft wegblieb.

»Nun ja«, meinte der Prüfer, der nicht gesehen hatte, was sich hinter seinem Rücken abgespielt hatte. Er sah mich freundlich an. »Da können Sie ja nichts dafür, nicht wahr? Ich würde sagen, bestanden – und der Nächste, bitte.«

Völlig überrascht gab ich das Steuer an Ursel weiter, die sich neben mir vor Aufregung beinahe in die Hosen pinkelte.

»Den Seinen gibt's der Herr im Schlaf«, sagte Bille neidisch. »Du hast es hinter dir.«

»Ja«, murmelte ich überwältigt.

Jack zwinkerte mir vergnügt zu.

Er und alle anderen bestanden die Prüfung ebenfalls, und ich muss sagen, ich war nicht die Einzige, bei der der Prüfer ein Auge zudrückte. Bei Rosi drückte er sogar beide Augen zu. Sie überfuhr die Boje mit Vollgas und streifte anschließend beim Anlegen ein anderes Boot.

»Falsch, falsch, falsch!«, rief Fred aus. »Ganz falsch!«

»Bestanden«, sagte der Prüfer trotzdem. Er war ein netter Kerl.

»Es haben alle bestanden«, sagte er zu Stefan, der immer noch mit der lächelnden Angela am Arm an der Pier stand.

»Gratuliere«, sagte Angela und schüttelte uns der Reihe nach die Hände. Rosi tat, als brauchte sie beide Hände, um ihren Cowboyhut neu zu richten. Ganz klar, sie wollte Angela nicht mal mehr die Hand geben.

»Tja, danke«, sagte Bille, als Angela sie gönnerhaft anlächelte. »Aber du Ärmste hast den Kurs jetzt ganz umsonst gemacht!«

»Na ja«, erwiderte Angela und strahlte zu Stefan hinauf. »*Ganz* umsonst war es ja nicht!«

»Außerdem sitzt sie jetzt quasi an der Quelle«, fügte Stefan hinzu und strahlte zu Angela hinab. »Ich kann ihr jederzeit Privatunterricht geben.«

Das war mehr, als ich ertragen konnte. Ich war kurz davor, etwas Unbeherrschtes zu tun: in Angelas ausgestreckte Hand zu beißen oder auf Stefans Camelboots zu spucken.

Aber bevor ich mich derart bloßstellte, geschah ein Wunder: Ulf nahm seine Mütze ab.

»Ich sag' dann mal tschö«, sagte er. »Für mich war's das!«

Fasziniert starrte ich auf sein barmütziges Haupt. Eine plattgedrückte Locke an der anderen, das dichteste Haar, was Mann sich wünschen konnte – triumphierend sah ich Bille an. Ich hatte es doch gewusst: Ulf trug Mütze aus Prinzip!

Am nächsten Abend läuteten wir Burgharts Ende ein.

Wir nahmen Billes leergegessene Dose Herbalife, Schokoladengeschmack, und füllten eine Mischung aus Mondamin-Soßenbinder und Kakao hinein.

»Sieht aus wie das echte«, sagte Bille ehrfürchtig.

»Nur nimmt man davon nicht ab«, ergänzte ich.

Wir packten die Dose in ein glänzendes Beautycase und fuhren zu Saskia, der Kollegin, mit der Burghart sich neuerdings traf. Bille wartete unten im Auto, während ich in meinem schwarzen Kostümchen für alle Fälle und schwarzen Pumps der Marke Fußtod die Treppe zu Saskias Wohnung erklomm. Auf das Revers der Kostümjacke hatten wir Billes Aufkleber »I love Herbalife« geklebt.

Saskia hatte keinen Türspion, sonst hätte sie womöglich trotz des freundlich-verbindlichen Lächelns, das ich aufgesetzt hatte, nicht geöffnet. Sie war eine überaus zierliche Person mit langen blonden Haaren. Mich hätte unangekündigter Besuch zu dieser Uhrzeit in meiner gestreiften Jogginghose und einem Sweatshirt in XXL angetroffen, dicke Socken an den Füßen und mit möglicherweise ungewaschen herunterhängenden Haaren. Nicht so Saskia. Sie sah aus wie aus dem Ei gepellt. Die Haare glänzten frisch gebürstet und waren mit einer schwarzen Samtschleife im Nacken zusammengehalten. Sie trug eine knitterfreie, blütenweiße Bluse, die in einer dunkelblauen Bundfaltenhose steckte und von einem breiten Ledergürtel in der Taille zusammengezogen war. Auf ihren dunkelblauen Collegeschuhen klebte kein Stäubchen, selbst die randlose, zarte Brille sah aus wie frisch geputzt.

»Guten Abend, Frau Hoffmann«, sagte ich. »Mein Name ist Raabe, und ich bin autorisierte Herbalife-Beraterin.«

»Ja und?«, fragte Saskia. Für so eine zarte, blonde Erscheinung hatte sie eine erstaunlich tiefe Stimme. »Ich habe keinesfalls vor, eine Diät zu machen!«

Das hatte sie wahrlich auch nicht nötig. Im Gegenteil, vier bis fünf Kilo mehr hätten ihr gut gestanden. Ich erlaubte mir ein Lachen, dass eher wie ein Hüsteln klang.

»Liebe Frau Hoffmann, ich käme nicht im Traum auf den Gedanken, Ihnen eine Diät mit unseren hervorragenden Produkten nahezulegen. Jeder muss wissen, ob er mit den Unzulänglichkeiten seiner Figur leben kann oder nicht, das gehört zu unserer Philosophie. Niemand kann abnehmen, der es nicht von innen heraus wünscht!«

Saskia schnappte hörbar nach Luft. Aber sie hatte sich gut unter Kontrolle. »Hören Sie, ich erwarte Besuch, also wenn…«

Ich lachte wieder und stellte Billes glänzendes Köffer-

198

chen neben mich. »Ich will es auch ganz kurz machen, ich komme auf Empfehlung Ihres Freundes Burghart Schmidt.«

An dieser Stelle machte ich eine bedeutungsvolle Pause.

»Buuurghaaaart?«, fragte Saskia gedehnt.

»Genau der. Er meint, ich solle Ihnen auf ganz ungezwungene, unverkrampfte Weise Ihre Problemzonen näherbringen und Sie darauf aufmerksam machen, wie man ihnen im wahrsten Sinne des Wortes wirkungsvoll zu Leibe rückt. Herbalife bietet Ihnen eine gesunde Alternative, ein Vollnahrungsmittel, das sogar die Astronauten im Weltraum zu sich nehmen ...«

»Problemzonen?«, unterbrach mich Saskia. »Hat er wirklich ›Problemzonen‹ gesagt?«

»Sehen Sie, natürlich kommt es hierbei auf die subjektive Betrachtungsweise an. Möglicherweise sind die von Herrn Schmidt so störend empfundenen Zonen in Ihren Augen unproblematisch. In diesem Fall wäre ich die Letzte, die Sie zu einer Diät überreden wollte. Sie sind nicht die einzige Person, die sich mit Pölsterchen an den falschen Stellen wohlfühlt! Und nur darauf kommt es an, sag' ich immer.«

Saskia war sprachlos. Jetzt holte ich zum letzten großen Vernichtungsschlag aus.

»Aber es wäre eben einer Überlegung wert, ob man nicht dem Partner zuliebe einmal etwas kritischer in den Spiegel schauen möchte ...«

»Ich trage Kleidergröße vierunddreißig!«, brach es aus Saskia heraus.

»Für diesen Gürtel musste ich mir extra zwei neue Löcher stanzen lassen.« Sie zeigte auf ihre Wespentaille.

»Nun ja!« Wieder ließ ich das überlegene Lachen hören und musterte Saskia noch einmal eingehend von Kopf bis Fuß. »Sie sind also – wenn ich das jetzt mal so frei heraus sagen darf – auch ziemlich klein! Da fällt doch gleich jedes Gramm auf unvorteilhafte Weise ins Auge, wenn auch in Ihrem Fall nicht unbedingt an der Taille. Und ich muss Herrn Schmidt zustimmen, wenn er sagt, dass man den Anfängen wehren muss.«

Saskias Pupillen verengten sich reflexartig. Jetzt war sie gleich so weit. Blitzschnell riss ich unsere gepanschte Soßenbinder- und Kakaopulvermischung aus dem Kosmetikköfferchen und hielt sie ihr unter die Nase.

»Vielleicht verbleiben wir erst mal so: Ich lasse Ihnen die Packung Herbalife Schokolade hier. Herr Schmidt war so zuvorkommend, sie bereits zu bezahlen. Reizend, oder? So können Sie einfach ausprobieren, ob Ihnen unser Produkt zusagt. Ich denke, mit gezielter Gymnastik zusätzlich haben wir den überflüssigen Speckröllchen nach ein oder zwei Monaten bereits den Garaus gemacht, und Sie werden Herrn Schmidts Ansprüchen voll und ganz genügen. Nun, was meinen Sie?«

Erwartungsvoll lächelte ich sie an. Feiner Nebel hatte sich auf ihre Brillengläser gelegt. In den Mundwinkeln war ein Spuckebläschen erschienen. Ganz klar, Saskia schäumte vor Zorn.

»Also, das ist ja wohl das Letzte!«, brüllte sie. »Stecken Sie sich Ihr Herbalife in den Hintern, und richten Sie Burghart aus, er kann mich mal! Ich hetze ihm ja auch keinen Toupetberater auf den Hals, nur weil er Geheimratsecken hat! Er ist der größte Arsch mit Ohren, der mir je untergekommen ist! Und außerdem ist er ein kompletter Versager im Bett, sagen Sie ihm das!«

200

Und damit knallte sie die Tür zu.

Mein Job war erledigt. Ich bückte mich nach dem glänzenden Köfferchen zu meinen Füßen. Da wurde die Tür erneut aufgerissen.

»Sagen Sie ihm lieber nichts!«, brüllte Saskia und riss mir die Herbalifedose aus der Hand. »Das will ich ihm selber sagen! Und aus seinen Eiern mache ich Likör!«

Zong! fiel die Tür wieder ins Schloss. Rasch trippelte ich die Treppe hinab.

»Na?«, fragte Bille. Vor Anspannung war sie ganz weiß im Gesicht.

»Burghart ist so gut wie tot«, sagte ich. »Saskia wird ihn kastrieren!«

_____ *Billes geheimes Tagebuch* _____

25. APRIL.

HEUREKA! Sieg auf der ganzen Linie!

B. hatte gestern keinen guten Tag. Judith und ich statteten seiner Saskia einen Besuch ab – und zwar unmittelbar bevor B. dort aufkreuzte. Sahen ihn noch, wie er sein Auto abstellte und mit einer TOPFROSE im Hauseingang verschwand.

Wollten bei mir zu Hause zur Feier des Tages eine Flasche Sekt öffnen. Aber kaum hatten wir die Tür hinter uns zugemacht, da kam B. auch schon wieder. Sein Besuch bei Saskia war nur von kurzer Dauer gewesen.

Bevor er sich an meinem Türspion vorbeischleichen konnte, riss ich die Tür auf.

Schön, dass du vorbeikommst, rief ich scheinheilig, wir sind gerade dabei, eine Flasche Sekt zu öffnen. Willst du mittrinken?

B. nuschelte etwas von keine Zeit und erst mal duschen, war ein schwerer Tag und so weiter. Er sah zum Schießen aus: Sein dunkelblaues Jackett war weiß-bräunlich gefleckt. Weiß-braunes Pulver klebte auch auf seinen Haaren und an den Wimpern. Saskia musste ihm die Herbalifedose über dem Kopf ausgeleert haben. Der Regen hatte den Rest vollbracht und das Zeug zu einer perfekten Soße gebunden (garantiert ohne Klümpchen, haha), die sehr, sehr schwer rausgehen wird. Konnte nicht anders, musste einfach laut loslachen. Judith lachte auch, und zwar so heftig, dass sie aufs Klo rennen musste, um nicht in die Hose zu pinkeln.

B. verschwand ohne ein weiteres Wort.

Haben dann in Ruhe Sekt getrunken. Judith ist doch eine prima Freundin, wenn's drauf ankommt. Eigentlich die beste.

10

In den verbleibenden Tagen vor dem Segeltörn musste ich eine weitere schockierende Entdeckung machen. Nach unserer letzten Segelstunde und der anschließenden Sitzung im Froschkönig warteten Bille und ich über eine Viertelstunde im Auto auf Rebecca. Obwohl wir zusammen aufgebrochen waren, kam und kam sie einfach nicht.

»Vielleicht ist sie mit dem Bus gefahren«, mutmaßte Bille.

»Quatsch!«, erwiderte ich und stieg noch einmal aus, um meine Schwester zu suchen. Auf den fünfzig Metern von der Kneipentür bis zum Parkplatz würde sie wohl kaum verlorengegangen sein.

Und richtig, ich fand sie unter der nächsten Laterne, und zwar heftig mit Dirk knutschend. Sie hatten es nicht mal für nötig befunden, das Techtelmechtel ein paar Meter weiter in den Schatten zu verlegen, wo niemand sie sehen konnte. Empört blieb ich vor ihnen stehen.

Niemand nahm von mir Notiz.

»Ähäm, ähäm!«, sagte ich, so vorwurfsvoll ich konnte.

Widerstrebend lösten sie sich voneinander.

»Ich komme schon«, sagte Rebecca.

»Das will ich aber nicht hoffen«, sagte ich mit einem letzten Anflug von Humor und packte sie am Ärmel. »Nicht auf offener Straße, und nicht mit Dirk!«

Über ihre Schamlosigkeit ehrlich empört, zerrte ich sie zum Auto. Auf der ganzen Heimfahrt sprach ich kein Wort mit ihr. Erst an der Haustür brach es aus mir heraus: »Das sage ich Kaspar! Du betrügst ihn!«

»Noch nicht«, entgegnete Rebecca kühl. Ich starrte sie fassungslos an, aber sie hatte offensichtlich keine Lust auf Erklärungen. Mit einem leichten Lächeln auf den Lippen verschwand sie in ihrer Wohnung. Ich würde in den zwei Wochen unseres Ausbildungstörns höllisch auf sie aufpassen.

Dabei hatte ich schon genug damit zu tun, Stefan zu beschatten und seine kriminellen Machenschaften zu boykottieren. Nach längerem Suchen auf unserem Dachboden hatte ich Mos Spielzeugrevolver tatsächlich in einer Karnevalskiste gefunden, die täuschend echt aussehende Smith-&-Wesson-Wasserpistole, noch immer voll funktionsfähig. Ich übte lange vor dem Spiegel, das Ding in telegener Kommissarinnenmanier aus der Anoraktasche zu ziehen und so in der Hand zu halten, als sei ich im Umgang mit Pistolen bestens geübt.

»Noch eine Bewegung, und dir klemmt eine Kugel zwischen den Rippen«, zischte ich mein Spiegelbild an. »Auf diese Entfernung kann ich einer Fliege die Hühneraugen wegballern.«

Ja, das wirkte furchteinflößend echt. Zur Not konnte ich damit auch Dirk und Rebecca in Schach halten.

»Und dass das klar ist: Jeder nur ein Gepäckstück«, sagte Stefan. »Und zwar eines, das man zusammenfalten und in einer Backskiste unterbringen kann.«

»Zusammenfalten?«, wiederholte Rosi entgeistert. »Wie soll denn das gehen?«

Stefan sah sie stirnrunzelnd an. »Auf die klassische Weise eben.«

»Du weißt nicht, wovon du sprichst«, sagte Rosi. »Einen Samsonite kann man nicht zusammenfalten.«

»Koffer sind nicht geeignet«, sagte Stefan.

»Kein Koffer?« Rosi fasste es einfach nicht. »Aber dann verknautscht doch alles.«

»Rucksäcke, Reisetaschen aus Nylon, Seesäcke«, listete Stefan auf. »Vergesst nicht, wir müssen uns zu jeweils sechs Leuten auf einem elf Meter langen Boot arrangieren. Da ist kein Platz für Hartschalenkoffer!«

»Dann muss ich auf jeden Fall mein Akku-Bügeleisen einpacken«, flüsterte Rosi. »Wie gut, dass wir nur für eine Woche kommen.«

Fred hatte uns zu Beginn dieses Törntreffens mitgeteilt, dass ihn geschäftliche Verpflichtungen zu Hause festhielten. Er und Rosi würden erst in der zweiten Woche dazustoßen. Da sie ja bereits Segelpraxis hätten, würden ein paar Tage wohl genügen, sie hinreichend auf die Prüfung vorzubereiten. Stefan hatte diese Neuigkeit ohne Wimpernzucken hingenommen.

»Ihr werdet dann zusammen mit Bille auf Fehmarn zu uns stoßen«, erklärte er. »Vielleicht könnt ihr auch zusammen dorthin fahren. Mal sehen: Fred, Rosi und Bille in einem Auto, bei mir können noch drei Mann mitfahren, und zwar Hannes, Heinrich und Ursel. Dann fahren Dirk und Bernie zusammen, und Rebecca und Judith können Jack mitnehmen.«

»Oje, das kann ja heiter werden«, flüsterte Rosi in Rebeccas Ohr. »Also, dass ausgerechnet ihr beiden schwachen Frauen diesen Alkoholiker im Auto mitnehmen müsst!«

»So schlimm wird's schon nicht werden«, sagte Rebecca. Sie hielt sich für ziemlich stark. Aber Rosi klimperte besorgt mit ihren türkisfarbenen Augenlidern.

»Die wichtigste Regel ist, ihn nicht am Trinken zu hindern. Denn sonst: Delirium. Und was dann passiert, wisst ihr ja.« Man konnte meinen, Rosi sei sehr erfahren im Umgang mit renitenten Alkoholikern. »Für alle Fälle kopiere ich euch eine Seite aus meinem Erste-Hilfe-Buch.«

»Ähm.« Rebecca sah mich verunsichert an.

»Bis jetzt habe ich Jack aber noch nie betrunken gesehen«, mischte ich mich flüsternd ein. »Er kann zwar ordentlich was vertragen, aber ...«

»Eben«, flüsterte Rosi, »Das sind die Schlimmsten.«

Rebecca und ich tauschten einen ängstlichen Blick. Wir hatten beide nicht die geringste Lust, sechs, sieben Stunden mit Jack im Auto eingesperrt zu sein, so leid er uns auch tat. Rosis nächster Satz gab uns den Rest.

»Es ist gar nicht so unwahrscheinlich, dass er euch die ganzen Sitze vollkotzt.«

»Probleme?«, unterbrach Stefan unser Geflüster unfreundlich. Er war soeben dabei gewesen, diverse Bordregeln zu erläutern.

»Ja ... nein«, stotterte Rebecca. »Das heißt, doch schon!« Stefan sah sie abwartend an.

»Also, wegen der Autos und wer bei wem mitfährt«, sagte Rebecca beherzt.

Ich sah, wie aufmerksam Jack Rebecca anblickte, und lief stellvertretend für sie rot an.

»Das ist alles nicht so ... ähm ... glücklich«, fuhr Rebecca fort.

Stefan runzelte die Stirn. »Inwiefern?«

»Ja, also«, versuchte es Rebecca von neuem und sah sich hilfesuchend um. Aber Rosi malte unentwegt mit dem Finger Kringel auf die Tischplatte, und ich war zu sehr damit beschäftigt, mich zu Tode zu schämen.

»Versteh' ich nicht. Wo ist das Problem?«, fragte Stefan. Rebecca war jetzt ebenfalls rot geworden und suchte verzweifelt nach den richtigen Worten. Da würde sie lange suchen müssen. Ein unbehagliches Schweigen entstand.

Da kam Rebecca ein rettender Einfall. »Na ja, wegen Judiths Asthma. Sie verträgt absolut keinen Rauch. Absolut nicht. Und wo Jack doch Raucher ist, da dachte ich, es wäre vielleicht besser, wenn er woanders mitführe.«

Ich hustete zustimmend.

»Kein Problem«, sagte Jack. »Wir brauchen sowieso noch einen Wagen mehr, wenn Bille, Rosi und Fred erst auf Fehmarn dazustoßen. Wie sollen sie von Rostock wieder nach Hause kommen, wenn ihr Auto auf Fehmarn steht und unsere Autos voll besetzt sind?«

Rebecca und ich atmeten erleichtert auf.

Stefan wandte sich wieder seinem Notizzettel zu. »Noch mal zum Ablauf: Samstagnachmittag treffen wir uns alle in Rostock im Yachthafen zur Bootsübernahme. Sonntag setzen wir über nach Fehmarn. Bis Samstag darauf schippern wir dort durch die Gegend. Am Nachmittag nehmen wir Bille, Fred und Rosi an Bord. Mittwoch darauf ist die praktische Prüfung, abends stößt dann Angela zu uns, und Freitag sind wir spätestens wieder in Warnemünde.«

»Was?«, rief ich laut. Angela sollte doch zu Hause bleiben, ich dachte, da wären wir uns alle einig gewesen!

»Freitag sind wir spätestens wieder in Warnemünde«, wiederholte Stefan, der wohl glaubte, ich hätte seine Worte nicht verstanden.

Ich sah wütend zu Rosi hinüber. Sie malte wieder angestrengt Kringel auf die Tischplatte.

»Sagtest du nicht, du hättest mit Stefan geredet?«

»Hab’ ich auch«, sagte Rosi. »Durch die Blume.«

»Sieht so aus, als ob er das nicht verstanden hat«, stellte ich fest. »Vielleicht versuchst du es noch einmal, diesmal ein bisschen direkter!«

Aber Rosi malte weiter Kringel auf die Tischplatte und schwieg beharrlich, da konnte ich natürlich auch nicht öffentlich gegen Angelas Besuch wettern. Eines stand jedoch fest: Angela würde mir diese Reise durch ihre Anwesenheit nicht verderben, geschehe, was da wolle!

Stefan verteilte Kopien, auf denen er für jeden Tag minutiös aufgeführt hatte, welches Besatzungsmitglied welche Aufgaben zu erledigen hatte. Nach einem rotierenden System war jeder von uns einen Tag lang Skipper, Navigator, Smut, also Koch, Smutje, der Küchengehilfe, und so weiter.

Ich war gleich für den ersten Tag als Maschinist eingeteilt.

»Ich glaube nicht, dass ich mich da besonders gut auskenne«, sagte ich zu Rebecca. »Für den ersten Tag hätte es gereicht, wenn man mich zum Smutje gemacht hätte.«

Rebecca sah missmutig auf die Liste. »Ich muss dreimal kochen. Als ob ich das nicht schon zu Hause oft genug tun müsste!«

»Wir sollten öfter mal essen gehen«, schlug Jack vor. »Vor allem, wenn ich mit Kochen an der Reihe bin. Allerdings, Bratkartoffeln sind meine Spezialität.«

»Bevor wir nun alle packen gehen, habe ich noch eine

Überraschung«, ließ sich Bernie vernehmen und legte zwei riesige Tüten auf den Tisch. »Ich dachte, wo wir doch demnächst alle vereint über die Ostsee schippern, sollten wir das auch im Hafen durch eine einheitliche Ausrüstung demonstrieren. Deshalb habe ich uns Crew-Shirts und Shorts besorgt.«

Aus der einen Tüte mit dem Aufdruck ›Herrenmoden Müller, modisch der letzte Brüller‹ zog er ein weißes Polohemd, auf dessen Brusttasche ein eingestickter Anker prangte. »Reine Baumwolle, mercerisiert, formbeständige Markenware. Im Laden hundertfünfzig Minimum, für euch nur neunundneunzigneunzig.« Er machte eine kleine Pause und sah lächelnd in die Runde. »In den Größen M bis XXL – ich habe mir erlaubt, euren Umfang zu schätzen. Na, was sagt ihr jetzt?«

Wir sagten gar nichts. Neunundneunzigneunzig erschien mir geradezu astromomisch hoch für diesen mercerisierten, schlichten Markenlappen. Ursel schien genauso zu denken.

»Also eigentlich«, murmelte sie. »Wir haben uns doch gerade erst so ein ähnliches Hemd gekauft.«

»Weiß steht mir nicht«, meinte Rebecca.

»Wartet erst mal, bis ihr die Shorts gesehen habt.« Bernie setzte ein geschäftsmännisches Lächeln auf. »Statt neunundneunzigneunzig nur neunundfünfzig – einmalig. Und passende Kapuzensweatshirts kann ich euch auch besorgen. Nur hundertfünfundzwanzig statt hundertneunundsechzig! Na, was sagt ihr jetzt?«

Wir waren immer noch sprachlos vor Schreck.

Wieder einmal war es Jack, der die Situation rettete. Er lachte laut und schlug Bernie krachend auf die Schultern. »Na, du bist mir ja einer, Bernie. In dir schlummert ja der große Spender. Also wirklich, das ist echt großzügig, uns so einfach diese Shirts zu schenken. Wir wissen gar nicht, was wir sagen sollen.«

Damit hatte er ja wirklich recht. Aber keiner guckte so verdutzt drein wie Bernie.

»Ich … aber«, versuchte er, Jack zu unterbrechen, aber der fuhr unbeirrt fort.

»Du bist ein nobler Kerl, Bernie, und weil das so ist, gibt es im Froschkönig gleich ein Bier für dich, auf unsere Kosten. Ich nehm eins in XXL, wenn's recht ist.«

Gespannt verfolgten wir, wie Jack mit seiner Riesenpranke in die Tüte griff und sie nach einem Hemd, Größe XXL, durchwühlte. Bernie sah aus, als würde er in Tränen ausbrechen, als Jack es sich vor die Brust hielt. »Passt wie angegossen. Tja, was sollen wir da sagen? Am besten: Danke! Und zwar im Chor.«

Mit dröhnender Stimme hub er zu singen an: »For he's a jolly good fellow, for he's a jolly good fellow, for he's a jolly good fe-he-low, and so say all of us!«

Um ihn nicht Lügen zu strafen, fielen wir anderen zögernd ein: »And so say all of us, and so say all of us. For he's a jolly good fellow …«

Bernie grinste schief. Unter unserem ebenfalls schiefen Gesang ließ er unauffällig die Plastiktüte, in der vermutlich die günstigen Shorts lagen, unter den Tisch gleiten. So weit ging seine Großzügigkeit denn doch nicht.

»Wenn Angela nachkommt, ist mir der ganze Urlaub verleidet«, sagte ich auf der Heimfahrt zu Rebecca und Bille.

»Das ist kein Urlaub. Du bist da, um segeln zu lernen.«

»Egal. Wenn Angela dabei ist, ist mir auch dieser Spaß verdorben.«

»Ich bin zwar nicht in Stefan verknallt, aber Angelas Gesellschaft finde ich auch nicht gerade prickelnd«, sagte Rebecca.

Ich wurde rot. »Ich bin auch nicht in Stefan verknallt.«

»Nicht? Du erweckst aber ganz den Anschein.«

»Blödsinn«, widersprach ich, aber Bille fiel mir in den Rücken. Sie kicherte. »Sie findet ihn nur scharf, weil er mit Drogen handelt.«

»Wer? Stefan?«, amüsierte sich Rebecca. »O ja, das ist ein knallharter Bursche. Alle paar Tage eine nervöse Magenschleimhautreizung, aber ansonsten megacool.«

Jetzt lachte Bille laut los. »Alles nur Tarnung«, gackerte sie. »Frag Judith!«

Ich seufzte. »Wenn Angela mitkommt, bleibe ich zu Hause.«

»Ich finde, du gibst viel zu schnell auf«, meinte Rebecca. »Als ob du dich bei solchen Sachen auf Rosi verlassen könntest. Was immer sie ihm durch die Blume zu verstehen gegeben hat – er hat es nicht verstanden.«

»Wahrscheinlich, weil er gegen Blumen allergisch ist.« Bille wollte sich ausschütten vor Lachen.

»Meinst du nicht, wir sollten noch mal mit Stefan reden?«, fragte ich. »Oder macht das nicht den Eindruck, wir seien – ähm – irgendwie an ihm interessiert?«

»Mit Stefan reden bringt gar nichts«, erklärte Rebecca. »Wir müssen uns Angela vorknöpfen.«

»Wir könnten die Herbalife-Nummer bei ihr abziehen«, schlug Bille vor. »Sie könnte tatsächlich ein paar Pfunde weniger vertragen.«

»Wir könnten sie auch mit dem Auto überfahren…«, murmelte ich. Das wäre eine todsichere Methode, sie loszuwerden. Aber davon wollte Rebecca nichts wissen.

»Wir müssen dafür sorgen, dass Angela so richtig schön wütend auf Stefan wird«, sagte sie. »Wir beginnen ganz harmlos und steigern uns im Laufe der Zeit. Wenn wir es richtig anstellen, wird sie Fehmarn niemals betreten.«

»Und wie soll das gehen?«, erkundigte ich mich eifrig.

»Ich hätte da so eine Idee…«, sagte Rebecca.

Als wir in Rostock ankamen, regnete es. Nein, es regnete nicht, es schüttete wie aus Kübeln. Dazu blies ein starker Wind.

»Nichts gegen gestern«, sagte der Mann an der Tankstelle, wo wir nach dem Weg zum Yachthafen fragten. »Da hatten wir elf Windstärken. In Warnemünde spritzt das Wasser bis hoch an den Leuchtturm.«

»Richtiges Segelwetter eben«, bemerkte ich und senkte mein Kinn in meine niegelnagelneue Segeljacke.

»Bei dem Wetter könnt ihr aber nicht rausfahren«, sagte der Mann. »Selbst die Fähren haben den Betrieb eingestellt.«

Der sogenannte Yachthafen lag an dem breiten, offenbar geschlechtslosen Fluss mit Namen Warnow. Er bestand aus einem Steg, an welchem links und rechts jeweils drei Yachten vertäut waren, die heftig schaukelten.

Ich schaute unbehaglich auf das graue, wildbewegte Wasser.

»Es heißt *die* Warnow«, sagte Heinrich, der mit Ursel

schon seit Stunden in der beheizten Bretterbude saß, in der das Hafenbüro sowie Duschen und Toiletten untergebracht waren.

»Der Warnow«, widersprach Jack. »Die Rostocker sagen *der* Warnow.«

»Heinrich hat aber extra nachgeschlagen«, sagte Ursel rechthaberisch. »Hannes, sag du doch mal, wie es richtig heißt.«

»Das kann man halten, wie man will«, erklärte Hannes salomonisch und stand auf. »Ich glaube, unsere Boote sind bezugsbereit!«

Die Boote hießen *True Love* und *Werwolf*, und wir, also Stefan, Jack, Rebecca und ich, bekamen die *Werwolf* zugewiesen. Der Name, versicherte der Vercharterer, sei aber auch der einzige Unterschied, die Boote seien exakt gleich ausgestattet, bis zur allerletzten Schraube.

Jedes Boot hatte drei Schlafkabinen für je zwei Personen, zwei im Heck und eine große vorne im Bug. Die große belegte Stefan, aber wenn Rosi und Fred in der nächsten Woche dazustießen, würde er sie wieder räumen und stattdessen zu Jack ziehen.

Ferner gab es einen Salon mit Esstisch, Küchenzeile und einer kleinen Navigationsecke und ein winziges Klosett mit Waschbecken, das zwischen Salon und der vorderen Kabine eingeklemmt war. Stefan wollte uns zu allererst den Gebrauch dieses Klosetts erklären.

»Wir sollten uns darin einig sein, dass wir das Ding nicht für große Geschäfte benutzen. Außer in Notfällen. Erstens ist das ein ziemlicher Gestank so auf Dauer, und außerdem schießt die Scheiße kreuz und quer durch die Rohre und verursacht einen Heidenlärm!«

»Geht klar«, sagte Jack. Rebecca und ich schwiegen

peinlich berührt. »Und Klopapier bitte nicht in die Schüssel schmeißen«, fuhr Stefan fort. »Wir werden das Papier in einer Plastiktüte sammeln.«

»Geht klar«, sagte Jack. Rebecca und ich enthielten uns jeden Kommentars.

Stefan bückte sich und zeigte auf verschiedene Hebel unter dem Waschbecken. »Das hier sind die Seewasserventile. So sind sie geschlossen, so offen. Außer zum Klospülen sollten sie immer geschlossen sein. Wehe dem, der vergisst, sie zu schließen!«

»Geht klar«, sagte Jack wieder.

Ich beschloss im Stillen, mir eine Dauerverstopfung zuzulegen. Diese wahrscheinlich extrem schalldurchlässige Kabine mit lauter gefährlichen Ventilen und Papier, das in einer Tüte gesammelt werden musste, schien mir keine sehr verlockende Alternative zu dem völlig verdreckten, übelriechenden Yachthafenklo zu sein, auf dem ich erst zehn Minuten zuvor mein Glück versucht hatte.

»Na dann, auf eine gute Verdauung«, murmelte Rebecca.

»Geraucht wird selbstverständlich nur an Deck«, fuhr Stefan fort. »Wegen Judiths Asthma – und wegen der Feuergefahr. Außerdem will ich's mir sowieso abgewöhnen.«

Ich hustete schuldbewusst. Mein angebliches Asthma hatte ich schon wieder völlig vergessen. Wir holten unsere Sachen aus dem Auto. Voller Genugtuung stellte Stefan fest, dass wir uns streng an seine Devise ›Jeder nur ein Gepäckstück‹ gehalten hatten. Mein Rucksack war mit Unterwäsche, Handtüchern und Schlafsack schon so gut wie voll gewesen, daher hatte ich genau einen Pullover zum Wechseln dabei und auf Toilettenartikel jeglicher Art – von der Zahnbürste mal abgesehen – verzichtet. Die Wasserpistole hatte ich in der Innentasche der Segeljacke verstaut, um sie für alle Fälle greifbar zu haben.

Stefan hatte ebenfalls nur einen einzigen Seesack dabei. Etwas später allerdings, als er uns beim Einräumen der Lebensmittel – neunzig Prozent der Einkäufe bestanden aus Dosenbier – wähnte, sah ich ihn durch das Salonfenster noch einmal zu seinem Auto laufen und ein längliches, flaches Paket herausnehmen.

Aha, dachte ich, als ich beobachtete, wie er es verstohlen in seinen Anorak schob, eilig den Steg herunterkam und gleich darauf in seiner Kabine verschwand. Verdächtiger ging es ja gar nicht mehr.

Jack schwenkte eine Flasche Cognac. »Wie wär's mit einem Begrüßungstrunk für den Klabautermann? Lasst uns auf unser Bruderschiff gehen und auf eine gute Ankunft anstoßen.«

»Ich komme gleich nach«, rief Stefan aus seiner Kabine. Wahrscheinlich wollte er in aller Ruhe nach einem sicheren Versteck für sein Paket suchen.

Auf unserem Bruderschiff herrschte noch ziemliches Chaos. Vor allem Bernie schien sich nicht an die Devise ›Jeder nur ein Gepäckstück‹ gehalten zu haben. Wir sahen mehrere prallgefüllte Tüten mit dem Aufdruck ›Herrenmoden Müller, modisch nichts als Knüller‹ herumstehen, und Dirk beklagte sich darüber, keinen Platz für seine Sachen in der Kabine zu haben, da er sie mit Bernie teilen musste.

»Und zu allem Überfluss ist mir schlecht bei diesem dauernden Geschaukel«, klagte er. Mitleidlos registrierte ich, dass er offenbar nicht in der Stimmung war, mit Rebecca verliebte Blicke zu tauschen.

Ursel war dabei, das Kücheninventar auf Tauglichkeit zu prüfen. »Aluminiumpfannen«, schnaubte sie. »Ich habe es mir ja fast gedacht. Nicht umsonst habe ich eine richtige Pfanne mitgebracht!«

»Dann habt ihr ja drei Pfannen!«, stellte Rebecca fest. »Wir haben keine einzige. Und zwei Auflaufformen habt ihr auch. Ich nehme dann die dritte Pfanne und eine Auflaufform mit rüber zu uns, wenn du nichts dagegen hast.«

»Doch, das habe ich«, sagte Ursel. »Ihr hättet euch selber eine Pfanne mitbringen können.«

»Aber das ist doch garantiert unsere Pfanne«, mischte ich mich ein. »Die letzten Segler hatten die beiden Boote ebenfalls gemeinsam gechartert. Wahrscheinlich haben sie immer nur auf einem Boot gekocht. Und dabei sind die Pfanne und die Auflaufform aus Versehen nicht zurückgegeben worden.«

»Das ist aber nur eine Vermutung«, sagte Ursel stur.

»Komm schon, Rosi«, versuchte Rebecca es auf die Schmeicheltour. »Sei nicht so!«

»Ursel!«, sagte Ursel. »Ich heiße Ursel!«

Rebecca lachte ein bisschen verlegen. »Ursel, meine ich natürlich. Was wollt ihr denn mit drei Pfannen?«

»Hier geht es ums Prinzip!« Jetzt, wo man sie mit Rosi verwechselt hatte, war Ursel schon gar nicht mehr kompromissbereit.

Jack schwenkte den Cognac. »Na, dann trinken wir den besser auch drüben! Kommt, Mädels, lasst uns abhauen. Hier ist noch nicht die richtige Stimmung!«

Stefan war noch auf der *Werwolf*, als wir zurückkamen.

»Ursel will uns unsere Auflaufformen und unsere Pfanne nicht zurückgeben«, petzte ich. »Dabei haben sie von allem zwei, und wir gar keine.«

»Das gibt es doch gar nicht!« Stefan sah ehrlich empört aus.

»Doch. Ursel sagt, es gehe ums Prinzip.«

»Moment mal!« Stefan nahm mehrere aneinandergeheftete, maschinengeschriebene Seiten aus einem der Fächer hinter der Bank. »Das ist unsere Inventarliste. Wollen wir doch mal sehen: Ah ja, hier steht es: Auflaufform, weiß; Pfanne, aluminiumbeschichtet.«

»Also doch!«, rief Rebecca triumphierend und riss Stefan die Liste aus der Hand. »Das halte ich Rosi jetzt unter die Nase, dann muss sie das Zeug ja rausrücken.«

»Ursel!«, verbesserte ich.

Rebecca sah mich verwirrt an. »Was hatte ich denn gesagt?«

»Rosi, schon zum zweiten Mal.«

»Komisch«, meinte Rebecca. »Die beiden haben doch so gar keine Gemeinsamkeit.«

»Eben deshalb war Ursel ja auch ziemlich pikiert«, sagte Jack. »Ich komme mit, damit sie es sich nicht anders überlegt.«

Ich blieb allein mit Stefan zurück, entledigte mich meiner Jacke und stieß mir bei dem Versuch, sie im Spind in unserer Kabine zu entsorgen, den Kopf. Es klang ungefähr so, als würde jemand eine gusseiserne Bratpfanne gegen einen Holzpfosten donnern.

»Leichte Schläge auf den Hinterkopf fördern die Durchblutung«, lästerte Stefan vom Salon her.

217

Ich lachte pflichtschuldig, setzte mich zu ihm an den Tisch und versuchte, unsere heitere Kommunikation fortzusetzen.

»Ich hätte lieber die Kabine im spitzen Ende vom Boot gehabt, die ist nämlich viel geräumiger«, sagte ich. »Aber Jack meint, eben deshalb sollte sie für Rosi frei bleiben.«

Stefan lachte nicht. Er runzelte vielmehr die Stirn. »Spitzes Ende vom Boot! Ich glaub', ich spinne! Es wird höchste Zeit, dass du hier alles beim richtigen Namen nennen kannst. Also, wie heißt das spitze Ende vom Boot richtig?«

»Bug«, sagte ich eingeschüchtert.

»Aha. Jetzt ziehst du dir deine Jacke wieder an und kommst mit mir an Deck!«

Während ich mich noch mit dem Reißverschluss abquälte, zeigte Stefan auf die Treppe. »Wie nennt man das?«

»Die Treppe?«

»Treppe! Das ist der Niedergang!« Er bückte sich, um mir beim Schließen des verklemmten Reißverschlusses zu helfen. Dann schubste er mich unsanft die Treppe – pardon, den Niedergang hinauf.

Obwohl ich mich auf das Schaubild besann, das er uns vor dem Törn zur Ansicht mit nach Hause gegeben hatte, und ich Mast, Baum und Großsegel sowie Fender, Reling, Badeleiter, Rettungsreifen und diverse Seile und Schoten mehr oder weniger auf Anhieb identifizieren konnte, trug das nicht dazu bei, seine Laune zu bessern.

Vielmehr steigerte er nun den Schwierigkeitsgrad ins Unendliche. Zunächst holte er ein rotes Plastikdings aus einer Kiste unter den Sitzbänken hervor, die sicher auch nicht Sitzbänke hießen.

»Was ist das?«

»Eine Kirmeströte«, sagte ich überzeugt.

»Blödsinn!« Stefan drehte das Ding in seinen Händen. »Obwohl, so unrecht hast du nicht. Normalerweise werden die Nebelhörner elektrisch oder pneumatisch betrieben. Im Ernstfall wird man dieses Ding hier schwerlich vom Krächzen einer Möwe unterscheiden können.«

»Aha«, sagte ich und unterdrückte ein Zähneklappern. Es goss immer noch wie aus Kübeln.

Aber Stefan zeigte kein Erbarmen. Er deutete auf die kleinen Löcher in der metallenen Umrandung, die unterhalb der Reling verlief. »Und wie nennt man das?«

»Diese Abflusslöcher? Die können unmöglich einen speziellen Namen haben!«

»Doch! Das sind die Speigatten!«, behauptete Stefan. »Kannst du dir das merken?«

Ich merkte mir Spei-Gatten nach der bildhaften Methode, indem ich mir eine Reihe kotzender Ehemänner vorstellte, und nickte.

Stefan turnte hinauf auf das Kajütendach neben den Mast und zeigte auf ein paar eiserne Haken und Ösen. »Und wie nennt man so was?«

Ich musste wieder passen.

»Das ist ein Lümmelbeschlag!« Stefan grinste mich an.

Ich grinste zurück. Das konnte man sich wirklich merken, ebenfalls nach der bildhaften Methode.

Und so ging es weiter, kreuz und quer über das Boot. Es war unglaublich, wie viele scheinbar unter einem harmlosen Sammelbegriff zusammenfassbare Gegenstände ihren ganz speziellen Namen besaßen. Aber endlich schien auch Stefan nichts mehr einzufallen. Er entließ mich gnädig unter Deck, um allein an der frischen Luft eine Zigarette zu rauchen.

»Morgen erklärst du alles, was du jetzt gelernt hast, deiner Schwester«, riet er noch. »Und übermorgen frage ich euch noch einmal ab!«

Allein unter Deck, sah ich eine günstige Gelegenheit, in seine Kabine zu schleichen, um nach dem geheimnisvollen Paket zu suchen. Wie lange brauchte man, um eine Zigarette zu rauchen? Zwei Minuten? Drei? Ich öffnete eilig die Türen und Schubfächer, besah mir seine Socken und die langen Unterhosen und fand das Paket beinahe sofort neben einer Flasche Sonnenmilch, einem Buch, einer Tüte Fisherman's Friend extra strong und drei Schachteln Gauloises Blondes. Kein besonders phantasievolles Versteck. Es zeigte, wie sicher sich der Kerl fühlte.

Vorsichtig drückte ich mit meinem Zeigefinger auf das neutrale Packpapier. Es fühlte sich weich an. Ich tastete etwas mutiger, und es knisterte leise unter meinen Fingern. Ich war mir nicht ganz sicher, aber es war sehr wahrscheinlich, dass es sich um kleine Plastiktütchen, gefüllt mit Pulver, handelte. Genau, wie ich erwartet hatte.

Zitternd legte ich das Paket zurück an seinen Platz. Stattdessen nahm ich das Buch in die Hand. ›Nichtrauchen beginnt im Kopf‹ lautete der Titel. Wie seltsam, ein solches Buch neben ein Paket Rauschgift und drei Schachteln Zigaretten zu legen! Neugierig schlug ich die erste Seite auf.

»Für meinen Mucki von seinem Angela-Engel!« – War das denn die Möglichkeit? Darunter stand: »Du weißt doch – wer küsst schon gerne einen Aschenbecher?«

Ich runzelte empört die Stirn. Das war wieder typisch Angela. Wenn Stefan ihr nicht gut genug erschien, dann sollte sie die Finger von ihm lassen, anstatt ständig an ihm herumzumäkeln und seinen Typ zu ändern zu versuchen.

Von oben störten Stimmen meine Überlegungen. Blitzschnell warf ich das Buch von Angela-Engel in die Lade neben das Rauschgift und hechtete in den Salon zurück. Gerade noch rechtzeitig! Zusammen mit Stefan kamen auch Rebecca und Jack die Treppe – pardon, den Niedergang herabgepoltert. Sie hielten triumphierend Pfanne und Auflaufform in die Höhe.

»Dann können wir jetzt ja was Gutes kochen«, sagte Stefan.

Jack, Rebecca und ich sahen einander an.

»Ich habe eigentlich gar keinen Hunger«, sagte ich.

»Mir genügen ein paar Butterbrote«, meinte Rebecca, und Jack nickte zustimmend.

»Ich brauche abends was Warmes«, beharrte Stefan. »Mein Magen ist sehr empfindlich.«

Wir drei anderen tauschten erneut stumme Blicke.

»Könnten wir am ersten Abend nicht irgendwo essen gehen?«, fragte Jack dann.

»Von mir aus gerne«, erwiderte Stefan. »Der Skipper wird sowieso immer von der Mannschaft eingeladen.«

»Immer noch besser als kochen«, murmelte Rebecca, die zu Hause eigentlich immer gern kochte, und zwar so gut, dass ich mindestens zweimal in der Woche behauptete, mein Kühlschrank sei so leer und ich müsse verhungern, wenn sie mich nicht zum Mitessen einladen würde. Mo machte es genauso.

Ich lief hinüber zu unserem Bruderschiff, um die frohe Kunde zu überbringen, dass das Kochen heute ausfallen würde. Aber dort hatte Ursel schon damit angefangen. Es roch nach angebratenen Zwiebeln.

»Also, ich würde schon gerne was essen gehen«, sagte Hannes. Klar, er war der Skipper, und der Skipper wurde schließlich immer eingeladen.

»Ich möchte auch gerne essen gehen«, schloss sich Dirk an. »Wenigstens festen Boden unter den Füßen spüren!«

»Es gibt in zwanzig Minuten Essen«, widersprach Ursel streng. »Nach achtzehn Uhr sind warme Mahlzeiten für den Organismus wenig bekömmlich.«

»Hier soll es eine urige Skipperkneipe geben, wo man phantastisch Fisch essen kann«, sagte ich mitleidig.

»Hier gibt es Frikadellen mit Knödeln und Rotkohl«, hielt Ursel dagegen, und zumindest Hannes' Miene hellte sich auf.

»Dann ein andermal«, sagte er zu mir. »Wir kommen später mal zu euch rüber.«

»Mir ist gar nicht gut«, jammerte Dirk.

»Man gewöhnt sich daran«, versicherte ihm Heinrich, der dabei war, den Tisch zu decken. Er trug den gleichen dunkelblauen Troyer wie Ursel, darunter, ebenfalls wie Ursel, ein rotes Poloshirt. »Bis das Essen gar ist, sollten wir uns noch ein wenig abfragen. Bernie, zähl uns doch mal die wichtigsten tragenden Elemente einer Yacht in Vollholzbauweise auf.«

Bernie, der immer noch mit seinen zahlreichen Tüten beschäftigt war, schaute erschreckt auf. »Was soll ich?«

»Ach Bernie, hast du vergessen, dass nur zwei Wochen nach unserem Törn die theoretische Prüfung für den BR-Schein stattfindet?«

Bernie murmelte etwas Unverständliches in seine Tüte.

»Steven, Bodenwrangen, Spanten, Wildschwein, Längsstringer, Decksbalken und Spiegel«, trompetete Ursel vom Herd. »Das ist Frage sechsunddreißig!«

»Richtig«, sagte Heinrich anerkennend und lächelte wie Frank Elstner. »Aber es heißt nicht Wildschwein, sondern Kielschwein. Die nächste Frage geht an Dirk: Dirk, welche Funktion haben einscheibige Blöcke?«

»Mir ist schlecht«, jammerte Dirk.

Ich hatte rückwärts den Niedergang erklommen. »Na dann, schönen Abend noch!«

Nur Hannes sagte auf Wiedersehen. Dirk hielt eine Hand vor seinen Mund gepresst, winkte mir aber immerhin mit der anderen hinterher. Ursel stand am Herd und rührte emsig in ihren Töpfen.

»Einscheibige Blöcke dienen entweder der Umkehrung der Zugrichtung oder der Kraftersparnis«, hörte ich Heinrich noch dozieren, dann hatte ich die Tür hinter mir geschlossen.

»Die da drüben spinnen«, sagte ich, als ich glücklich wieder auf der *Werwolf* angelangt war. »Dirk, Bernie und Hannes können einem richtig leidtun. Und Bille, wenn sie nächste Woche kommt.«

»Kulinarisch betrachtet, haben sie aber das bessere Boot erwischt«, sagte Stefan.

_____ **Billes geheimes Tagebuch** _____

14. MAI.

Wir haben angefangen, Angela nach Rebeccas Plan zu tyrannisieren. Eine Aufgabe, die mir sozusagen im Blut liegt. Arme Angela! Sie war tatsächlich völlig verwirrt, als ich bei ihr anrief, genau wie Rebecca vorausgesagt hat.

Ich sagte, ich solle ihr von Stefan ausrichten, dass alle wohlbehalten in Rostock angekommen seien.

Angela wollte natürlich wissen, wieso er bei mir und nicht bei ihr angerufen habe.

Du, ich vermute, dass er deine Nummer noch nicht auswendig weiß, sagte ich. Auf jeden Fall soll ich liebe Grüße bestellen.

Angela knallte den Hörer auf. Vorher sagte sie allerdings noch danke; sie weiß schließlich, was sich gehört.

Später: B. kam doch eben tatsächlich, um seine Geschenke zurückzufordern. Er sagte, jetzt, wo unsere Beziehung am Ende sei, möchte er nicht, dass ich mich an all den Dingen bereichere, in die er viel Zeit und Geld investiert habe. Er sagte, zur Not würde er die Sachen von einem Anwalt einklagen lassen, und dann legte er mir eine Liste mit seinen Geschenken und den jeweiligen Preisen auf den Küchentisch.

Es war unglaublich, jeden Kinobesuch, jede Einladung zum Essen, jede Flasche Wein hat er aufgelistet. Auch das Herbalifepulver und seine getöpferten, gemalten und selbstgebastelten Geschenke. Hinter der Tonkatze stand: DM 3.000,–. Die Gesamtforderung belief sich auf über einhunderttausend Mark.

Fragte ihn, ob der Soßenbinder ihm das Gehirn verkleistert hätte.

Dreitausend sei echt noch niedrig geschätzt, meinte B., ein Freund von ihm, ein bekannter Kunstprofessor, habe ihm mal gesagt, dass seine Werke von unschätzbarem Wert seien.

Sagte ihm, unschätzbar hieße nicht automatisch dreitausend Mark. Unschätzbar könne sich auch auf Zahlen hinter null Komma... beziehen.

B. sagte, er wolle dreitausend Mark für die Katze, oder er würde sie mir wieder wegnehmen. Er wolle nicht, dass ich daraus Kapital schlüge.

Die Katze kannst du gerne wiederhaben, erklärte ich ihm und hielt ihm das Vieh hin. Es wog mindestens eine Tonne. Dachte gerade, mein Arm bräche ab, als stattdessen ein Bein von der Katze abbrach. Das Bein, an dem ich das Vieh hielt. Der Rest der Katze fiel auf den Boden und zerbrach. B. sagte, das würde mich teuer zu stehen kommen.

Da kam es über mich wie ein Rausch. Schnappte mir nacheinander alle anderen Teile, die B. mir jemals geschenkt hatte: den getöpferten Käse, von dem er sagte, er stelle eine Landschaft in Spanien dar, und all die anderen Tonklumpen sowie die gerahmten Fotos an der Wand und warf sie in den Flur hinaus. Glas schepperte, Ton zerbarst, und B. stöhnte. Ganz zum Schluss warf ich mein Weihnachtsgeschenk, die Augencreme für die Haut ab vierzig, auf den Steinboden.

Sonst noch was?, fragte ich.

B. machte einen Schritt rückwärts in den Scherbenhaufen hinein. Ich werde mir einen Anwalt nehmen, sagte er. Wir sehen uns vor Gericht.

11

Ich kann nicht einschlafen«, flüsterte Rebecca. Das Wasser der/des Warnow klatschte mit Getöse gegen die Bordwand, der Regen trommelte auf das Deck, und das Boot schaukelte beständig hin und her. Es war sauge-mütlich.

»Stell dir einfach vor, du seist auf einem Boot«, flüster-te ich zurück und schloss die Augen.

»Das ist es nicht«, flüsterte Rebecca. »Mir ist es zu hell!«

Ich öffnete die Augen wieder. In der Kabine war es stockdunkel. Lediglich das trübe Licht der Laterne am Ufer zauberte einige graue Konturen in den winzigen Raum.

»Du spinnst ja«, sagte ich.

Rebecca schälte sich aus ihrem Schlafsack und knips-te das Licht an. »Ich muss was vor die Fenster hängen, sonst werde ich wahnsinnig!«

Fenster! Das war wirklich gut. Wir hatten eine win-zige Luke, die in den Niedergang hinausschaute, und ein mikroskopisch kleines Bullauge auf der gegenüberlie-genden Seite. Beide waren schon lange nicht mehr ge-putzt worden. Aber Rebecca schien es ernst zu meinen. Sie zog sich bereits die Schuhe an. »Hilfst du mir?«

»Draußen regnet es«, sagte ich, aber weil Rebecca

sonst keine Ruhe geben würde, erhob ich mich grummelnd. Vor das Fenster im Niedergang stellten wir die Holzplatte, die im Salon als Verlängerung der Sitzbank gedacht war. Man konnte nur hoffen, dass sie wetterfest war. Vor das Bullauge an der Bordwand hängten wir ein riesiges Badetuch, das wir mit Wäscheklammern an der Reling befestigten. Der Regen hatte es im Nu so durchnässt, dass es zu schwer war, um vom Wind beiseitegepustet zu werden.

In der Kabine war es jetzt dunkler als in einem Sarg.

»Zufrieden?«, fragte ich. Anstelle einer Antwort verkroch sich Rebecca in ihren Schlafsack und war eine Minute später eingeschlafen.

»Steeeeeeh auf, steh endlich auf.« Das war Marius Müller-Westernhagen. In meinem Traum stand er mit seiner Gitarre in der offenen Kabinentür und lächelte mich aufmunternd an.

Rebecca stieß mich in die Seite. »Das ist unser Weckruf«, sagte sie. »Originell, oder?«

Ich machte die Augen auf. Durch unsere Verdunklungen drang so gut wie kein Tageslicht in die Kabine.

»Wie spät ist es?«

»Steeeeeeh auf«, sang Marius Müller-Westernhagen. »Steh endlich auf!« Die Lautsprecher schienen direkt neben unserer Kabinentür angebracht zu sein.

Stefan steckte den Kopf zu uns herein. »Wach? Rebecca ist heute morgen dran, den Wetterbericht zu hören.«

»Ich?«

»Ja, du bist heute der Navigator und zuständig für Wetterbericht und Logbuch. In einer Minute kommt die Durchsage. Also raus aus den Federn!«

Ich rollte mich erleichtert noch einmal zur Seite, während Rebecca fluchend in den Salon stolperte. Aber an Schlaf war nicht mehr zu denken. Der Gesang war zwar verstummt, aber dafür erscholl nebenan eine näselnde Stimme.

»Skagerrak, West, fünf bis sechs, Schauerböen, gute Sicht; Kattegat, West, fünf, Schauerböen, gute Sicht; Belte und Sund, West, vier bis fünf, Schauerböen, gute Sicht; westliche Ooostsee, West, Südwest, vier abnehmend drei, gute Sicht, südliche Ooostsee ...«

»Nicht so schnell«, jammerte meine Schwester dazwischen. »Ich weiß gar nicht, wo wir hier sind. Südliche Ostsee? Südöstliche Ostsee? Belte und Sund?«

Der Sprecher fuhr unbeirrt fort. »Nun die Stationsmeldungen: List, West, vier, sieben Grad, eintausendelf Hektopascal; Holtenau ...«

»Nicht so schnell!«, rief Rebecca erneut verzweifelt.

»Der Wetterbericht ist lebenswichtig für einen Segler«, dozierte Stefan. »Himmel Herrschaftszeiten, du sollst Hektopascal doch nicht ausschreiben! Man kürzt es hPa ab!«

Ich kicherte schadenfroh in meinen Schlafsack hinein.

Nach dem Frühstück wollte Stefan, dass ich in meiner Tagesfunktion als Maschinist den Ölstand prüfte.

»Aber gern«, sagte ich fügsam. »Wo ist der Motor?«

Das Ding befand sich hinter einem Türchen neben dem Niedergang und sah genauso aus, wie ich es mir vorgestellt hatte: eine undurchsichtige Ansammlung von all diesen auf so wunderbare Weise miteinander verbundenen Gegenständen wie Keilriemen, Luftfilter, Benzinleitung, Zylinderkopfdichtungen und Überdruckventilen. Aber welches dieser Dinge welchen Namen trug und wo man den Ölstand kontrollieren musste, das wusste ich nun wirklich nicht. Woher auch?

Ich beugte mich in den dämmerigen Motorraum und versperrte den anderen die Sicht. Eifrig klopfte ich ein bisschen mit den Fingernägeln gegen Metall und sagte: »Sieht aus, als sei alles in Ordnung. Aber sicherheitshalber sollte noch mal jemand anders nachgucken, die… ähm… Tankentlüftung sieht mir gar nicht gut aus.«

Stefan zog die Augenbrauen hoch, grinste aber dann. »Okay, du hast also keinen blassen Schimmer. Ich hoffe, du weißt wenigstens noch, was ich dir gestern alles erklärt habe.«

»Aber ja«, beruhigte ich ihn. »Das habe ich mir alles nach der bildhaften Methode gemerkt.«

Stefan wollte auf Nummer sicher gehen und unsere Sachkenntnisse überprüfen, bevor wir in See stachen. Auf dem Weg nach oben stieß er mit dem Schienbein gegen das Brett, das vor unserem Kajütenfenster lehnte.

»Au! Was ist denn das?«, fragte er.

»Unsere Verdunklung«, erklärte ich ihm.

»So, so«, sagte Stefan, und weil das Brett offenbar noch keinen eigenen Namen besaß, hieß es von jetzt an nur ›Verdunklung‹. Ich malte mir aus, wie Stefan die nächste Generation von Segelscheinanwärtern über das Boot schickte, sie nach Speigatten und Lümmelbeschlägen fragte und ganz zum Schluss, sozusagen als Bonbon, auf dieses Brett zeigte.

»Was ist das?«, würde er sagen.

»Ein Brett?«, würde der Schüler ein wenig schüchtern raten.

»Falsch!«, würde Stefan sagen. »Das ist die Verdunklung. Kannst du dir das merken?«

Es hatte aufgehört zu regnen, die Wolken hingen nicht mehr ganz so tief wie am Vortag. Aber immer noch wehte ein unangenehm kalter Wind. Auch auf dem Deck der *True Love* nebenan herrschte emsiger Betrieb. Ursel lüftete die Schlafsäcke über der Reling, Bernie saß mit seinem Handy am Bug und telefonierte mit jemandem namens ›Mausi‹, und Dirk hockte wie ein Häufchen Elend auf einem Poller am Steg und fütterte ein paar Enten. Heinrich filmte das Geschehen mit seiner Videokamera. Die Kamera trug eine Mütze aus puscheligem Flauschstoff, und zwar wegen der Windgeräusche, wie man mir später erklärte.

»Es ist Sonntagmorgen, zehn Uhr und elf Minuten. Mami macht die Betten, Bernie telefoniert, und Dirk füttert die Enten«, sagte Heinrich laut und deutlich. Richtig, richtig, diese Videos halten neben dem Bild auch den Ton fest. Das konnte man schon mal vergessen. »Wie geht es dir heute morgen, Dirk? Du bist im Bild, sag mal was!«

»Mir ist schlecht«, sagte Dirk. Mir fiel auf, dass dies der einzige Satz war, den er seit seiner Ankunft von sich gegeben hatte.

»Ihm ist schlecht«, wiederholte Heinrich heiter und schwenkte mit der Kamera zu uns über. »Auf unserem Schwesternschiff, der *Werwolf*, ist man auch schon aufgestanden. Na, Jack, schon dein erstes Bier getrunken?«

»Nein, nur eine halbe Flasche Cognac«, erwiderte Jack.

»Na denn Prost! So, jetzt bist du im Bild, Judith, sag mal was!«

Eigentlich bin ich eine schlagfertige Person, niemals um eine originelle Antwort verlegen. Aber man muss nur eine Videokamera auf mich halten, und schon bin ich nur noch zu einem einzigen Satz fähig.

»Ist das etwa eine Videokamera?«, fragte ich. Es muss unzählige Bänder geben, auf denen ich erschreckt in die Linse schaue und diese intelligente Frage stelle.

»It's a Sony«, sagte Heinrich und riss die Kamera herum. »Ah, da kommt unser Skipper an Deck.«

Hannes, der mit einem Stapel orangefarbener Säcke den Niedergang heraufstolperte, rief: »Sicherheitseinweisung. Als Erstes muss jeder von euch lernen, wie man Schwimmwesten und Lifebelts anlegt.«

Heinrich filmte hingebungsvoll den Haufen orangefarbener Säcke. »Als Erstes muss jeder von uns lernen, wie man Schwimmwesten und Lifebelts anlegt«, kommentierte er.

»Bei uns musste jeder als Erstes lernen, was Speigatten und Lümmelbeschläge sind«, sagte ich.

Stefan sah mich tadelnd an und schickte mich zur Strafe hinunter, unsere eigenen Schwimmwesten zu holen. Rosi hatte recht gehabt, die Dinger waren wirklich wenig kleidsam. Man sah aus wie ein Sumoringer, der sich als Müllmann verkleidet hatte.

»Wenn ich so ein Ding anhabe, falle ich vor lauter Unbeweglichkeit über Bord«, beklagte sich Rebecca.

Ich entdeckte zu allem Überfluss eine irritierende Inschrift im Kragen meiner Zwangsjacke.

»Nur ohnmachtssicher in der Rückenlage«, las ich vor. »Ja, wie denn, wenn man schon ohnmächtig ist?«

Freundlicherweise gestattete Stefan uns, die Dinger bis auf weiteres wieder abzulegen. Auf dem Nachbarboot aber behielt man sie an. Vor allem Dirks grünliche Gesichtsfarbe harmonierte glänzend mit dem leuchtenden Orangeton.

»Bevor wir losfahren«, sagte Stefan, »sollten wir die gebräuchlichsten Manöver einmal auf dem Trockenen durchspielen. Am wichtigsten sind die richtigen Kommandos. Falsche Höflichkeit ist hier nicht angebracht. Und es ist unbedingt erforderlich, dass ihr meinen Anweisungen bedingungslos Folge leistet, ist das klar?«

»Klar!«, sagten wir.

»Also, dann stellen wir uns jetzt mal vor, wir hätten die Segel bereits gesetzt und befänden uns in Fahrt. Jack, du stellst dich hinters Steuer, Rebecca und Judith bedienen das Vorsegel, Jack, du willst eine Wende fahren. Was tust du?«

»Ich würde sagen, das kommt darauf an, woher der Wind weht«, sagte Jack.

»Darum geht es jetzt nicht! Ich will nur die Kommandos hören, und zwar laut und deutlich. Da draußen weht ein lauter Wind!«

Jetzt hatte Jack verstanden. »Klar zur Wende!«, brüllte er.

»Ist klar!«, brüllten Rebecca und ich zurück.

»Ree«, schrie Jack. »Vorsegel über!«

Rebecca und ich taten so, als würden wir die Vorschot an der einen Seite loswerfen und an der anderen wieder dichtholen. Vor Eifer bekam ich ganz heiße Wangen. Von mir aus hätten wir gar nicht aufs Wasser gemusst. Diese Trockenübungen machten richtig Spaß.

Aber als wir noch ein paar Wende- und Halse-Manöver geübt hatten, befand Stefan, dass es nun an der Zeit sei, in See zu stechen.

»Wer noch mal aufs Klo, sein Auto abschließen oder telefonieren muss, der hat jetzt die letzte Gelegenheit dazu.«

»Telefonieren«, rief Rebecca und rannte los, um Charlotte guten Morgen zu wünschen.

»Aufs Klo«, sagte Jack und rannte ebenfalls los.

»Und du?«, wandte ich mich an Stefan. »Musst du nicht telefonieren?« Musste er nicht einen verschlüsselten Code an einen Kontaktmann weitergeben? ›Das Ei kommt bald zurück ins Nest. Den frühen Vogel fängt die Katze …‹, so was in der Art.

»Nö«, antwortete Stefan. »Wenn ich weg bin, bin ich weg.«

»Was ist denn mit Angela? Sicher wartet sie auf einen Anruf von dir.«

Stefan lächelte überlegen. »Ich verrate dir jetzt mal ein Geheimnis. Wenn du willst, dass eine Frau in dich verliebt bleibt, dann mach dich rar. Absolutes Tabu: Telefonieren aus den Ferien!«

»Aha!«, sagte ich. »Danke für diesen sensationellen Einblick in männliche Beziehungstaktik.« Seine Methode war zwar völlig abwegig – die Frau möchte ich kennenlernen, bei der das funktioniert –, aber es fügte sich ganz wunderbar mit unserem Plan, Angela im wahrsten Sinne des Wortes auszubooten.

Wir legten zur gleichen Zeit ab wie unser Bruderschiff und motorten hintereinander den/die Warnow flussabwärts. Bei uns stand Jack hinterm Steuer, auf der *True*

Love Ursel. Sie und Heinrich trugen die gleichen marineblauen Kapitänsmützen mit Ankeremblem, die sie schon bei unseren Übungsstunden auf dem Rhein getragen hatten.

Heinrich hielt die Videokamera mit dem Windgeräusche absorbierenden Puschel weiterhin gezückt.

»Wir passieren nun die Mittenfahrwassertonne A 3«, hörten wir ihn noch rufen, dann steuerte uns Jack außer Hörweite.

Je näher wir der Mündung kamen, desto höher schwappten die Wellen. Als wir schließlich den Leuchtturm von Warnemünde passierten und im Kielwasser einer dicken Fähre auf das offene Meer zusteuerten, sahen wir, dass der Sturm der letzten Tage für gehörigen Seegang gesorgt hatte.

Rebecca, die der Tagesnavigator war, versuchte mit meiner Hilfe unter Deck unseren Kurs festzulegen. Das Boot schaukelte ganz fürchterlich, und zum ersten Mal konnte ich nachvollziehen, wie dem armen Dirk zumute war. Mir wurde todschlecht. Ich konnte mich gerade noch an Deck schleppen.

»Auf den Horizont schauen!«, empfahl Stefan. Rebecca taumelte eine halbe Minute später nach oben.

»Irgendwo in diese Richtung«, keuchte sie und zeigte mit der Hand aufs offene Meer hinaus. »Ich konnte den Kurs nicht so genau erkennen. Die Karte schaukelte so.«

Stefan runzelte die Stirn. »Eure Seetauglichkeit lässt aber mächtig zu wünschen übrig.«

Er ließ uns ein paar Minuten auf den Horizont schauen, dann setzten wir unter großen Anstrengungen die Segel, das heißt, eigentlich setzte Stefan die Segel, wir schauten ihm nur dabei zu und an ihm vorbei auf den

Horizont. Danach fuhr das Boot bedeutend ruhiger, aber dafür hatte es sich stark auf eine Seite gelegt. Ich setzte mich auf die hohe Kante, hielt mich unauffällig an der Reling fest und schaute weiter auf den Horizont.

Da wir nach wie vor nicht in der Lage waren, uns unter Deck aufzuhalten, übernahm Stefan auch die Aufgabe des Navigators. Einzig Jack stand hinterm Ruder wie ein Fels in der Brandung.

Nach einer halben Stunde zeigten der starre Blick auf den Horizont und die frische Luft ihre Wirkung. Die Übelkeit war verflogen. Der Wind blies uns ins Gesicht, das Boot pflügte durchs Wasser wie ein Delphin, die Gischt sprühte über den Bug, ab und zu schwappte eine Welle über die Reling. Fasziniert beobachtete ich, wie das Wasser sogleich wieder durch die Speigatten abfloss. Jedes noch so kleine Detail hatte tatsächlich seine Daseinsberechtigung.

Das Land hinter uns war zu einer verschwommenen grünlichen Linie verblasst, vor uns nichts als Meerwasser mit weißen Schaumkronen. Plötzlich hatte ich das unbezwingbare Bedürfnis zu singen.

»Wenn wir erklimmen schwindelnde Höhen, steigen dem Gipfelkreuz zu«, sang ich. »In unser'n Herzen brennt eine Sehnsucht, die lässt uns nimmermehr in Ruh'.«

»Herrliche Berge, sonnige Höhen, Bergvagabunden sind wir, ja wir«, fiel Jack mit kräftiger Stimme ein. Er kannte das Lied offensichtlich. Meine Schwester konnte sogar die zweite Stimme. Zu den düsteren Kapiteln unserer gemeinsamen Kindheit hatte es gehört, mit der ganzen Familie in die österreichischen Alpen zu fahren und bergab, bergauf deutsches Volksliedergut zu singen, begleitet vom Mundharmonikaspiel meiner Mutter.

»Mit Seil und Hacken, den Tod im Nacken, hängen wir

an der steilen Wand. Herzen erglühen, Edelweiß blühen, vorbei geht's mit sicherer Hand«, sangen wir voller Inbrunst. Bei der Stelle mit den erglühenden Herzen sah ich Stefan an, der etwas unbehaglich in seinen hochgeklappten Kragen griemelte. Wahrscheinlich hatte er immer Urlaub an der See machen dürfen, und Bergsteigerhymnen waren ihm völlig fremd. Egal!

»Fels ist bezwungen, frei atmen die Lungen, ach, wie schön ist die Welt«, schmetterte ich. Ach, wie sprach es mir aus dem Herzen! Der Wind blähte unsere prächtigen Segel und wehte uns das Haar aus dem Gesicht, die Sonne brach durch die Wolken, und das Meerwasser wurde für einen Augenblick strahlendblau. »Handschlag, ein Lächeln, Mühen vergessen, alles aufs beste bestellt! Beim Alpenglühen heimwärts wir ziehen, Berge, die leuchten so rot.«

»Sehr viele Strophen«, sagte Stefan, als wir schließlich atemlos innehielten. Er räusperte sich und stimmte zu unser aller Überraschung ebenfalls ein Liedchen an. »Gischtende Brandung am tückischen Riff, strudelnde Wasser mich umlauern, allen Gefahren trotzt mein Schiff. Hei, wie wir fliegen durch die Flut.«

Hier stockte er verlegen. »Wie's weitergeht, weiß ich leider nicht.«

Hei, dieser Mensch steckte wirklich voller Überraschungen.

Am frühen Nachmittag tauchte die Fehmarnsundbrücke vor uns am Horizont auf. Von unserem Bruderschiff hatten wir schon seit Stunden nicht mal mehr eine Segelspitze gesehen. Wir vermuteten, dass sie einen völlig anderen Kurs gewählt hatten. Der Wind legte noch ein wenig zu, und das Boot lag jetzt so stark auf der Seite, dass die Speigatten auf der Leeseite permanenten Wasserkontakt hatten. Es war herrlich.

Stefan hatte uns abwechselnd das Ruder führen lassen, und zweimal hatten wir auch gewendet. In der Praxis verlief das ein wenig hektischer als bei den morgendlichen Trockenübungen, aber es machte unheimlich viel Spaß.

Das Land kam nur langsam näher. Stefan ließ uns die Segel bergen – das meiste machte er wieder selber – und warf den Motor an. Dann übernahm er das Ruder für unseren allerersten Anleger.

Als wir langsam in den Yachthafen von Burgtiefe tuckerten, erlebten wir eine böse Überraschung. Es gab nicht einen einzigen freien Liegeplatz, der Hafen war mit kleinen und größeren Segelyachten überfüllt. Manche von ihnen hatten im Päckchen festgemacht und versperrten einen Teil der Zufahrten.

»Morgen startet hier eine Regatta«, mutmaßte Stefan. »Denn sonst ist hier um diese Jahreszeit ziemlich tote Hose. Es hilft nichts, wir müssen außen an den Pollern festmachen. Das wird allerdings ein bisschen schwieriger. Rebecca und Jack, ihr hängt alle Fender nach Steuerbord und verhindert, dass das Boot Schaden nimmt. Jack übernimmt die Heckleine, Judith springt mit der Vorleine über und macht das Boot erst mal fest. Alles klar?«

»Nicht so ganz«, sagte ich, aber auf mich hörte keiner.

Die besagten Poller kamen rasch näher. Es waren runde Holzpfähle von maximal Gummistiefelbreite. Sie ragten mindestens anderthalb Meter aus dem Wasser und sahen nass und glitschig aus.

»Jetzt wird's ernst«, sagte Stefan. Es sah aus, als wolle

das Boot die Poller rammen, aber mit einer geschickten Steuerbewegung brachte Stefan es dazu, seitlich abzudrehen. Rebecca und Jack hetzten mit den Fendern hin und her, ich blieb unschlüssig mit der Leine in der Hand an der Reling stehen und starrte auf das brodelnde Wasser. Ausgerechnet jetzt musste ich an meinen Sprung in den Rhein denken. Meine Knie gaben nach, ich konnte kaum noch aufrecht stehen.

»Worauf wartest du noch, Judith? Näher kommen wir nicht mehr ran. Spring!«, schrie Stefan.

Ich wusste, es war der reinste Selbstmord. Aber weil ich Stefan um nichts in der Welt enttäuschen wollte, stellte ich einen Gummistiefel auf die Reling und stieß mich mit dem anderen kräftig ab. Zu meinem Erstaunen und obwohl ich die Augen fest geschlossen hielt, landete ich unversehrt auf den Pollern.

»Festmachen!«, schrie Stefan.

Ich schlang das Seil um einen der Pfosten und warf das andere Ende Rebecca zu. Jack machte das Gleiche mit der hinteren Leine. Dann erst wurde mir bewusst, wo ich stand. Auf einer Reihe glitschiger Poller – nichts, woran man sich festhalten konnte, links und rechts windgepeitschtes Meerwasser.

»Hilfe!«, rief ich, aber die anderen waren zu sehr damit beschäftigt, das Boot festzumachen. Fünf, sechs Schritte hätten genügt, und ich hätte mich an der Reling festklammern können. Aber ich war nicht mal zu einem Augenklimpern fähig. Ich fürchtete, jede noch so kleine Bewegung würde mich aus dem Gleichgewicht bringen.

Da stand ich nun, umgeben von der tosenden Nordsee, von der Welt vergessen. Es dauerte eine halbe Ewigkeit, bis Jack zu mir herüberblickte.

»Komm, Maus, wir trinken ein Anlegerbier«, rief er. »Das haben wir uns jetzt wirklich verdient.«

Ich wagte es nicht, den Kopf zu schütteln.

»Hilfe!«, flüsterte ich, aber da hatte er sich schon umgewandt, um das Bier aus dem Kühlschrank zu holen. Ich blieb allein auf den Pollern zurück und wiegte mich im Wind. Allmählich kroch Verzweiflung in mir hoch.

»Judith, wir warten«, rief Rebecca. »Sei nicht so eitel. Die Sonne scheint morgen auch noch!«

Meine Verzweiflung schlug in Wut um. Sie glaubte wohl, ich stünde auf den Pollern, um mein Gesicht in die spärliche Nachmittagssonne zu halten, die durch die Wolken brach. Lächerlich!

»Hey, ihr da!«, schrie ich. »Soll ich hier draußen übernachten?«

Drei erstaunte Köpfe hoben sich aus dem Niedergang.

»Komm doch!«, sagte Stefan.

»Sehr witzig!«, fauchte ich. »Meinst du vielleicht, ich stehe freiwillig hier?«

»Oh, das Gesicht kenne ich«, sagte Rebecca. »Das hatte sie als Kind auch manchmal. Dann saß sie einen halben Tag auf einem Baum und hat sich nicht mehr runtergetraut.«

»Warum?«, wollte Stefan wissen.

»Weil ihr immer erst ganz oben eingefallen ist, dass sie ja eigentlich Höhenangst hat. Meine Mutter hat gesagt, lasst sie ruhig oben. Wenn sie Hunger hat, kommt sie schon von allein herunter.«

»Und?«

Rebecca lachte. »Meistens musste einer von uns hochklettern und sie runterholen. Aber einmal ist sie auch von allein runtergekommen.«

»Und dabei habe ich mir das Bein gebrochen«, ergänzte ich bitterböse.

»Ich hole dich«, mischte sich Stefan ein. Er hatte offensichtlich den Ernst der Lage begriffen.

Jacks und Rebeccas Köpfe verschwanden wieder im Niedergang. Stefan sprang mit einem Satz über die Reling. Mit wenigen Schritten war er bei mir.

»So, und jetzt?«, fragte er.

Trag mich, hätte ich am liebsten gesagt, aber das ging natürlich zu weit. Peinlich berührt senkte ich den Kopf und starrte auf meine Gummistiefel. Im gleichen Augenblick fühlte ich Stefans Arme. Erleichtert ließ ich mich an seine Brust ziehen.

»Ist doch nicht schlimm«, murmelte er in mein Haar und streichelte mir über den Rücken. Ich sagte gar nichts, ich wollte den Augenblick nur so lange wie möglich auskosten.

Leider wurde unsere Umarmung jäh durch das Auftauchen der *True Love* gestört. Die gesamte Besatzung war immer noch in die blendend orangefarbenen Schwimmwesten gekleidet, von weitem leuchtete der Windgeräuscheschlucker von Heinrichs Videokamera. Da auch für sie im Hafen kein Platz mehr war, mussten sie neben uns an den Pollern anlegen. Sie hatten es einfacher als wir, weil sie Jack und Stefan ihre Leinen herüberwerfen konnten und das Boot festgemacht wurde, ohne dass jemand einen Sprung auf die gefährlichen Poller wagen musste.

»Es ist sechzehn Uhr dreiundzwanzig«, sagte Heinrich in seinen Puschel. »Wir haben soeben in Burgtiefe angelegt. Mami, du bist im Bild. Sag mal was!«

Ursel winkte vorwitzig in die Kamera. »Huhu! Ich bin froh, dass wir gut angekommen sind, Papi. Es war eine anstrengende Überfahrt. Wir haben auch einen Kranken zu beklagen. Unseren Dirk.«

»Was hat er denn?«, rief Rebecca hinüber. »Und wo ist er?«

»Er musste die ganze Zeit göbeln. Sich übergeben. Rückwärts frühstücken. Erbrechen.« Bernie kotzte pantomimisch über die Reling. »Jetzt liegt er in seiner Koje.«

»Armer Dirk«, sagte Rebecca.

»Arme Rebecca«, fügte ich hämisch hinzu. Ihre Romanze schien unter keinem guten Stern zu stehen.

Wenn man es schaffte, etwa dreißig Meter auf den Pollern entlangzumarschieren – ich schaffte es, wenn mich jemand an der Hand führte und ein anderer gleichzeitig meine Kapuze festhielt –, konnte man am Ende der Reihe problemlos auf einen der Stege klettern. Von dort war es nicht mehr weit bis zu den Toiletten und Duschen. Auch ein paar Läden, Kneipen und Restaurants gab es.

Jack, Rebecca und ich schlugen vor, heute ausnahmsweise noch einmal essen zu gehen, aber Stefan blickte auf seinen großen Plan und zeigte mit dem Finger auf Rebecca: »Du bist heute der Smut, Jack dein Smutje.«

Smut und Smutje sahen ausgesprochen unlustig aus. Sie verzögerten den Beginn der Aktion bewusst, indem sie uns zunächst in ein Doppelkopfspiel verwickelten. Vom Nachbarboot wehte ein köstlicher Duft herüber, und Ursel, die kam, um sich unsere Auflaufform auszuleihen, erklärte uns bereitwillig die Menüfolge. Zuerst eine Brokkolicremesuppe, dann Lasagne und zum Nachtisch Schokoladenpudding.

»In Windeseile zubereitet«, sagte sie. »Was eine echte Hausfrau ist…«

Stefan und ich sahen ihr hungrig nach.

»Na gut«, seufzte Rebecca und erhob sich. »Komm, Jack, wir gucken mal, was wir aus unseren Vorräten so zaubern können. Was Rosi kann, können wir auch.«

»Ursel!«, verbesserten wir im Chor.

Eine halbe Stunde später gab es Tortellini mit einer klebrigen Tomatensoße, dazu Tomatensalat mit versalzenem Dressing.

»Na ja, der Hunger treibt's rein«, sagte Stefan, aber es blieb trotzdem jede Menge übrig. Stefan schlug vor, es an die Enten zu verfüttern. Ich bot sogleich an, ihm dabei zu helfen.

Hand in Hand balancierten wir mit dem Topf über die Poller. Von der *True Love* leuchtete uns der bekannte Windpuschel entgegen.

»Es ist neunzehn Uhr fünfzehn«, sagte Heinrich. »Soeben kommen Stefan und Judith vom Nachbarboot herüber. Na, Judith, du bist im Bild, sag mal was!«

»Ist das etwa eine Videokamera?«, fragte ich.

Stefan wollte dem kranken Dirk einen kurzen Besuch abstatten. Bernie hatte ihm in der Apotheke von Burgtiefe ein Mittel gegen Seekrankheit besorgt, und jetzt saß Dirk im Salon, leichenblass zwar, aber immerhin aufrecht. Es roch sehr lecker nach Lasagne, aber er hatte nichts davon essen können.

»Dirk, du bist im Bild, sag mal was!«, forderte ihn Heinrich munter auf.

»Mir ist schlecht«, sagte Dirk.

»Es ist Viertel nach sieben, Zeit für unser Quiz«, rief Ursel aus und klatschte begeistert in die Hände. Zu mir

242

sagte sie: »Wir wollen das mit dem Lernen ganz spielerisch angehen. Du darfst gerne mitmachen.«

Heinrich schaltete seine Kamera ab. »Gut, dann fangen wir heute mit Bernie an. Bernie, wann muss die Kraftstoffanlage eines Dieselmotors entlüftet werden, und worauf ist vor dem Starten zu achten?«

»Ich muss telefonieren«, erwiderte Bernie ziemlich unfreundlich und schob sich mit dem Handy an uns vorbei an Deck.

»Gut, wie du willst. Null Punkte für Bernie. Mami, hast du das?«

Ja, Ursel hatte alles sorgsam auf einem Zettel notiert.

»Also, dann geht die Frage weiter an Dirk.«

»Ich weiß es nicht«, flüsterte Dirk matt.

»Denk noch mal genau nach, Dirk!«, versuchte Ursel ihn aufzumuntern. »Du weißt es bestimmt!«

Aber Dirk wusste es wirklich nicht und bekam ebenfalls null Punkte. Die Frage ging weiter an Ursel, und die konnte wie immer Antwort und Fragenummer herunterschnurren. Dafür gab es noch einen Extrapunkt.

»Wo ist eigentlich Hannes?«, fragte ich.

Hannes sei sich die Beine vertreten, sagte Heinrich und wollte dann von mir wissen, wie ich mich bei einem Takelagenbruch verhalten müsse, wenn ich auf Fahrt sei.

»Ich muss ausweichen«, sagte ich schnell, kassierte aber null Punkte für diese Antwort.

»Tja, wir müssen jetzt die Enten füttern«, erinnerte sich Stefan und zog mich den Niedergang hinauf.

»Die spinnen doch«, sagte ich, kaum dass wir außer Hörweite waren.

»Ja, aber kulinarisch betrachtet haben sie das bessere Boot«, meinte Stefan melancholisch und wedelte mit seiner Hand in der Luft herum. »Putt, putt, putt! Putt, putt!«

Sogleich kamen ein großer Schwan und mehrere Enten herbeigeschwommen. »Seht mal, was wir hier Leckeres für euch haben!«

Ich warf ein Tortellini ins Wasser. Der Schwan würdigte es keines Blickes. Eine Ente schnupperte immerhin daran. Die gefüllte Nudel ging unter.

»Ich glaube, das mögen sie nicht«, sagte ich. »Genau wie wir. Versuch's mal mit dem Tomatensalat.«

Aber auch den mochten die verwöhnten Federviecher nicht. Obwohl wir sie regelrecht mit den Tomatenstücken bewarfen.

»Wie schön deine Haare im Abendlicht glänzen«, sagte Stefan plötzlich, und ich zuckte zusammen. »Als ich dich das erste Mal gesehen habe, dachte ich, du wärst rothaarig.«

»Damals war ich ja auch rothaarig«, erwiderte ich.

Wir schwiegen eine Weile.

»Hör mal«, sagte Stefan schließlich. »Wegen vorhin, da auf dem Poller ...«

Ich sah ihn erwartungsvoll an.

»Da ... ähm ... da hatte ich mich nicht so ganz unter Kontrolle.«

»Nicht?«, fragte ich entzückt.

Stefan schüttelte den Kopf. »Wie du ja weißt, bin ich mit Angela zusammen. Ich schlage daher vor, wir tun so, als sei nichts passiert. In Ordnung?«

»Es ist ja auch nichts passiert«, sagte ich. Ich war enttäuscht. Wie uncool von Stefan. Es war ja nicht so, dass er mir die Kleider vom Leib gerissen und mich rücklings auf die Poller geworfen hätte!

Ich warf ein weiteres Tomatenstückchen nach den Enten.

»Also, geht das klar?«, fragte Stefan.

Indigniert zog ich eine Augenbraue hoch. »Geht klar – Mucki«, sagte ich dann.

Stefan wurde rot. Vielleicht war es aber auch nur der Widerschein der Abendsonne, die soeben im Meer versank.

Billes geheimes Tagebuch

17. MAI.

Habe gerade wieder bei Angela angerufen und gesagt, sie möge doch bitte noch eine Palette Büchsenbier mitbringen, wenn sie kommt. Das Zeug sei schon fast alle, habe Stefan gesagt. Ach ja, und schöne Grüße.

Wieso bringst du das nicht selber mit?, wollte Angela wissen. Ganz doof ist sie ja nicht. Du, Rosi und Fred, ihr fahrt doch am Samstag schon.

Wir bringen ja schon vier Paletten mit, sagte ich, was übrigens auch der Wahrheit entspricht. Die scheinen zu saufen wie die Löcher. Aber bis du kommst, sagte ich, brauchen wir wieder Nachschub, meint Stefan.

Kannst du mir mal sagen, wieso er immer bei dir anruft und nicht bei mir?, fragte Angela böse. Er weiß ganz genau, dass ich am Montag eine schwere Klausur schreibe. Deshalb finde ich es ziemlich unverschämt, mich über Dritte mit seinem dämlichen Bier zu belästigen.

So ist er eben, unser Stefan, sagte ich. Seine Freundinnen kommen für ihn immer an letzter Stelle. Und um dem Ganzen die Krone aufzusetzen, setzte ich hinzu, dass Angela nicht die erste Frau sei, die das feststelle. Als sie den Hörer aufknallte, hörte es sich an, als sei das Telefon für immer hinüber.

Von B. seit Tagen nichts gehört. Außer der Klospülung. Hoffe, ihm für immer das Maul gestopft zu haben.

Hatte mir nämlich ebenfalls eine Aufstellung aller während unserer Beziehung von mir geleisteten Dienste erlaubt und in seinen Briefkasten geworfen. Übertraf seine Gesamtschadensersatzforderung von einhundertundfünftausend Mark und siebzig Pfennig um drei Millionen Mark (abgerundet). Vor allem die sexuellen Dienstleistungen hatten es preislich in sich. Kenne mich auf dem freien Markt nicht so gut aus, musste mich daher auf die Angaben von Luc, dem Callboy mit den vierundzwanzig Zentimetern, berufen. Habe pro Nacht fünfhundert Mark berechnet, genau wie Luc, war aber dabei BEDEUTEND fairer. Die Nächte, in denen ich einfach nur so dagelegen habe, waren kostenfrei. Vermute aber, B. wird mein Entgegenkommen nicht zu schätzen wissen.

12

»**Steeeeeeh auf!**«, sang Marius Müller-Westernhagen direkt in mein Ohr. »Steh endlich auf!« In meinem Traum stand er wieder in der Kabinentüre und lächelte. Heute galt sein Weckruf mir, ich war der Tagesnavigator und musste mir den Wetterbericht anhören. Also kletterte ich über Rebecca hinweg durch die perfekt verdunkelte Kabine hinaus in den Salon, gerade noch rechtzeitig, um Stefans Rückenansicht durch den Niedergang verschwinden zu sehen.

Stefan schien es eilig zu haben, seine erste Morgenzigarette zu rauchen. Möglich war aber auch, dass er sich mit seinem Kontaktmann traf, vielleicht sogar, um ihm das ominöse Paket zu übergeben. Ich überlegte nicht lange, schlüpfte in meine Gummistiefel, zog die Segeljacke mit Mos Smith-&-Wesson in der Tasche über und folgte Stefan an Deck. Ich sah ihn bereits zügig den Steg hinaufgehen. War da nicht eine Ausbeulung im Anorak zu erkennen?

Aha, dachte ich, das Ei fällt also ins Nest. Heute ist es schon so weit. Aber ich war ja auch noch da. Den frühen Vogel fängt die Katze, haha! Wie genau, wusste ich zwar noch nicht, aber das konnte ich ja immer noch spontan entscheiden. Ich umklammerte den Knauf meiner

Pistole in der Jackentasche und folgte Stefan in einiger Entfernung durch das klare Morgenlicht.

Im Osten war der Horizont rosigrot eingefärbt.

»Morgenrot, schlecht Wetter droht«, sagte ich zu mir selber, und da fiel mir der Wetterbericht wieder ein, den ich eigentlich jetzt gerade hören und ins Logbuch eintragen sollte. Na, egal, das hier war auf jeden Fall wichtiger.

Auf den meisten Booten herrschte noch Ruhe, aber hier und da stand jemand an Deck und musterte irritiert meine Aufmachung. Dabei sah ich bis auf die Schlafanzughose völlig normal aus. Und die Hose war echt niedlich: Himmelblaue Baumwolle, bedruckt mit weißen Schäfchen – da gab es überhaupt nichts zu grinsen. Ich sah auf keinen Fall komischer aus als die beiden Dackel auf der Motoryacht namens *Rintintin* zwei Boxen weiter. Die trugen nämlich allen Ernstes Schwimmwesten.

Stefan verschwand in der Herrentoilette. Hinter einem Altglascontainer versteckt, wartete ich bis er wieder herauskam. Ja, da war ganz klar eine Ausbeulung in der Jacke zu erkennen. Er schwenkte gleich neben der Herrentoilette in die Herrenwaschräume ein. Unschlüssig blieb ich hinter dem Glascontainer stehen, dann schlich ich mich bis zur Tür. Was, wenn die Übergabe dort drinnen stattfand?

»Das ist die Herrendusche, junge Frau«, sagte eine Männerstimme hinter mir. »Die Damen sind eine Tür weiter.«

»Ach tatsächlich?« Ich versuchte ein Lachen. »Vielen Dank – ohne meine Kontaktlinsen bin ich praktisch blind.«

»Keine Ursache«, sagte der Mann und verschwand

durch die Tür. Konnte das der Kontaktmann gewesen sein?

Ich kam auf die Idee, auf der Rückseite des Gebäudes nach einem Fenster zu suchen, durch das ich das Geschehen beobachten konnte. Tatsächlich fand ich hinter dem Haus, in einer öden Ecke mit Mülltonnen, Stapeln von Holzpaletten und aufgeweichten Pappkisten, mehrere geöffnete Luken in der Mauer, allerdings in etwa zwei Meter Höhe. Es war mir auch durch kraftvolles Auf- und Abhopsen nicht möglich, einen Blick hindurchzuwerfen, zumal ich Gummistiefel trug. Aber zum Glück stand eine bis an den Rand gefüllte Regentonne in der Nähe, und ansonsten keine Menschenseele weit und breit, die mein Tun beobachten konnte. Die Tonne umkippen, entleeren und vor die Wand rollen war eins. In den Gummistiefeln war es eine ziemlich wackelige Angelegenheit hinaufzuklettern, besonders für jemanden, der nicht schwindelfrei ist, aber ich stützte mich mit beiden Händen an den rauhen Ziegeln ab und versuchte, nicht nach unten zu schauen. Endlich stand ich aufrecht und genau in der richtigen Höhe, um durch die Oberlichter hineinsehen zu können.

An der Rückseite der Wand genau unter mir befand sich der Münzautomat für die Duschen. Ich konnte einem fast nackten Mann auf den Scheitel schauen, als er seine Mark einwarf und in einer Duschkabine verschwand. Aus einer anderen Kabine erklang lauter Gesang.

»Yeah, yeah! Seit ich mit Doof dusche, fühlt sich meine Haut vie-hiel za-harter an, yeah, yeah!«

An einem der Waschbecken stand Heinrich und putzte sich im Rhythmus des Gesangs die Zähne. Glücklicherweise war er angezogen. Stefan konnte ich nirgendwo entdecken. Vielleicht fand die Übergabe in einer der Duschen statt – da konnte sie niemand beobachten, nicht einmal ich von meinem luftigen Standort.

Der Gesang verstummte plötzlich.

»So ein verfluchter Mist«, rief es aus der Dusche. »Schon wieder aus! Wieviel Tropfen Wasser bekommt man hier für eine Mark?«

Ein von Kopf bis Fuß eingeschäumter Mann schlitterte fluchend über die Fliesen. Es war Bernie. »Hat jemand noch eine Mark für mich?«

»Ich müsste eine haben«, sagte Heinrich und wühlte in seinem Kulturbeutel.

Bernie streckte die eingeschäumte Hand aus. »Danke, Mann.«

Heinrich hatte die Mark gefunden und hielt sie dem nackten Bernie entgegen. »Vorher aber beantworte mir folgende Frage: Welche Möglichkeiten gibt es, einen Sturm abzuwettern, wenn es nicht gelingt, rechtzeitig einen Hafen oder einen geschützten Ankerplatz zu erreichen?«

»Gib schon her!«, knurrte Bernie.

»Nein, nein. Erst die Frage beantworten. Komm schon, Bernie, du weißt es!« Heinrich hielt ihm aufmunternd das Geldstück hin.

»Leck mich«, knurrte Bernie und fegte, Schaumflocken hinter sich herstiebend, in seine Duschkabine zurück.

»Bernie!«, rief Heinrich. »Ich dachte, du wolltest eine Mark haben!«

»Ich verzichte!«, rief Bernie aus seiner Kabine.

»Dann eben nicht.« Heinrich steckte die Mark zurück

in seinen Kulturbeutel und widmete sich der Pflege seines Bartes. Dabei murmelte er vor sich hin: »Bernie null Punkte.«

Jetzt hörte die Dusche in der Mitte auf zu rauschen. Es dauerte eine kleine Weile, dann kam Stefan heraus, in Unterhose und T-Shirt, leider. Ich verrenkte mir beinahe den Hals, konnte aber keine zweite Person in der Duschkabine ausmachen. Stefan stellte sich neben Heinrich und begann sich zu rasieren.

Mir kam der schreckliche Gedanke, dass die Ausbeulung seiner Jacke von seinem Kulturbeutel verursacht worden sein konnte. Ja, das war sogar sehr wahrscheinlich. Plötzlich fühlte ich mich ziemlich dämlich auf der Regentonne, die Nase am gekippten Fenster. Pfui, was tat ich hier eigentlich?

Vorsichtig ließ ich mich wieder hinab. Nicht auszudenken, was passieren würde, wenn die Tonne mit einem Knall umfiele und man mich der Spannerei überführte. Aber ich hatte Glück. Unbemerkt konnte ich meinen Spähposten verlassen und zum Schiff zurücklaufen.

Dort waren Jack und Rebecca dabei, das Frühstück zu richten. Es roch nach frisch aufgebrühtem Kaffee.

»Na, wie wird das Wetter?«, fragte Jack.

»Das Wetter?«, wiederholte ich. Das Wetter! Es gab nur noch eine Möglichkeit für mich, es herauszufinden. Immer noch im Schlafanzug, unser Logbuch unterm Arm, kletterte ich hinüber auf unser Bruderschiff.

»Wer von euch hat heute morgen den Wetterbericht gehört?«, fragte ich. Nur Ursel, Hannes und Dirk waren an Bord, die anderen, das wusste ich ja, befanden sich in den Waschräumen.

»Ich«, sagte Dirk. »Obwohl mir schlecht war.«

»Wir sind hier eine kleine Gemeinschaft, in der jeder seine Aufgaben zu übernehmen hat«, sagte Ursel.

»Netter Schlafanzug«, bemerkte Hannes.

»Könntet ihr mir vielleicht mal euer Logbuch leihen? Ich möchte eure Daten mit meinen vergleichen. Unser Radio hatte irgendwie eine Störung!«

»Eine Störung?«, fragte Ursel misstrauisch. Aber Dirk reichte mir schon das Logbuch herüber. Erleichtert begann ich die Daten zu übertragen.

Ursel schaute mir über die Schulter. »Aber da steht ja gar nichts drin.«

»Ich sagte doch, das Radio war kaputt.«

»Ich weiß nicht, was wir davon halten sollen«, sagte Ursel. »Abschreiben ist sicher nicht Sinn und Ziel dieses Ausbildungstörns. Wir sollen hier schließlich etwas lernen. Man bekommt den Eindruck, dass das Lernen auf eurem Boot etwas zu kurz kommt.«

Ich gab keine Antwort, sondern schrieb eifrig. Dirk entfuhr ein leiser Seufzer.

»Wirken die Tabletten denn nicht?«, fragte ich.

»Nee.« Dirk schüttelte den Kopf. »Und überhaupt. Ich hatte mir das alles irgendwie anders vorgestellt.« Er warf einen vielsagenden Blick auf Ursel.

»Verstehe«, sagte ich und warf ebenfalls einen vielsagenden Blick auf Ursel.

»Dirk, hast du deinen Schlafsack schon gelüftet?«, fragte die.

Dirk schüttelte den Kopf.

»Dann wird es aber höchste Zeit«, kommandierte Ursel. »Hopp, hopp! Nur keine Übelkeit vorschützen. Und du, Judith, ich will dich ja nicht rauswerfen, aber du störst mich beim Tischdecken.«

»Ich bin sowieso fertig«, erwiderte ich und verdrückte mich eiligst. Dirk sah mir wehleidig hinterher.

»Die spinnen da drüben«, sagte ich, als ich mich erleichtert in unserem eigenen Salon wiederfand.

»Ja, aber kulinarisch haben sie das bessere Boot erwischt«, sagte Stefan, der frisch rasiert am Tisch saß. »Hast du den Wetterbericht aufgeschrieben?«

»Na klar«, verkündete ich mit einem Lächeln.

Trotz des Morgenrots wurde es ein wunderbarer Tag. Die Sonne schien, ein frischer Wind wehte, und wir beeilten uns mit dem Frühstück, um das schöne Wetter möglichst ausgiebig zu nutzen. Als wir startklar waren, legte man auf unserem Bruderschiff gerade die orangeroten Schwimmwesten an. Diesmal hielt Ursel das Ganze mit der Videokamera fest.

»Was habt ihr vor?«, rief Stefan.

»Wir üben heute An- und Ablegen unter Motor«, erklärte Hannes. Er war als Einziger ohne Schwimmweste. »Auf Wunsch der Mannschaft.«

»Bei *dem* herrlichen Wetter wollt ihr im Hafen bleiben?«

»Alles zu seiner Zeit«, sagte Heinrich. »Wir denken, zuerst muss man das Schiff unter Motor beherrschen, dann erst kann man mit dem eigentlichen Segeln beginnen.«

»Richtig!«, rief Ursel. »So, Papi, du bist im Bild, sag mal was!«

»Heute üben wir Hafenmanöver unter Motor«, sagte Heinrich in die Kamera. »Besonders unser Dirk hier hat noch viel Übung nötig. Nicht wahr, Dirk?«

»Du bist im Bild, Dirk, sag was!«

»Mein Reißverschluss klemmt«, sagte Dirk.

»Kann ich bei euch mitfahren?«, fragte Bernie.

Wir hatten nichts dagegen, aber als Bernie gerade ein Bein über die Reling schwang, ließ Ursel empört die Kamera sinken. »Bernie! Wir haben abgestimmt. Du musst dich der Demokratie unterordnen. Du willst doch kein Kameradenschwein sein, oder?«

»Doch«, sagte Bernie.

»Aber du kannst mich nicht allein hier lassen«, sagte Dirk und sah aus, als würde er gleich in Tränen ausbrechen.

Bernie nahm das Bein wieder zurück. »Tja dann«, sagte er niedergeschlagen.

»Vielleicht ein andermal«, sagte Stefan zu ihm.

Während wir langsam aus der Box herausfuhren, warf ich einen letzten Blick auf unser Bruderschiff.

»Warum tragen die wohl ihre Schwimmwesten?«

Jack lachte. »Ist doch klar: Damit man sie schon von weitem erkennen kann.«

Ich durfte als Erste das Ruder übernehmen. Rebecca, Jack und Stefan setzten noch in der Fahrrinne die Segel, ich brüllte lediglich die entsprechenden Kommandos.

»Alle Segel klar zum Setzen! Setzt die Segel!«

Das Wasser leuchtete mit dem Himmel um die Wette, und kaum dass der Motor aus war und das Boot nur noch vom Wind getrieben durch die Wellen pflügte, war mir wieder nach Singen zumute.

Diesmal fand ich sogar den passenden Text: »Ja, wir sind Piraten und fahren zu Meere, wir fürchten nicht Tod und den Teufel dazu. Wir lachen der Feinde und aller Gefahren, am Grunde des Meeres erst finden wir Ruh'. Heio, heio!«

»Mann über Bord«, rief Stefan, als ich für die nächste Strophe Luft holte.

»Wer ist es?«, fragte ich. Soweit ich erkennen konnte, waren noch alle da.

»Ich habe einen Fender über Bord geworfen«, erklärte Stefan. »Aber wenn der Ruf ›Mann über Bord‹ ertönt, sollte man nicht erst fragen, wer es ist!«

»Ach so!«, sagte ich. Auf dem Rheinauhafen hätte ich jetzt in den Leerlauf schalten müssen, aber der Motor war ja bereits aus. Ich sah mich nach dem Fender um und erspähte ihn weit hinter uns auf den Wellen tanzend.

»Tja«, sagte ich. »Weg ist er.«

»Von wegen«, widersprach Stefan. »Wir holen den jetzt wieder.«

Das war gar nicht so einfach, wie es aussah. Man musste zunächst mehrere Schiffslängen Abstand zwischen das Boot und den abtrünnigen Fender bringen, dann eine Wende fahren und wieder auf den Fender zuhalten. Wenn man ihn fast erreicht hatte, mussten die Segel losgeworfen werden. Dadurch stoppte das Schiff seine Fahrt, und der Fender konnte mit einem langen Hakenstock an Bord genommen werden. Noch schwerer, als alle diese Dinge zum richtigen Zeitpunkt zu tun, waren die Befehle, die man zum richtigen Zeitpunkt ausrufen musste. Aber wir übten das so oft, bis wir die Kommandos sozusagen im Schlaf herunterbeten konnten. Am frühen Nachmittag konnte jeder von uns einwandfreie Boje-über-Bord-Manöver fahren, wir brüllten uns die Kommandos nur so um die Ohren.

»Gut«, gab sich Stefan zufrieden. »So müsst ihr's in der Prüfung machen, genau so!«

Als wir am späten Nachmittag zurück in den Hafen tuckerten, waren wir zwar müde, aber glücklich. Jack hatte Sonnenbrand auf der Nase, Rebecca blaue Flecken am Schienbein und ich blutige Blasen an den Handinnenseiten vom vielen Schotenziehen und -kurbeln. Unser Anlegemanöver klappte wie am Schnürchen, wir waren ein gut eingespieltes Team.

Die *True Love* war noch nicht wieder in der Box. Wir sahen sie aber in einiger Entfernung durch den Hafen motoren, gut erkennbar an den orangeroten Schwimmwesten der Besatzung.

»Die Armen«, sagte Rebecca.

»Ja, aber kulinarisch betrachtet…«, begann Stefan. Dann fiel sein Blick auf meine Hände, die ich mit schmerzverzerrtem Gesicht betastete. Ohne weitere Worte kramte er einen Tiegel Salbe hervor und begann meine Blasen sanft einzureiben. Es brannte zwar ein bisschen, aber diese Zuwendung war so angenehm, dass ich bedauerte, die Blasen nicht an anderen Körperstellen vorweisen zu können. Möglicherweise war es Einbildung, aber es kam mir vor, als würde Stefan meine Hände gründlicher behandeln, als es nötig gewesen wäre. Erst als unser Bruderschiff auf die Nachbarbox zusteuerte, hörte er damit auf.

»Dirk steht am Ruder«, sagte Rebecca mit zusammengekniffenen Augen.

»Auf *den* Anleger bin ich mal gespannt«, meinte Jack. »Schließlich haben die den ganzen Tag nichts anderes geübt.«

Neugierig sahen wir das Boot näher kommen. Ursel stand mit der Vorleine am Bug, bereit zum Überspringen. Bernie und Hannes hatten je eine Achterleine übernommen. Heinrich stand mit der Videokamera auf dem Vordeck und war ansonsten am Geschehen nicht beteiligt.

»Gut, Dirk«, hörten wir Hannes rufen. »Sehr gut, bis jetzt.«

»Dirk, du bist im Bild, sag mal was!«

»Die Vorleine klarmachen«, rief Dirk mit zittriger Stimme.

Ursel schüttelte den Kopf. »Das heißt: Klar bei Vorspring oder Vorleine, kannst du dir das denn nicht merken?«

»Jetzt hackt nicht so auf mir herum«, rief Dirk.

»Ruhig, Dirk, bleib ganz ruhig«, brüllte Hannes und schob sich ein Fisherman's Friend in den Mund. »Bis jetzt läuft doch alles wunderbar.«

»Mami, du bist im Bild, sag mal was!«

»Dirk soll es noch mal richtig sagen«, verlangte Ursel schreiend.

»Dirk, du bist wieder im Bild, sag es noch mal richtig!«

»Ihr macht mich alle nervös«, rief Dirk. »Könnt ihr nicht mal den Mund halten?«

»Los, Dirk, jetzt ist es so weit, runter vom Gas, langsam in die Box einschwenken«, hörten wir Hannes. »Ja, genau so. Siehst du, es klappt doch. Und jetzt aufstoppen. Rückwärtsgang rein, ja! Ursel, warum springst du nicht?«

»Mir hat niemand gesagt, dass ich springen soll!«

»Dann sag' ich es dir jetzt!« Das Boot driftete langsam wieder vom Steg weg.

»Es heißt, Vorleine an Land«, rief Ursel beleidigt. »Und jetzt ist es wohl zu spät.«

»Blöde Kuh!«, knurrte Bernie gut hörbar vom Heck.

257

»Gut, dann machen wir das noch einmal«, verlangte Hannes. »Dirk, du hast das sehr gut gemacht. Langsam raus aus der Box und noch einmal anfahren.«

»Und diesmal bitte die richtigen Kommandos zur richtigen Zeit«, schrie Ursel.

»Dirk, du bist im Bild, sag was!«

Statt einer Antwort legte Dirk den Vorwärtsgang ein. Das Boot machte einen gewaltigen Satz nach vorne und rammte den Steg. Heinrich konnte sich gerade noch an den Wanten festhalten, sonst wäre er hingefallen.

Bernie warf geistesgegenwärtig die Heckleine über den Poller und rief: »Passt genau!«

Der Wind hielt das Boot vor den Steg gedrückt, die Fender hatten eine Kollision mit den Nachbarbooten verhindert. Trotzdem schlug sich Dirk die Hände vor die Augen.

»Ich will nach Hause«, jammerte er.

Weil Ursel immer noch bockig auf den entsprechenden Befehl wartete, nahmen wir ihr die Vorleine aus der Hand und machten das Boot fest. So wie es aussah, waren bei dem Zusammenstoß bis auf eine kleine Kerbe im Bootsrumpf keine größeren Schäden entstanden. Dirk hielt weiter die Hände vors Gesicht geschlagen, während Ursel, Heinrich und Hannes auf ihn einredeten. Bernie stahl sich unauffällig von Bord und setzte sich telefonierenderweise auf einen Poller.

»Es ist die Hölle, Mausi«, hörte ich ihn sagen. »Hier kann man wirklich zum Mörder werden.«

»Auf dem Boot würde ich auch durchdrehen«, flüsterte Rebecca mir zu. »Aber trotzdem, Dirk ist nicht gerade ein Naturtalent. Oder?«

»Wenigstens ist er nicht mehr seekrank«, flüsterte ich zurück, aber das schien Rebecca auch nicht zu trösten.

Offensichtlich verlor Dirk in ihren Augen mehr und mehr von seinem Sex-Appeal.

Auch in den nächsten Tagen besserte sich die Lage nicht wesentlich. Auf der *Werwolf* herrschte Tag und Nacht allerbeste Stimmung, auf der *True Love* war man zutiefst deprimiert. Vor allem Dirk. Die Bordregeln, die Heinrich und Ursel aufgestellt hatten, erschwerten ein Treffen mit den Crewmitgliedern des Bruderschiffes außerhalb der festgelegten Zeiten immens, an ein romantisches Tête-à-tête war gar nicht zu denken.

Um sechs Uhr wurde zu Abend gegessen, anschließend wurde das BR-Schein-Quiz gespielt, dann ging es zum Waschen und Zähneputzen in die Waschräume. Punkt zehn Uhr wurden die Schotten dichtgemacht. Hannes, Bernie und Dirk versuchten zwar mehrfach, längeren Ausgang zu erwirken, aber wenn sie sich nach zehn Uhr an Bord schlichen, erwachte Ursel und hielt ihnen eine Standpauke zum Thema Rücksichtslosigkeit und Egoismus, die ihnen tagelang Gewissensbisse verursachte.

»Du und Dirk, ihr könntet euch doch in Burgtiefe ein Hotelzimmer nehmen«, schlug ich Rebecca vor, aber sie sagte, das sei zu teuer. Ich vermutete, dass es ihr im Grunde gar nicht so unlieb war, die Sache noch etwas aufzuschieben. Ihre Laune jedenfalls war trotz allem blendend. Auch zu viert, wenn die Mannschaft des Bruderschiffes längst schlief, amüsierten wir uns prächtig.

Tagsüber übten wir vor der Insel Wenden, Halsen und Mann-über-Bord-Manöver. Einmal umrundeten wir in einem Tag die ganze Insel. Dabei wurden wir immer besser, schneller und sicherer.

Unser Bruderschiff dagegen übte noch einen ganzen Tag lang Hafenmanöver und wagte sich erst am übernächsten Tag wieder aufs Meer hinaus, und auch dann stets in Strandnähe. Wir erkannten sie von weitem an den orangeroten Schwimmwesten am Heck.

»Da ist sie wieder, die *Theorie 1*«, sagte Jack zum Beispiel, wenn er die *True Love* durch das Fernglas gesichtet hatte. »Meine Güte, die stehen ja fast. Unser Bruderschiff, das Ruderschiff.«

»Aber kulinarisch betrachtet sind sie das bessere Boot«, sagte Stefan dann, und wir widersprachen ihm nicht. Seit Jack und ich ein widerlich pampiges Gericht aus Paprikastückchen, Zwiebeln und roten Bohnen aus der Dose gekocht hatten, das wir hochtrabend Chili con carne genannt hatten, hatte Stefan beschlossen, dass es doch besser sei, künftig auswärts zu essen.

»Diesen Fraß kann man nicht mal den Schwänen zumuten«, sagte er. »Ganz zu schweigen von meiner Magenschleimhaut. Ich wundere mich ohnehin, dass ich bis jetzt noch keine Magenverstimmung hatte – bei dem Stress hätte ich längst flachliegen müssen.«

Wir probierten an jedem Abend ein anderes Restaurant in Burgtiefe aus und ließen unsere Konserven ungenutzt. Es war zwar bedeutend teurer, als sich selbst zu verpflegen, aber es lohnte sich.

»Allein des Spülens wegen«, meinte Rebecca zufrieden. »Und außerdem riecht es bei uns nie nach Essen.«

Jeden Morgen schliefen wir ein bisschen länger – nicht einmal der Wetterbericht konnte uns aus dem Schlafsack scheuchen. Es war kein Problem, die Wettervorhersage aus dem Logbuch der *True Love* abzuschreiben. Ursel und Heinrich wären empört gewesen, hätten sie davon erfahren, aber Dirk und Bernie schmuggelten das Logbuch allmorgendlich heimlich zu uns herüber. Das war ihre Art, gegen das strenge Regime zu rebellieren. Sie bekamen dafür Dosenbier und Lila Pausen von uns, beides Köstlichkeiten, die aus gesundheitlichen Gründen auf der *True Love* verboten waren.

Unser Biervorrat schmolz rapide dahin. Aber nicht nur die Männer waren dafür verantwortlich. Zu unserer Schande muss ich gestehen, dass wir Frauen ordentlich mittranken, Ursel natürlich ausgenommen. Und wenn in diesen Tagen jemand über das Deck taumelte, dann war es nicht Jack, sondern meistens ich. Vor allem in Gummistiefeln hatte ich nach zwei Dosen Bier meinen Gleichgewichtssinn einfach nicht mehr unter Kontrolle.

Stefan behielt ich natürlich trotzdem jederzeit scharf im Auge, aber bis jetzt hatte er sich meines Wissens mit keinem Kontaktmann getroffen. Er verhielt sich völlig unverdächtig, nicht wie jemand, der Kokain im Wert von zigtausenden in seiner Lade versteckt hielt. Das Paket lag noch an seinem Platz, ich schaute zur Sicherheit jeden Tag nach. Es war schon seltsam: Sosehr ich diesen Nervenkitzel anfangs auch genossen hatte – jetzt ertappte ich mich mehr und mehr dabei, mir Stefan als einen ganz gewöhnlichen Menschen ohne irgendwelche kriminellen Nebentätigkeiten zu wünschen. Und ohne Angela natürlich. Sie und das Paket waren die einzigen Wermutstropfen, die den Glanz dieser herrlichen Tage trübten.

Am Tag vor der Ankunft von Bille, Rosi und Fred stürmte und regnete es wieder heftig. Obwohl wir uns von Kopf bis Fuß vermummten, schien die Feuchtigkeit in unsere Kleidung und selbst in die Schlafsäcke einzudringen – es war ziemlich ungemütlich. An Segeln war nicht zu denken.

»Jedenfalls nicht mit euch Anfängern«, sagte Stefan und bestellte uns zusammen mit der Crew des Bruderschiffes an Deck zum Leinenwerfen. Beim Segeln, sagte er, käme man ziemlich oft in die Verlegenheit, eine Leine zu werfen, sei es zu einem netten Menschen, der am Ufer darauf wartet, einem an Land zu helfen, sei es zu einem Poller hinüber oder aber – und hier wurde sein Tonfall besonders ernst – zu einem im Wasser treibenden Crewmitglied. In jedem Fall müsse man weit und treffsicher werfen können, und eben das wollten er und Hannes uns jetzt beibringen. Erste Übung: das zum Palstek geknotete Leinenende über einen entfernten Poller werfen.

Um es gleich vorwegzunehmen, Leinenwerfen war nicht gerade meine Stärke. Ich traf aber immerhin das Wasser in der Nähe des Pollers. Bei Dirk hingegen blieb die Leine immer schon an der Reling hängen. Auch Ursel machte keine gute Figur bei dieser Übung. Sie schob es auf das zunehmende Gewicht der Leine, die bei jedem Einziehen durchs Wasser schwerer wurde.

»Das ist nichts für das schwache Geschlecht«, sagte sie, legte ihren Kopf schief und lachte neckisch.

»Wen meint sie denn mit dem schwachen Geschlecht?« knurrte Bernie. »Sicher nicht sich selbst!«

Rebecca strafte Ursels Worte ohnehin Lügen. Sie traf den Poller nämlich auf Anhieb, und zwar gleich zweimal hintereinander.

»Zufall«, sagte Heinrich, der dreimal danebengeworfen hatte und nun neben dem Poller stand, um die Leine wieder loszumachen und zurückzuwerfen.

Als Rebecca ein weiteres Mal traf, sagte er: »Kein Kunststück, bei dem Rückenwind. *Ich* musste gegen den Wind werfen.«

Jack traf den Poller ebenfalls beim ersten Versuch.

»Reiner Zufall«, sagte Heinrich.

Jack warf erneut und traf den Poller ein zweites Mal.

»Glückssache«, sagte Heinrich.

Da warf Jack noch einmal und traf tatsächlich ein drittes Mal.

»Was man nicht im Kopf hat, muss man eben in den Armen haben«, sagte Heinrich.

Jack schien das nichts auszumachen, aber man hat ja schließlich seinen Crewstolz. Als Rebecca wieder an der Reihe war, das bleischwere, nasse Seilbündel zu werfen, hielt sie nicht, wie vorgeschrieben, das Seilende fest, damit es sich während des Fluges aufwickeln konnte – nein, sie warf das gesamte Bündel hinüber.

Und sie traf – nicht den Poller, sondern Heinrich. Der taumelte unter der Wucht des klatschenden Seils, irrte, heftig mit den Armen rudernd, um sich und bekam in letzter Sekunde die Reling des Nachbarbootes zu fassen. Um eine Haar hätte es ihn vom Poller gefegt.

Ursel kreischte erschreckt auf, schubste Jack beiseite und eilte von Bord, um Heinrich auf eventuelle Verletzungen zu untersuchen »Hier holt man sich ja den Tod! Erst dieses schreckliche Wetter – und jetzt das. Papi, du hättest ertrinken können.«

»Tut mir furchtbar leid«, sagte Rebecca. »Es ist so schrecklich, wenn das Gehirn die Muskelkraft nicht mehr unter Kontrolle hat. Das war wirklich reiner Zufall.«

»Oder Glückssache«, verbesserte ich leise.

Am Abend kamen Dirk, Hannes und Bernie auf ein Bier zu uns auf die *Werwolf*, aber sie gingen früh wieder, um Ursel nicht zu verärgern. Als sie weg waren, fingen wir an, Doppelkopf zu spielen. Nach nur einer halben Stunde hatte ich fast meinen ganzen Vorrat an Lila Pausen, Fisherman's Friend und Toffees verspielt.

»Pech im Spiel, Glück in der Liebe«, sagte Stefan, bei dem sich die Schokoriegel nur so häuften.

Bei diesem Anblick fiel mir sogleich Angela wieder ein – und die Tatsache, dass ich heute mit Telefonterror an der Reihe war.

»Ich müsste mal aufs Klo«, sagte ich, und damit meinte ich selbstverständlich das mehrere hundert Meter entfernt liegende Damenklo, nicht etwa das hellhörige Bordklosett mit der Klopapierplastiktüte.

»Ich komme mit«, erklärte Rebecca spontan, und die beiden Männer warfen sich einen vielsagenden Blick zu. Sie hatten es da einfacher. Sie gingen sogar so weit, im Schutz der Dunkelheit von Deck über die Reling ins Hafenwasser zu pinkeln.

»Ich geh' dann mal die Natter würgen«, pflegte Stefan dann zu sagen. Einmal, als er gerade oben war, schalteten wir die volle Decksbeleuchtung ein. Stefan und seine Natter wurden in gleißendes Licht getaucht. Der Damenkegelclub, der das Boot gegenüber gechartert hatte, johlte begeistert. Stefans Flüche schreckten sogar Ursel nebenan aus der Koje.

»Es gibt Menschen, für die ist Rücksichtnahme ein Fremdwort«, sagte sie am nächsten Morgen.

Als Rebecca und ich nebeneinander den Steg entlangliefen, stellte sich heraus, dass sie gar nicht aufs Klo musste. Sie wollte lediglich eine Strategie mit mir besprechen, wie sie ihre verlorenen Schokoriegel zurückgewinnen konnte.

»Wenn ich in Zukunft die Kreuzdame habe, kratze ich mich an der Nase«, sagte sie auf dem Weg zum Telefon. »Wenn ich gute Karten habe, räuspere ich mich. Habe ich den Fuchs, reibe ich meine Wange – siehst du, so. Und wenn ich das Karlchen Müller zum Schluss noch habe, dann beiße ich mir auf die Unterlippe, hast du verstanden?«

»Ja.« Ich flüchtete mich in die Telefonzelle. Rebeccas Versuche, das Spiel mit List und Tücke herumzureißen, kannte ich. Es würde ein einziges Nasenreiben, Kratzen und Räuspern geben, dazu jede Menge Grimassen, die kein Mensch verstehen konnte. Und hinterher Streitereien ohne Ende: »Ich hab' mich doch ganz deutlich an der Nase gekratzt! Warum hast du trotzdem Pik gespielt?«

Ich hatte Glück, bei Angela war nur der Anrufbeantworter dran, mit einem bemerkenswert originellen Text.

»Hier ist der automatische Anrufbeantworter von Angela Jugenheimer. Ich bin leider momentan nicht zu Hause und kann daher den Anruf nicht persönlich entgegennehmen. Wenn Sie mir aber eine Nachricht hinterlassen wollen, würde ich mich sehr freuen. Sprechen Sie bitte Ihren Namen, Datum, Uhrzeit und Ihre Telefonnummer sowie den Grund Ihres Anrufes aufs Band. Ich rufe Sie dann baldmöglichst zurück. Sprechen Sie nach dem langen Signalton.«

»Angela, hat dir noch niemand gesagt, dass die Würze in der Kürze liegt?«, sagte ich, als ich endlich sprechen konnte. »Hier ist Judith. Ganz liebe Grüße von deinem Mucki, und ich soll dir ausrichten, dass du bitte noch zwei

Stangen Gauloises Blonde mitbringst. Stefan raucht hier mindestens zwei Schachteln am Tag! Er sagt, die Frau, die ihm das Rauchen abgewöhnt, muss erst noch geboren werden. Ja, das war es auch schon. Ach ja, die Uhrzeit noch: Es ist genau zweiundzwanzig Uhr und sieben Minuten, und wir gehen jetzt alle zusammen in die Disco.«

Zufrieden legte ich auf. Wenn ich Angela wäre, würde ich spätestens jetzt mein Fleischmesser für Stefan wetzen.

»Und noch was«, sagte Rebecca, als wir uns auf den Rückweg machten. »Wenn du Pik spielen sollst, lege ich die Handfläche auf den Tisch, wenn du Kreuz spielen sollst, den Handrücken, kapiert? Das wäre doch gelacht, wenn wir die Lila Pausen nicht wieder zurückbekämen!«

»So spät noch ganz allein im Dunkeln unterwegs?« Vor uns auf dem Steg waren zwei Männer stehengeblieben. Ihre Zähne blitzten im Licht der Straßenlaterne. Sie hatten die Arme vor der Brust verschränkt und sahen schwer nach Ärger aus.

»Na, ihr zwei Hübschen«, sagte der eine. Der andere grinste bloß. Er trug ein Käppi mit der Aufschrift: *Michael Schumacher olé!*

»Olé«, sagte ich höflich und wollte weitergehen. Aber der mit dem Käppi stellte sich mir in den Weg.

»Wohin denn so eilig?«, fragte der andere. Er trug eine weiße Segeljacke mit roten Längsstreifen und erinnerte stark an eine Mittenfahrwassertonne. »Wir hätten Lust auf ein bisschen Damengesellschaft. Wir laden euch ein, da drüben liegt unser Boot. Ihr könnt die ganze Nacht bleiben.«

»Du kannst ja Bescheid sagen, wenn du der letzte Mann auf Erden bist«, antwortete Rebecca schlagfertig.

266

»Ey, jetzt habt euch doch nicht so«, sagte der zweite Typ mit dem Michael-Schumacher-Käppi.

»Sieh mal einer an, es kann reden«, sagte ich.

»Es kann auch noch mehr«, sagte der mit dem Käppi und packte Rebecca um die Taille.

Das brachte die ›Mittenfahrwassertonne‹ auf die Idee, den Arm um meine Schulter zu legen.

»Und bist du nicht willig, so brauch' ich Gewalt«, deklamierte er. »Ist von Schiller. Aus der Glocke.«

»Ich geb' dir gleich eins auf die Glocke«, fauchte Rebecca und versuchte vergebens, sich aus dem Griff des Kerls mit dem Käppi zu befreien. Ich beobachtete ihr hilfloses Gezappel und verzog verächtlich die Lippen. Das hatte sie nun davon, dass sie niemals in diese Selbstverteidigungskurse für Frauen gegangen war, die ich ihr so ans Herz gelegt hatte. Dort lernte man als Erstes, was man in so einem Fall zu tun hatte: den Ellbogen in den Magen rammen, rumms, umdrehen, die Arme vor den Körper bringen und, zack, vorwärts die gespreizten Finger in die Augen stechen – nicht irritieren lassen von dem unangenehmen Geräusch und dem unappetitlichen Anblick, den ein auslaufender Augapfel verursacht – konzentriert weitermachen, zong, Tritt gegens Schienbein, und zum krönenden Abschluss, wusch, das Knie in die Weichteile. Anschließend kann man in aller Ruhe das Hunde-und-Menschen-Abwehr-Spray aus der Tasche holen und dem Angreifer den Rest geben. Der Gang zur Telefonzelle und die Bitte, einen Leichenwagen zu schicken, ist alles, was einem dann noch zu tun bleibt. Wirkungsvoller geht es gar nicht mehr.

Es sei denn, man zieht eine Smith-&-Wesson aus der Jackentasche und hält sie dem bösen Mann unters Kinn.

Die Wirkung ist frappierend, kann ich Ihnen sagen, denn ich hab's ausprobiert.

Ich zog Mos Wasserpistole aus der Jackentasche und hielt sie der Mittenfahrwassertonne unters Kinn.

»Pfoten weg!«, knurrte ich. »Mit Typen wie euch machen wir kurzen Prozess.«

Einen entsetzlichen Augenblick lang geschah gar nichts. Dann machte der im Mittenfahrwassertonnenlook einen Satz nach hinten.

»Mensch, Mädel!«, stotterte er. »War doch nicht so gemeint.«

»Das ist doch Mos Pistole!«, sagte Rebecca verblüfft.

»Richtig!« Ich entsicherte die Wassersperre mit der eintrainierten telegenen Handbewegung. »Und sie ist geladen.«

»Hört mal, Mädels, das habt ihr irgendwie missverstanden«, sagte der andere Typ beschwichtigend, ließ Rebecca los und entfernte sich im Rückwärtsschritt.

»Was denn?« Ich zielte jetzt mit dem Lauf auf die Brust der ›Mittenfahrwassertonne‹. Die Sache begann mir Spaß zu machen.

»Wir wollten doch nur … nichts für ungut. Dann eben nicht. Ich meine, wir haben noch keine gezwungen!« Der Kerl trat ebenfalls die Flucht an, rückwärts versteht sich. Dabei wäre er beinahe über ein Landstromkabel gestolpert und rücklings ins Wasser gefallen. Aber eben leider nur beinahe. Ein Gegenstand fiel aus seiner Jackentasche, aber er dachte gar nicht daran, sich danach zu bücken. Als er sich außer Schussweite glaubte, begann er zu rennen.

Rebecca guckte immer noch leicht verstört hinter ihnen her. »Mos Wasserpistole! Warum hast du nicht abgedrückt? Das Gesicht hätte ich gerne gesehen. Ach, wie ich dieses Ding immer gehasst habe, wenn Mo damit herumrannte und ›Peng, peng‹ rief. Völlig unerwartet hatte man eine Ladung Wasser im Genick. Wenn ich ihn damals je zu fassen gekriegt hätte – ich hätte das Scheißding im Sandkasten vergraben.«

»Na ja, nichts ist so schlecht, dass es nicht irgendwann für etwas gut wäre«, sagte ich weise und bückte mich nach dem Gegenstand, der der ›Mittenfahrwassertonne‹ aus der Jacke gefallen war. Es war eine Blechdose mit Fisherman's Friend, meinen Lieblingsbonbons, noch versiegelt. Erfreut steckte ich sie ein.

Rebecca fing an zu lachen. »Du warst großartig, Judith, ich bin ehrlich froh, dass du dir immer diese Vorabendkrimis reinziehst. Komm« – sie legte den Arm um mich – »jetzt zeigen wir unseren Männern auch mal, was eine Harke ist, und erobern uns unsere Schokoriegel zurück.«

_____ *Billes geheimes Tagebuch* _____

21. MAI.
Jetzt reicht's! Alles muss man sich ja nicht gefallen lassen. Hänge hier am Picknicktisch irgendeiner Scheißautobahnraststätte im nördlichen Teil der Republik und bin von Kopf bis Fuß eingesabbert. Dieses Riesenvieh von Hund, das unpassenderweise auf den Namen Bubi hört, saß mir während der ganzen Fahrt von Köln bis hierher im Nacken und hat mich vollgeschleimt. Bei Tempo ACHTZIG auf freier Strecke!

Reisen statt rasen, sagt Fred dazu, dabei fährt er einen Mercedes Kombi mit schätzungsweise eintausend PS. Aber als ob das noch nicht genug wäre, hört er in voller Lautstärke die Alzheimer Herzbuben – die chinesische Tröpfchenfolter könnte nicht schrecklicher sein als das, was ich in den vergangenen Stunden durchmachen musste.

Im Augenblick machen Fred und Bubi Gymnastik am Bordsteinrand, Rosi und ihre Tochter Bernadette sind einen Kaffee trinken gegangen. Ich brauchte dringend frische Luft.

Ausgeschlossen, dass ich noch einmal in diesen Wagen klettere. Wenn man mich wenigstens vorne sitzen ließe, weit weg von Bubis Schnauze – aber da sitzt schon Rosi. Fred fährt, die Alzheimer Herzbuben singen, und Bernadette schläft die ganze Zeit. Beneidenswert. Sie ist mit dabei, weil sie den Wagen ja von Fehmarn wieder nach Hause bringen muss. Aber was der Köter hier zu suchen hat, ist mir ein Rätsel. Rosi sagt, er hält es allein nicht zu Hause aus. Tatsache ist, dass ich es mit Bubi nicht mehr aushalte. Er hat Mundgeruch wie ein Säbelzahntiger.

Hilfe, da kommt Rosi und winkt mir. Ich will nicht! ICH WILL NICHT!

13

Am nächsten Tag war es sommerlich warm, so dass wir im kurzärmeligen T-Shirt herumlaufen konnten. Unsere Freunde auf der *True Love* schwitzten schrecklich in ihren Schwimmwesten. Es war praktisch windstill, und wir konnten nicht segeln. Daher beschloss Stefan, im Hafen zu bleiben und auf die Ankunft von Fred, Rosi und Bille zu warten. Wir tranken unser Anlegerbier, hingen entspannt an Deck in der Sonne herum und sahen der *True Love* zu, wie sie wieder einmal An- und Ablegen unter Motor übte.

Irgendwann kam Rebecca auf die Idee, das Boot für Fred und Rosi heimelig herzurichten. Damit die beiden sich auch willkommen fühlten.

Wir forderten Jack und Stefan auf, diverse gelbliche Flecken von der Bordwand zu schrubben, die unseres Erachtens auf ihre nächtlichen Pinkelaktionen zurückzuführen waren. Stefan und Jack behaupteten, es handle sich um Rostflecken und Möwenschiss.

Stefan räumte aber immerhin seine Sachen in Jacks Kabine, und Jack wurde insofern von unserem Eifer angesteckt, als er aufstand und beim Bäcker einen ganzen Apfelkuchen kaufte, als Willkommensgruß. Rebecca und ich putzten unter Deck alles sauber, wir entfernten sogar die Klopapiertüte und ersetzten sie durch eine frische. Ganz zum Schluss pflückten wir einen Strauß Gänseblümchen und stellten ihn in einem Wasserglas mitten auf den Tisch.

Als wir fertig waren und wieder in der Sonne herumlümmelten, rollten zwei Sackkarren über den Steg, auf denen die größten Seesäcke lagen, die die Welt je gesehen hatte. Hinter der einen Sackkarre lugte Fred hervor, hinter der anderen Rosi. Bille folgte in einigem Abstand mit einer bescheiden dimensionierten Reisetasche.

»Ach du Schande!«, entfuhr es Stefan.

»Sie haben sich strikt an deine Anweisungen gehalten. Jeder nur ein Gepäckstück«, sagte ich staunend. »Das müssen Sonderanfertigungen sein.«

»Und eindeutig zusammenfaltbar«, sagte Rebecca.

»Was man von Rosi leider nicht behaupten kann«, ergänzte Jack.

Wir winkten den Neuankömmlingen zu. »Hier sind wir!«

Rosi winkte vorsichtig zurück. Fred war offenbar nicht in der Lage, auch nur eine Hand von der Sackkarre zu nehmen. Sein Seesack schien tonnenschwer zu sein.

Jack stand als Erster auf, um ihnen entgegenzugehen. Wir anderen folgten.

Bille sah total fertig aus, blass, müde und schlecht gelaunt. Mir wurde vor Wiedersehensfreude ganz warm ums Herz. Ich fiel ihr um den Hals. »Wie schön, dass du endlich da bist. War es sehr schlimm? Du bist ja nass geschwitzt.«

»Das ist kein Schweiß«, sagte Bille. »Das ist – riecht man das nicht?«

Hinter ihr tauchte das Riesenvieh von Hund auf, das

Rosi und Fred ihr Eigen nannten. Bernadette, eine überirdisch schöne Erscheinung mit braunen Locken bis zur Taille und einem Gesicht wie Juliette Binoche, führte es an der Leine.

»Aber hallo«, murmelte Stefan und pfiff leise durch die Zähne.

Auch Jack blieb der Mund offen stehen. »Was für ein Schuss!«

»Das muss Bernadette sein«, sagte Rebecca. »Rosis Tochter.«

Stefan und Jack gafften immer noch.

»Dat Hüppemützche aus 'em Kölner Karneval?«, fragte Jack.

Um ihnen einen kleinen Dämpfer zu verpassen, sagte ich: »Ja, und genauso hat Rosi als junges Mädchen auch mal ausgesehen.«

»Bernadette, das ist Stefan, unser Segellehrer; Stefan, das ist Bernadette«, sagte Rosi. Uns andere ließ sie der Einfachheit halber unter den Tisch fallen.

»Tag zusammen«, rief Bernadette nichtsdestotrotz in die Runde. Sie hatte ein sympathisches Lächeln, da gab's nichts.

Fred klopfte mit der Faust auf die Decksplanken der *Werwolf*. »Das ist also unser Boot, ja? Nun ja, unsere *Bubi* auf Ibiza ist da eine ganze Nummer größer – was, Rosi?«

»Sie haben ihre Yacht nach dem Hund getauft«, flüsterte Rebecca mir fassungslos zu. »Oder umgekehrt?«

Fred hievte mit Jacks Hilfe die Seesäcke an Deck.

»Vorsicht, Vorsicht, Vorsicht! Da ist meine ganze technische Ausrüstung drin«, erklärte er. »Meine Wetterstation ist per Funk mit Satellit verbunden. Die Daten wer-

273

den per Computer ausgewertet, und man erhält eine Vorhersage für mehrere Tage. Die Wahrscheinlichkeit beträgt fünfundsiebzig Prozent.«

»Und das ist alles da drin?«, sagte ich. Dumme Frage – in diesem Seesack hatte eine bemannte Raumstation Platz.

»Das ist noch längst nicht alles.« Fred ließ seine Augen prüfend über das Schiff gleiten. »Wäre doch gelacht, wenn wir aus dem Kahn nicht ein schwimmendes High-Tech-Wunder machen könnten! Ihr werdet staunen!«

»Da kommt unser Bruderschiff«, sagte Rebecca und zeigte auf die *True Love*, die langsam auf die Box zusteuerte. »Jetzt werdet *ihr* staunen.«

»Ja, denn Dirk steht am Ruder«, stellte Jack mit leiser Besorgnis in der Stimme fest.

»Das muss ich filmen«, rief Fred und holte eine Videokamera aus seinem Megaseesack.

»Ist das eine Videokamera?«, fragte ich, kaum dass ich sie auf mich gerichtet glaubte.

Auf der *True Love* hatte Heinrich diesmal die eine Vorleine übernommen, Bernie die andere. Ursel stand am Heck.

»Und diesmal keine blöden Rückfragen«, hörten wir Hannes schreien. »Dirk braucht absolute Ruhe. Er muss sich konzentrieren. Wenn er einen Befehl vergessen sollte, heißt das nicht, dass ihr tatenlos herumstehen dürft. Jeder weiß, was er zu tun hat!«

»Immer bekommt Dirk eine Extrawurst gebraten«, beschwerte sich Ursel lautstark. »Das ist aber nicht gerecht.«

»Ruhe, Ursel!«, schnauzte Hannes. »Ja, das machst du sehr gut, Dirk. Genau im richtigen Winkel. Gut so.«

»Noch fünf Meter«, rief Heinrich. »Vier, dreieinhalb…«

»Soeben ist unser Schwesterschiff, die *Wahre Liebe*, eingelaufen«, kommentierte Fred das Geschehen für seine Videokamera. »Am Ruder sehen wir Dirk ein vorbildliches Anlegemanöver fahren…«

»Heckleine ist klar«, schrie Ursel. »Nur damit ihr's wisst.«

»Noch zwei Meter«, rief Heinrich.

»Rückwärtsgang rein«, hörten wir Hannes. »Dann stoppen wir butterweich auf. Nein! Rückwärtsgang, Dirk, rückwärts!«

Das Boot donnerte vorwärts gegen den Steg.

»Uuups«, sagte Jack. »Das war wohl der falsche Gang.«

»Das ist live«, sagte Fred begeistert zu seiner Videokamera. »Live und direkt.«

»Ich hab's wieder vermasselt«, heulte Dirk auf.

»Na ja, aber es war schon viel besser als gestern«, beteuerte Hannes.

Stefan untersuchte den Bootsrumpf. »Wir haben Glück, die alte Macke ist nur noch ein bisschen tiefer geworden, sonst ist nichts passiert.«

»Nach mir fragt wohl keiner«, sagte Ursel. »Ich habe bestimmt ein Schleudertrauma.«

Eigentlich hatten wir vorgehabt, die Mannschaft der *True Love* ebenfalls zu unserem Begrüßungskaffee einzuladen, aber obwohl die Seesäcke von Rosi und Fred erst einmal an Deck liegen blieben, war der Salon mit Bubi, Rosi, Fred, Bernadette, Jack, Stefan, Rebecca und mir schon überfüllt.

»Das macht nichts«, fand Ursel. »Wir trinken bei uns Kaffee. Koffeinfreien, versteht sich. Und wir haben auch noch einige Vollkornkekse. Dabei können wir Bille gleich in unsere Bordregeln einweisen.«

Ich sah Bille mitleidig nach. Sie würde es nicht leicht haben.

Wegen unseres Gastes mussten wir die Verdunklung ihrer ursprünglichen Funktion als Sitzbank zuführen. Bubi legte sich platt auf den Boden und schnaufte. Rosi gab ihm ihr Stück Apfelkuchen, weil sie angeblich keinen Appetit hatte. Rebecca sagte, unter diesen Umständen hätte sie sich gerne bereit erklärt, das Stück Apfelkuchen für Rosi aufzuessen. Aber ein paar Augenblicke später verging ihr der Appetit ebenfalls.

Plötzlich lag ein bestialischer Gestank in der Luft.

»Was ist das?«, fragte ich entsetzt, die goldene Regel ›Wer's zuerst gerochen, dem ist es aus dem Hemd gekrochen‹ missachtend.

»Das ist Bubi. Er hat manchmal Blähungen, genau wie wir Menschen.« Rosi streichelte dem Hund zärtlich über den Kopf.

Jack öffnete hastig eine Luke, aber es half nicht viel. Der Apfelkuchen blieb ungegessen auf den Tellern liegen, außer bei Fred.

Rosi wandte sich an Stefan: »Bernadette kann auch segeln. Sie hat den BR-Schein bereits vor Jahren gemacht.«

»Tatsächlich?«, fragte Stefan.

»Ja, und sie spricht drei Fremdsprachen fließend«, sagte Rosi. »Ich glaube nicht, dass Angela da mithalten kann. Du müsstest sie mal tanzen sehen. Aus dem Sprung in den Spagat, das macht ihr so schnell keiner nach, nicht wahr, Bernadette?«

Bernadette schaute auf ihre Armbanduhr.

»Und kochen kann sie auch, das hat sie von mir gelernt«, fuhr Rosi fort.

»Tatsächlich?«, fragte Stefan wieder.

»Ich muss jetzt fahren«, sagte Bernadette. »Karin wartet.« Zu uns gewandt setzte sie hinzu: »Karin ist meine Freundin.«

»Tatsächlich?«, fragten wir jetzt alle wie aus einem Mund.

»Und singen kann sie auch«, fügte Rosi hinzu. »Sie hatte Gesangsunterricht. Bernadette, sing uns doch mal was vor.«

»Karin und ich leben zusammen«, sagte Bernadette energisch. »Seit sechs Jahren. Nächstes Jahr werden wir in Dänemark heiraten. Aber meine Mutter versucht immer noch, einen Mann für mich zu finden.«

»Du hast nur den Richtigen noch nicht getroffen«, versuchte Rosi zu trösten.

Bernadette seufzte schwer. Ein längeres Schweigen entstand, das nur durch Bubis Verdauungsstörungen unterbrochen wurde. Der Sauerstoff wurde langsam knapp.

»Na, dann fangen wir mal an auszupacken«, schlug Rosi schließlich vor. »Ich werde als Erstes die Betten beziehen.«

»Und ich hole die technische Ausrüstung runter.« Fred sprang auf. Die sogenannten Seesäcke passten nicht durch den Niedergang. Sie mussten ausgepackt und stückweise herabgetragen werden. Dadurch blieben wir weiterhin unter Deck eingesperrt. Staunend sahen wir zu, wie Fred seine angeblich satellitenverbundene Wetterstation installierte.

»Hallihallo!«, rief Ursels Stimme von oben.

»Bleib, wo du bist, hier passt du jedenfalls nicht mehr rein«, rief ich hinauf.

Ursel steckte den Kopf durch die Luke. »Ach, Rosi, wie schön, du hast deine Daunenbetten mitgebracht. Wonach riecht es denn hier?«

Ein elektronisches Piepen ertönte.

»So«, sagte Fred. »Das wäre schon mal erledigt. Wir sind auf Empfang.«

»Dein Dingsda blockiert einen ganzen Sitzplatz«, sagte Rebecca. »Überhaupt ist es jetzt ziemlich eng hier.«

»Wir haben ein viel größeres Platzproblem«, behauptete Ursel von oben. »Jetzt, wo Bille an Bord ist.«

»Ausgeschlossen«, sagte ich. Billes gesamtes Gepäck hätte in Rosis Beautycase gepasst, und Bille selber war, raumsparend zusammengerollt, immer noch kleiner als Freds Wetterstation.

Ursel schüttelte den Kopf. »Es ist doch sehr lästig, einen Schlafplatz im Salon zu schaffen. Wir werden Tag und Nacht über Billes Sachen stolpern.«

»Wieso im Salon? Bille hat doch einen Platz in der Kabine?«

»Ja, in welcher Kabine denn? Etwa bei Hannes?«, fragte Ursel. »Das kann man dem armen Jungen doch nicht zumuten.«

Gut, dass Bille das nicht gehört hatte!

»Ich kann mir nicht vorstellen, dass Hannes was dagegen hat, mit Bille in einer Koje zu liegen«, verteidigte ich sie.

Bei dir wäre das was anderes, Ro … sel«, setzte Rebecca hinzu, aber das hörte Ursel gar nicht.

»Ich bin weiß Gott nicht altmodisch«, sagte sie. »Aber ich möchte mich auch nicht der Kuppelei schuldig ma-

278

chen, indem ich zwei unverheiratete junge Menschen in ein Bett lege!«

»Eigentlich hast du recht, R... Ursel«, sagte Rebecca. »Die vernünftigste Lösung wäre, du würdest mit Bille die Koje teilen, und Dirk zieht zu Heinrich!«

Ursel schaute sie empört an. »Also, das geht ja wohl auch nicht!«

»Warum nicht, Ursel? Hast du Angst, Heinrich und Dirk könnten miteinander kuscheln?«, fragte Jack. Ursel schnappte nach Luft und verzog sich ohne ein weiteres Wort.

Rosi war mit dem Beziehen der Daunenbetten fertig. Sie kam zurück in den Salon.

»Hier ist es wirklich ganz schön eng«, stellte sie fest. »Wie wäre es denn, wenn ihr euch bis zum Abendessen noch ein wenig die Beine vertreten würdet? Ich habe mir beim Metzger Rinderfilet einschweißen lassen, dazu gibt es Feldsalat mit karamelisierten Walnusshälften und Kartoffelgratin. Ich habe sicherheitshalber eine Auflaufform eingepackt.«

Wir staunten nicht schlecht, als sie einen riesenhaften Beutel Fleisch und ein Netz Feldsalat aus einer der Taschen zauberte.

»Wo sind die karamelisierten Walnüsse?«, wollte Rebecca wissen.

Rosi sagte, die würde sie selbstverständlich frisch vor Ort karamelisieren.

»Wenigstens scheinen sich auf diesem Boot auch kulinarisch betrachtet Veränderungen anzubahnen«, flüsterte ich Stefan zu.

Es piepste dreimal hintereinander, diesmal eine Terz tiefer.

»Fertig«, verkündete Fred. Neben der Wetterstation hatte er eine digitale Weltuhr angebracht, welche die Zeit in allen Großstädten des Erdballs anzeigte. »Jetzt haben wir das Boot technisch auf den neuesten Stand gebracht.«

»Am besten wäre es, ich könnte hier unten ganz in Ruhe wirken«, sagte Rosi. »Und zwar allein. Dann wäre das Abendessen auch schneller fertig. Das Fleisch hat zwei Tage in einer Marinade aus Rotwein, Buttermilch und Kräutern gelegen. Es muss mit Liebe zubereitet werden, dann wird es ein Gedicht.«

Stefan schien das Wasser im Mund zusammenzulaufen. Er war bereit, alles zu tun, um Rosi die geforderte Ruhe zu verschaffen.

»Also gut«, sagte er und versuchte Bubis Kopf von seinen Beinen zu schieben. »Dann gehen Rebecca und Judith jetzt mit Fred an Deck und erklären ihm alles, was er wissen muss. Ich gehe rüber aufs Nachbarboot und schaue dort nach dem Rechten, und – tja, Bubi könnte vielleicht ein wenig Gassi gehen?« Er sah Bernadette fragend an.

»Ich mache mich jetzt sowieso auf den Rückweg«, sagte Bernadette und erhob sich. »Tschüs, Mami, tschüs, Papi, bis nächste Woche. Komm, Bubi.«

»Bubilein, ich werde dich sehr vermissen«, sagte Rosi und küsste Bubi auf die Schnauze. Wenn mich nicht alles täuschte, hatte sie Tränen in den Augen.

»Ja, und fahr vorsichtig«, ermahnte sie Fred. »Nicht schneller als achtzig, dann passiert dem Wagen auch nichts.«

»Ja, ja.« Bernadette zog Bubi den Niedergang hinauf. In ihrem Gesicht stand deutlich geschrieben, dass sie mit hundertneunzig Stundenkilometern durch die Nacht brettern würde.

»Komm, Fred«, sagte Rebecca »Wir erklären dir alles, was du wissen musst.«

»Also, das ist wirklich lächerlich«, schnaubte Fred. »Ich habe seit zehn Jahren ein eigenes Boot. Ich kenne sämtliche Bootsbestandteile wie mich selbst.« Er schleuderte uns eine Kette von Begriffen entgegen. »Das ist das Großfall, die Dirk, der Baumniederholer, die selbstholenden Winschen, der Verklickerer…« Er wusste wirklich bestens Bescheid.

Als er zwecks Luftholen eine Pause einlegte, zeigte Rebecca blitzschnell auf die Speigatten. »Und wie nennt man diese Löcher?«

»Abflusslöcher«, antwortete Fred.

»Falsch! Falsch! Falsch!« Rebecca strahlte. »Das sind Spuckmänner.« Die bildhafte Methode hatte bei ihr ziemlich versagt.

»Man nennt sie auch Speigatten«, verdarb ihr Fred zu allem Überfluss die Freude. Teufel auch, der wusste wirklich gut Bescheid. Sogar den Lümmelbeschlag konnte er benennen.

»Seht ihr, es gibt nichts, was ich nicht wüsste«, sagte er großspurig.

Aber einen Trumpf hatten wir noch im Ärmel. Wir deuteten auf eine völlig überflüssige Öse im Großsegel.

»Na?«, fragten wir atemlos.

»Das ist eine Kausch«, erwiderte Fred.

»Ja, aber was für eine Kausch?«, fragten wir im Chor. Fred sah uns böse an. »Kausch genügt«, sagte er.

»Nä«, riefen wir. »Das ist die Cunningham-Kausch.«

Fred ärgerte sich sichtlich. »Ich muss jetzt telefonieren. Geschäftlich«, sagte er und verschwand ohne ein weiteres Wort, um nach seinem Handy zu suchen. An einem Samstagabend geschäftlich telefonieren – das nahmen wir ihm nicht ab.

Als aber mein Blick unter Deck auf die Weltuhr fiel, wurde ich nachdenklich. »Vielleicht telefoniert er ja mit Bangkok«, sagte ich. »Da ist es jetzt halb zwölf.«

Rosi war immer noch mit dem Auspacken beschäftigt. Soeben entnahm sie dem Seesack mehrere Flaschen Wein, alle mit goldenen Preisbauchbinden dekoriert.

»Das ist toll«, sagte Rebecca. »Wir trinken hier schon seit Tagen Bier. Dabei mag ich überhaupt kein Bier.«

»Ich auch nicht«, sagte Rosi. »Und der Wein ist zum Kochen gedacht. Und dass man bei besonderen Gelegenheiten zum Essen einen adäquaten Tropfen genießen kann.«

»Natürlich«, sagten wir beeindruckt.

Das Abendessen war köstlich. Keines der Restaurants, die wir bis dahin getestet hatten, konnte da auch nur annähernd mithalten. Stefan und Jack waren hochzufrieden. Rebecca und ich ebenfalls. Das Einzige, was uns misstrauisch stimmte, war die Tatsache, dass Rosi nicht mitaß.

»Ich esse abends nie«, begründete sie ihr Verhalten.

»Den Kuchen hast du auch schon nicht gegessen«, sagten wir.

»Ich mag eben nichts Süßes«, erwiderte Rosi.

Rebecca und ich tauschten einen irritierten Blick. Fred sah das und sagte: »Ihr wundert euch, woher Rosi die fetten Hüften hat? Ich sag' nur: Von nichts kommt nichts.«

»Fred, das ist nicht nett«, sagte Rosi. »Du weißt genau, dass ich's mit der Schilddrüse habe.«

Um das leidige Thema zu beenden, schlug Jack vor, zur Feier des Tages noch auf ein Bier in den Pub am Hafen zu gehen. Fred und Rosi waren sofort dabei. Wider Erwarten erklärten sich selbst Heinrich und Ursel bereit, mitzukommen. Sie machten sich sogar richtig schick für diesen Landausflug. Beide trugen graumelierte Zopfpullover, darunter blitzte der weiße Polokragen unserer Crew-Shirts hervor, graue Kordhosen und weiße Schirmmützen vervollständigten das harmonische Bild.

»Es ist sicher nicht einfach, immer die gleichen Sachen ausfindig zu machen«, sagte ich voll ehrlicher Bewunderung zu Ursel.

»Das kann man wohl sagen«, meinte Ursel. »Manchmal suche ich wochenlang. Zum Beispiel Gummistiefel. Die schönsten Stiefel habe ich schon liegengelassen, weil es sie nicht in unserer Größe gab!«

Leider waren wir nicht die Einzigen, die auf die Idee gekommen waren, den Pub zu besuchen. Es war gerammelt voll. Hannes und Bernie suchten nach einem freien Tisch, aber sie fanden keinen.

»Nicht mal ein freier Stuhl«, sagte Hannes, als er zurückkam, und hob bedauernd die Schultern.

Wir wollten bereits enttäuscht wieder gehen, als mein Blick auf eine Gruppe junger Leute fiel, die sich lautstark unterhielten. Zwei von ihnen kamen mir bekannt vor. Der eine trug ein Käppi mit der Aufschrift: *Michael Schumacher olé*.

Als unsere Blicke sich trafen, erbleichte er.

»Olé«, sagte ich und griff demonstrativ in meine Jackentasche. »Dieser Tisch wird nicht zufällig frei?«

»Do... doch«, stotterte der mit dem Käppi voller Entsetzen. »Wir wollten sowieso gerade gehen.«

Sein Freund griff schon nach seinem Anorak und trat die Flucht nach hinten an.

»Wir sind doch gerade erst gekommen«, meinte ein anderer aus der Gruppe. Der mit dem Käppi flüsterte ihm etwas ins Ohr.

»Okay, okay«, gab er sich dann geschlagen. »Wir gehen. Kein Problem, Lady.«

»Das ist aber nett von euch«, sagte ich. »Wirklich nett.«

Binnen weniger Sekunden konnten wir alle Platz nehmen.

»Die hast du aber schwer beeindruckt«, sagte Stefan verblüfft. »Guck mal, die gehen sogar rückwärts, um dich möglichst lange anzusehen!«

»Woran mag das wohl liegen?«, fragte ich.

»Ich könnte dir auf Anhieb zehn Gründe nennen«, antwortete Stefan leichthin.

Nun, ich hätte zwar auf Anhieb doppelt so viele Gründe nennen können, aber es war immerhin ein Anfang. Hier bahnte sich eindeutig so etwas wie ein Flirt an. Doch wie immer in diesen raren Augenblicken wurden wir gestört.

Bei dem Versuch, den Raum zu durchqueren, stolperte ein Betrunkener über seine eigenen Beine und fiel gegen unseren Tisch. Dabei stieß er mehrere Gläser um.

»Iss bin Kurt, ohne Helm und ohne Gurt«, stellte er sich vor. »Und iss hab' mindestens drei Promille.«

»Wie schrecklich«, sagte Ursel. »Papi, tu doch was.«

»Darf iss ein bissen bei euss bleiben?«, fragte Kurt und versuchte, den Kopf in Ursels Schoß zu legen. Ursel sprang entsetzt auf.

Kurt rappelte sich hoch und starrte Ursel ins Gesicht.

»Nee, das war ein Irrtum«, sagte er. »Mit dir altes Schrapnell wollte iss wirkliss nix zu tun haben.«

»Geh nach Hause, und lass uns in Ruhe«, sagte Stefan streng.

»Geh doch selber nach Hause«, erwiderte Kurt schlagfertig. »Iss will miss noch ein bissen amüsieren.« Er torkelte einmal um unseren Tisch herum und glotzte jeden von uns ausgiebig an.

»Am besten, wir ignorieren ihn«, schlug Fred vor. »Reden wir über ein ernstes Thema, dann geht er schon wieder.«

»Gute Idee«, pflichtete ihm Heinrich bei. »Was haltet ihr zum Beispiel von der neuen deutschen Rechtschreibung?«

»Ich halte nicht so viel davon«, sagte ich. »Es hat Jahre gedauert, mir abzugewöhnen, Fön mit h zu schreiben, und jetzt soll ich es mir wieder angewöhnen.«

Kurt hatte den Tisch jetzt einmal umrundet. »Soll iss euss mal was ssagen? Die Rothaarige da, die iss am allerhübssesten.« Er stierte Bille an. »Mit dir würde iss gern mal … du weiss ssson.«

»Nun, bei Föhn handelt es sich um eine der wenigen Einzelfallentscheidungen«, sagte Heinrich. »So wie bei Alp. Den schreibt man jetzt mit b.«

»Sssöne Frau, willste nich mal mit mir du weiiiss ssson?«

»Aber andere Änderungen sind sehr sinnvoll. Zum Beispiel die konsequente Angleichung der Konsonanten nach kurzem Vokal bei einheimischen und einzelnen eingedeutschten Fremdwörtern. Numerieren schreibt man dann mit zwei mm, wegen Nummer.«

»'ne heiße Nummer biste, Mädel. Lass den alten Langeweiler sitzen, und komm mit mir«, lallte Kurt und ließ sich zwischen Bille und mir auf die Knie nieder.

»Oder Tolpatsch. Das schreibt man künftig mit zwei l«, fuhr Heinrich fort. »Von toll.«

»Mädel, du hast aber ganss toll was in der Bluse.« Kurt wollte sogleich nachfühlen, ob er mit dieser Schätzung richtig lag. Bille schob seine Hand weg.

»Hauen Sie doch ab«, sagte sie und schaute sich hilfesuchend um.

»Iss bin aber so allein. Und ihr seid viele«, stellte Kurt fest.

»Nicht so viele, wie du denkst«, sagte ich. »Wahrscheinlich siehst du doppelt.«

»Oder aber die konsequente Stammschreibung, das Prinzip der Worttreue bei Zusammensetzungen«, sagte Heinrich. »Zum Beispiel Zäheit, künftig mit zwei h.«

»Ach«, sagte Rebecca. »Das habe ich immer schon so geschrieben.«

»Ja, ich auch«, stimmte Dirk zu. »Nur braucht man das Wort ja glücklicherweise nicht allzu häufig.«

»Ein bisschen mehr Zähheit könnte dir aber nicht schaden«, meinte Rebecca zu ihm.

»Lass miss doch mal deine Möpse fühlen«, nuschelte Kurt in Billes Dekolleté. »Nur einmal, dann gehe iss auch nach Hause, ehrliss.«

»Mop«, rief Heinrich aufs Stichwort. »Mop wird jetzt mit zwei p geschrieben. Wegen Moppen.«

»Dicke Moppen«, sagte Kurt. »Sssöne dicke Moppen.«

»Jetzt reicht's aber wirklich«, sagte Bille.

Stefan packte den Grabscher an der Schulter. »Verschwinde. Du nervst echt.«

»Du nervst auch.« Der Mann ließ sich einfach nicht

vertreiben. »Darf man siss denn nicht mal in Ruhe unterhalten? So sssöne Möpse.«

»Vielleicht geht er, wenn wir eine Zigarette auf seiner Nase ausdrücken«, meinte ich zu Stefan. »Wie bei den Bären im Nationalpark.«

»Hände weg!«, sagte Bille, die immer mehr verzweifelte. »Bitte gehen Sie doch und lassen Sie mich in Ruhe.«

»Iss bin ganz allein, und ihr seid viele«, sagte Kurt wieder. »Iss will doch nur ein bisssen Gesellsssaft.«

»Das tut mir ja auch schrecklich leid«, sagte Bille verunsichert. Ihr Mitgefühl meldete sich immer in den falschen Augenblicken.

»Konsequenter Erhalt der Konsonanten in Zusammensetzungen«, versuchte es Heinrich noch einmal. »Wie zum Beispiel bei Flanelllappen. Das kann man auch mit Bindestrich schreiben.«

»Nur einmal die Möpse fühlen«, sagte Kurt. Es war zwecklos.

Stefan erwog ernstlich, den Trick mit der Zigarette an Kurt auszuprobieren, als sich überraschend Hannes einmischte. Er stand auf. Sanft entfernte er Kurts Hand von Billes Dekolleté und lächelte Bille dabei beruhigend an.

»Na, Alter«, sagte er heiter, legte den Arm um Kurts Schulter und hievte ihn wieder in eine stehende Position. »Ich schlage vor, wir beide, wir essen erst mal eine heiße Suppe, was? Ich lade dich ein.«

»Iss will die Möpse fühlen«, beharrte Kurt, ließ sich aber willig von Hannes an die Theke führen. Staunend sahen wir, wie er dort unter Hannes' gutem Zureden eine Gulaschsuppe zu sich nahm.

»Respekt«, sagte ich anerkennend. »Hannes hat wirklich Zivilcourage.«

»Ja«, pflichtete mir Bille mit leuchtenden Augen bei.

»Was ist eigentlich ein Schrapnell?«, wollte Ursel wissen.

»Eine abgetakelte Fregatte«, antwortete Bernie wie aus der Kanone geschossen.

»Ein abfälliges Wort für zänkisches altes Weib«, ergänzte Dirk.

»Eine Bezeichnung für eine geifernde, besserwisserische alte Kuh«, eiferte sich Bernie.

Ursel presste beleidigt die Lippen aufeinander.

Dirk suchte noch nach Worten. »Eine … eine …«

»Eigentlich versteht man unter Schrapnell ein Geschoss der Artillerie«, unterbrach sie Heinrich. »Ein Geschoss, das beim Aufprall viele kleine Bleikugeln freisetzt.«

»Ich bringe den armen Kerl zu seinem Boot, dann komme ich wieder«, sagte Hannes, der Kurt untergehakt hatte. »Wenn ihr dann noch da seid.«

»Ich auf jeden Fall«, flötete Bille mit verklärtem Blick. Man konnte Amors Pfeil regelrecht zwischen ihren Rippen stecken sehen. Er hatte mitten ins Herz getroffen.

Billes geheimes Tagebuch

22. MAI.

Ein schöner Tag. Die Welt steht still! Komm, Welt, lass dich umarmen, welch ein Tag!

Ich habe mich verliebt!

Unwiderruflich! Unsterblich! Unermesslich!

Es gibt doch noch wahre Helden. Manchmal er-

kennt man sie nur nicht auf Anhieb, weil sie unscheinbar, blond und sommersprossig sind. Aber ich erzähle
nun von vorne und unter Berücksichtigung der neuen
deutschen Rechtschreibung. Deren Geheimnisse wurden mir gestern dank Heinrich endlich erschlossen.
Es ist eigentlich ganz einfach, wenn man die Regeln
kennt.

Gestern Abend waren wir in einer Schänke (früher
Schenke geschrieben – aber durch die konsequente
Rückleitung bei Umlauten seit neuestem von Aus-
schank abgeleitet). Dort wurde ich von einem be-
trunkenen Mann angemacht, auf eine ziemlich gräu-
liche (konsequente Rückleitung auf Grauen) Weise.
Niemand konnte oder wollte mir helfen – vielleicht
war es ihnen zu aufwändig (von Aufwand!), oder die
Rohheit (konsequente Stammschreibung) des Mannes
jagte ihnen Furcht ein. Es war ein Albtraum (Einzel-
fallentscheidung), bis mein Held einschritt.

Er rättete (konsequente Rückleitung auf Ratte) mich
und gewann mein Herz für immer und ewig. Als er
mich ansah, waren alle Männer vor ihm vergässen (von
Gasse). B. gehört der Vergangenheit an. Ich schwä-
be (von Schwalbe) wie auf Wolken, nicht einmal die
mäckrige (von Macke) Ursel kann mir meine Laune
verdärben (von darben). Ich schlafe mit meinem Held
in einer Koje, das heisst (konsequent ss nach kurzem
Vokal), ich schlafe nicht, ich lausche seinem Atem und
höre das Blut in meinen Ohren rauschen. Und ich
frage mich, ob ich es wagen soll, ihn zu berühren.

Da kommt Ursel und mäckert mich an. Sie sagt, es
sei Zeit für das Lern-Quiz, und ich solle den Tisch frei-

machen. Ursel legt sehr viel Wert darauf, bei diesem sogenannten Spiel viele Punkte abzusahnen. Gestern Abend heulte sie beinahe, weil sie eine Antwort verwechselt hatte. Was tun bei Ruderschaden?, hatte die Frage gelautet, und Ursel hatte gesagt, man müsse das Leck sofort lokalisieren und versuchen, es mit Kissen und Tüchern abzudichten. Als wir sie auslachten, war sie tödlich beleidigt. Überdies verlangte sie trotz allem einen Punkt für die Antwort, weil sie die Fragenummer gewusst hatte. Aber Dirk, Bernie und ich blieben hart, Ursel bekam null Punkte, und damit basta.

14

»Herzilein, du sollst nicht traurig sein«, sang jemand direkt in mein Ohr. In meinem Traum steckten zwei übergewichtige Kerle mit Seppelhüten in der Kabinentür fest, denen der Schweiß auf der Stirn stand. Von Entsetzen geschüttelt, setzte ich mich auf.

»Wo ist Marius Müller-Westernhagen geblieben?«, fragte Rebecca neben mir, die ebenfalls rüde aus dem Schlaf geschreckt war.

»Ich fürchte, der ist der Zensur zum Opfer gefallen«, antwortete ich. »Fred scheint mehr auf aufmunternde Heimatweisen zu stehen.«

»*Das* ist Musik«, erklärte Fred, als ich in den Salon stolperte, um dem Grauen ein Ende zu bereiten.

»Herzilein, du sollst…« Krrrrk, es herrschte Stille. Ich hatte den Aus-Knopf gefunden.

»Wie spät ist es?«, fragte Jack aus seiner Koje.

Ich sah auf die Weltuhr. »In Teheran zehn Uhr und drei Minuten.«

»Na, dann wird's ja höchste Zeit«, sagte Jack.

»Guten Morgen«, rief es aus Rosis Kabine. Ich spähte neugierig durch die halbgeöffnete Tür, um einen Blick auf Rosi ohne ihre Kriegsbemalung zu erhaschen. Aber Bille musste mit ihrer Vermutung richtig liegen: Der türkisfarbene Lidschattenbalken schien tatsächlich Permanent-Make-up zu sein. Anders war es nicht zu erklären, dass er mir schon um diese Zeit entgegenleuchtete, obwohl Rosi noch im Schlafanzug war.

Die Wetterstation gab eine rhythmische Tonfolge von sich.

»Die Sonne scheint«, verkündete Fred. »Es wird warm heute, und es weht ein frischer Wind der Stärke vier bis fünf auf der Beaufortskala.«

Nach einem Blick aus dem Fenster musste ich ihm recht geben.

Das Wetter war wirklich erste Sahne. Phantastisches Segelwetter. Ich kletterte an Deck und tat einen tiefen Atemzug. Auf unserem Bruderschiff nebenan war man bereits in die Schwimmwesten gehüllt.

»Orange steht dir«, sagte ich zu Bille.

»Ich weiß, danke«, antwortete sie gelassen. Sie hatte jenes Dauerlächeln im Gesicht, das nur bei Frischverliebten keine Muskelkrämpfe verursacht.

»Na, wie ist es denn so, neben Hannes zu schlafen?«

»Hach«, sagte Bille. »An Schlaf ist da nicht zu denken.«

»Verstehe«, sagte ich neidisch. Gemeinsam in eine Koje gepfercht – da taten sich ja ungeahnte Möglichkeiten auf. Dass ausgerechnet Bille so viel Glück hatte! Ich hingegen teilte das Bett mit meiner Schwester, die wiederum am liebsten neben Dirk gelegen hätte. Immerhin schlief Stefan jetzt Wand an Wand mit mir. Der Motor und zwei dünne Resopalplatten trennten uns nur optisch. Akustisch betrachtet, war es, als schliefen wir nebeneinander. Ich hatte in der Nacht sogar Jack gehört, wie er gesagt hatte: »Mensch, Stefan, drängel doch nicht so!«

Ach, wie ich Jack beneidete.

»**Auf Ibiza machen** wir das aber anders«, sagte Rosi.

»Wir sind aber hier nicht auf Ibiza«, erwiderte Stefan. »Und wenn du die Prüfung bestehen willst, musst du es so machen, wie ich es dir sage. Also, versuch einfach mal den Kurs zu halten. Genau auf den Leuchtturm zu.«

»Das Boot dreht sich aber immer weg«, sagte Rosi. »Da ist was kaputt.«

»Nein, Rosi, da ist nichts kaputt«, mischte sich Fred ein. »Du machst nur alles falsch. Wie immer.«

Seit einer halben Stunde stand Rosi nun hinterm Steuer, und sie konnte tatsächlich kaum den Kurs halten, von irgendwelchen Manövern ganz zu schweigen.

»Aber ihr habt doch ein eigenes Boot«, wandte sich Rebecca an Fred.

»Ja«, sagte Fred. »Und das hält Rosi auch schön sauber. Aber segeln kann sie deshalb noch lange nicht.«

»Das ist doch albern«, widersprach Rosi. »Ich muss mich eben nur daran gewöhnen, dass es hier keinen Autopiloten gibt.«

Ein durchdringendes elektronisches Dauerpiepen ertönte.

»Zwölf Uhr mitteleuropäischer Sommerzeit«, verkündete Fred.

»Mach das weg«, verlangte Rebecca genervt.

»Das geht nach zwei Minuten von allein aus«, sagte Fred.

»So«, sagte Rosi zu Stefan und ließ das Steuer los. »Für mich ist das jetzt genug. Lass lieber die anderen üben. Ich werde schon mal das Abendessen vorbereiten: Sauerbraten, Klöße und Rotkohl. Zum Nachtisch gibt es Birne Helene.«

»Du sollst üben, nicht kochen«, sagte Stefan, obwohl

ihm sichtlich das Wasser im Mund zusammenlief. »In drei Tagen ist die Prüfung!«

Aber Rosi tat, als hörte sie ihn nicht. Sie verschwand unter Deck und ward nicht mehr gesehen. Fred übernahm das Steuer um so bereitwilliger, um uns zu beweisen, dass dieser Segelschein für ihn nur noch reine Formsache war.

Jack, Rebecca und ich wechselten vielsagende Blicke. Die Zeiten, in denen wir fröhliche Bergsteigerlieder gesungen und das Segeln nach Herzenslust genossen hatten, gehörten wohl ein für alle Mal der Vergangenheit an. Fred brüllte uns im Eifer des Gefechtes nicht nur die Kommandos, sondern auch wüste Beschimpfungen um die Ohren, und Stefan ließ ihn gewähren.

»Das ist sein erster Tag«, sagte er zu uns. »Lasst ihm ein bisschen Zeit, sich einzuleben.«

»Klar zur Halse!«, brüllte Fred. »Hol dicht Großschot, du Trottel! Schneller! Zack, zack, ihr Lahmärsche!«

Die Weltuhr gab erneut ein schrilles Piepsen von sich.

»In einer Viertelstunde schließt in Nairobi die Börse.« Fred war voll in seinem Element. »Rund achtern! Über vorn, Lumpenpack! Fier auf die Großschot, na los, wird's bald! Hol an die Schoten, ihr Schnecken!«

»Hier wird gleich Blut fließen«, knurrte Rebecca. »Die Meuterei auf der Bounty ist nichts dagegen.«

Die Weltuhr piepste erneut.

»Was bedeutet das schon wieder?«, schrie ich am Ende meiner Nerven. »Neue Ladenöffnungszeiten in Managua? Ich schmeiß' das Scheißding über Bord!«

»Ruhig Blut«, besänftigte uns Jack. Er amüsierte sich königlich.

Erst am späten Nachmittag – in Christchurch kam

man gerade aus der Kirche – gab Fred das Ruder an mich weiter, und Rosi geruhte, wieder an Deck zu kommen.

»Okay, Judith, Kurs auf den Hafen. Ich möchte ein erstklassiges Anlegemanöver sehen«, sagte Stefan. Er sah leicht erschöpft aus. Dabei hatte er nicht wie wild kurbeln und sich von Fred als unfähiger Leichtmatrose beschimpfen lassen müssen.

»Haha«, machte Fred. »Das möchte ich filmen.«

Hinterm Steuer besserte sich meine Laune allmählich wieder. Nein, nicht mal Fred würde mir die Freude am Segeln verderben können. Der Wind hatte zugelegt, wir erreichten eine Geschwindigkeit von fast sieben Knoten. Eine Welle schwappte übers Deck und machte Rosis Hosenbeine nass.

Plötzlich war es wieder da, das unbezwingbare Bedürfnis, zu singen. Ich schmetterte das erstbeste Lied, das mir in den Sinn kam: »Can't fight this feeling! Can't fight this feeling!«

Das kannte Fred auch. Wahrscheinlich gab es eine deutsche Fassung von den Alzheimer Herzbuben auf CD. »Didel, dadel, dudel, schrumm, schrumm, schrumm«, stimmte er fröhlich mit ein.

»Da kommt die *True Love*«, rief Rebecca. »Und gar nicht mal so langsam heute. Wir dürfen aber nicht zulassen, dass die vor uns in den Hafen einlaufen!«

Fred stolperte eilig unter Deck und kam mit seiner Videokamera wieder herauf.

»Didel, dadel, dudel, schrumm, schrumm, schrumm! Ein Wettrennen bahnt sich an«, sagte er. »Die *True Love* gegen die *Werwolf*. Wir dürfen sie nicht gewinnen lassen, ihr unfähigen Schrumpfköpfe! Regel Nummer eins:

Die *Werwolf* ist immer als Erste am Ziel. Regel Nummer zwei: Ist das mal nicht der Fall, tritt automatisch Regel Nummer eins in Kraft.«

»Das schaffen wir«, schrie ich begeistert. »Denen schneiden wir den Weg ab. Klar zur Wende!«

»Ist klar«, sagte Jack.

»Rosi?«

»Was ist, Liebelein?«

»Klar zur Wende?«

»Ja, ja, macht ihr nur,« sagte Rosi. »Ich kenne das ja alles schon.«

»Ree!«, rief ich. »Vorsegel über.«

Jack warf die Vorschot los. Das Vorsegel flatterte wild im Wind.

»Rosi!«, rief ich. Wir verloren merklich an Fahrt.

»Rosi«, schrie auch Fred. »Die Vorschot! Du musst das Segel rüberziehen, altes Suppenhuhn. Die *True Love* zieht an uns vorbei!«

»Ja, ja«, sagte Rosi. »Sag mal, Jack, würdest du so nett sein und mir mal die Winschkurbel herüberreichen?«

»Zack, zack!«, schrie Fred. »Beweg deinen dicken Arsch!«

»Eile mit Weile«, entgegnete Rosi heiter. Endlich begann sie, an der Vorschot zu ziehen.

»Falsch, falsch, falsch«, brüllte Fred. »Rosi, das ist keine Hundeleine.«

»Das war's!«, rief Rebecca aufgebracht. »Die *True Love* hat uns abgehängt!«

»Ich gucke mal nach dem Sauerbraten«, sagte Rosi und verschwand wieder unter Deck.

»Seefest ist sie ja«, meinte Jack. »Das muss man ihr lassen.«

Rebecca verdrehte die Augen. »Dass ich das noch erleben musste. Die *True Love* vor uns im Hafen!«

»Jetzt weiß ich endlich, was ein Kielschwein ist«, sagte ich.

Wir kamen gerade noch rechtzeitig, um zu sehen, wie Dirk die *True Love* diesmal seitlich vor den Poller setzte. Die Heckbeleuchtung fiel dabei ins Wasser. Unser eigenes Anlegemanöver verlief nach gewohnter Manier – Rosi blieb unter Deck, sie sagte, sie habe auf Ibiza viele hundert Anlegemanöver gefahren, und wir hätten die Übung nötiger.

Kaum hatten wir festgemacht, verschwand unser Kielschwein Richtung Toiletten.

»Heute hätte ich gerne einen doppelten Cognac«, sagte Rebecca.

»Ich auch«, schloss sich Stefan an und legte die Hand auf den Magen.

Jack kam mit mir nach unten, um Gläser und Flasche zu holen. Hinter der Spüle fanden wir drei leere Weinflaschen.

»Nanu«, sagte ich. »Wer hat die denn getrunken?«

»Ja, wer wohl?«, fragte Jack.

Er selbst konnte es nicht gewesen sein, er war den ganzen Tag an Deck gewesen und hatte überdies eine Bierdose nach der anderen geleert. Der Einzige, der länger unter Deck gewesen war, war ...

»Rosi«, flüsterte ich entsetzt. »Drei Flaschen guten Burgunder, und man hat ihr nicht das Geringste angemerkt.« Und da hatten wir geglaubt, Jack habe ein Problem mit Alkohol! Rosi hatte damit nur geschickt von sich abgelenkt.

Jack grinste mich an, als habe er meine Gedanken

erraten. »Wie heißt es so schön? Männer trinken unheimlich, Frauen heimlich!«

»Rosi ist tatsächlich der hoffnungsloseste Fall, der mir in meiner gesamten Laufbahn als Segellehrer begegnet ist«, sagte Stefan. Wir saßen in unserem Salon, Jack, Stefan, Rebecca und ich, dazu Hannes und Bille. Nebenan auf der *True Love* war gerade Quiztime, und Bille hatte es als Einzige gewagt, der Fragestunde fernzubleiben.

Fred und Rosi waren herzlich eingeladen worden und machten begeistert mit, vor allem Fred. Wir hörten seine »Falsch, falsch, falsch!«-Rufe bis hierher.

»Wenn Rosi die Prüfung schafft, dann heiße ich Nepomuk«, sagte Stefan.

»Ist Mucki nicht eine Abkürzung von Nepomuk?«, fragte ich.

Stefan tat, als habe er mich nicht gehört.

»Auf meinem Boot ist Dirk das Sorgenkind«, seufzte Hannes. »Auf jede seiner Wenden folgt eine Patenthalse – er kapiert es einfach nicht! Und seine Anlegemanöver habt ihr ja gesehen.«

»Vielleicht sollten wir einfach morgen mal die Boote tauschen. Ich kümmere mich um Dirk, und du machst meine Crew fit für die Prüfung.«

»Von mir aus«, sagte Hannes. Bille zog ein langes Gesicht. Ihr schien der Gedanke, ein paar Stunden von Hannes getrennt zu sein, unerträglich.

»Was macht ihr eigentlich immer so des Nachts in eurer Koje?«, erkundigte ich mich leise.

Bille seufzte tief. »Hannes schläft, ich schaue ihm

dabei zu und lutsche Fisherman's Friend, um ihn nicht mit meinem Husten zu belästigen.«

»Vielleicht solltest du dir was ausdenken, was ihn wachhält«, schlug ich vor.

»Man soll mit dem Glück nicht drängelig sein«, sagte Bille.

»Diese Regel tritt außer Kraft, wenn man das fünfundzwanzigste Lebensjahr hinter sich gelassen hat«, erwiderte ich, aber ich war mir nicht ganz sicher.

Abends, als ich neben Rebecca im Schlafsack lag, fragte ich sie, so leise ich konnte, ob sie enttäuscht sei, weil es mit ihrem Seitensprung bis jetzt nicht geklappt hatte.

»Ach«, sagte Rebecca, »ich weiß nicht. Zu Hause hatte ich irgendwie einen anderen Eindruck von Dirk. Vielleicht hab' ich ihn ja völlig falsch eingeschätzt.«

»Möglicherweise ist er nicht auf jedem Gebiet so ungeschickt wie beim Segeln«, gab ich zu bedenken.

»Möglicherweise«, wiederholte Rebecca. »Aber darum geht es ja auch nicht. Es geht um – das Abenteuer. Den Nervenkitzel. Um das Gefühl, etwas erlebt zu haben.«

»Das verstehe ich gut.«

»Ich will nicht enden wie Ursel und Heinrich«, sagte Rebecca.

Das verstand ich auch.

Unter der Dusche am nächsten Morgen entdeckte ich ein paar neue blaue Flecken. Die hatte ich Fred und seinem »Zack, zack, du lahme Sumpfschnepfe«-Gebrüll zu verdanken. Davon abgesehen war ich mit meinem

Aussehen aber hoch zufrieden. Die paar Tage bei Sonne und Wind hatten meinem blassen Stadtgesicht eine zarte Bräune, rosige Wangen und ein paar neue Sommersprossen geschenkt. Die Haare hatten jeden Schimmer von Kanadischem Ahorn verloren und fielen in goldenen Wellen auf meine Schultern. Ich schaute mein Spiegelbild voller Entzücken an.

»Findest du nicht auch, dass ich aussehe wie die Venus von Botticelli?«, fragte ich Rebecca.

»Nicht im Entferntesten«, antwortete sie, aber das tat meinem Selbstwertgefühl an diesem Morgen keinen Abbruch.

»Ich sag's euch, wegen dieser Ursel werd' ich noch zum Altweiberhasser«, knurrte Bille, die sich neben mir die Zähne putzte.

»Pssssst!«, machte ich. »Man weiß nie, ob sie nicht in einer der Toiletten herumhängt.«

»Nee, tut sie nicht«, versicherte Rebecca. »Wenn die aufs Klo geht, bedient sie ununterbrochen die Wasserspülung, damit man nicht hört, dass sie furzt wie ein Waldesel.«

Bille kicherte schadenfroh. »Die ist so unglaublich pedantisch, dass sie sich geweigert hat, aus den Gläsern zu trinken, die ich gespült habe«, erzählte sie. »Und zwar deshalb, weil ich vorher im gleichen Spülwasser die Pfanne saubergemacht habe.«

»Ja, die ist wirklich furchtbar, diese …« Ich stockte mitten im Satz. Die Toilettentür hinter uns war aufgegangen – und heraus trat der Waldesel persönlich.

»… diese Gerlinde. Eine wirklich furchtbare Person«, ergänzte ich lahm. »Ach, guten Morgen, Ursel.«

Ursel würdigte uns keines Blickes. Sie hatte jedes Wort

gehört und wusste genau, dass wir über sie und nicht über Gerlinde gelästert hatten. Sie stellte sich an ein freies Waschbecken und begann sich die Zähne zu putzen.

»Einsch will ich euch aber noch schagen«, nuschelte sie, als ihr die Zahnpasta bereits aus dem Mund schäumte. »Werdet ihr erscht mal so alt wie ich! Dann sprechen wir unsch wieder.«

Wir verstanden zwar nicht, was sie uns damit sagen wollte, aber unsere Stimmung war merklich gedämpft. Ich war nur froh, dass ich Ursels vorwurfsvollen Blicken entfliehen konnte. Bille hingegen musste den ganzen Tag mit ihr auf einem Boot ausharren.

Aber sie erholte sich als Erste von Ursels plötzlichem Auftauchen. »Wenn wir so alt sind wie das Schrapnell«, sagte sie vor der Tür, »dann kann sie höchstens noch aus dem Jenseits zu uns sprechen.«

Hannes war unbestritten ein netter Kerl, aber Stefan war eindeutig der bessere Skipper. *Er* hätte nie zugelassen, dass wir den ganzen Tag untätig an Deck herumhingen, während Rosi hinterm Steuer stand und das Boot im Zickzackkurs durch die Gegend schipperte.

»Erst mal übst du jetzt einfach nur, geradeaus zu fahren«, sagte Hannes sehr freundlich zu Rosi. »Und wenn das gut klappt, üben wir eine Wende.«

»Das kann dauern«, meinte Fred. Er streckte sich auf dem Kajütendach aus und schloss die Augen. Nach ein paar Minuten war er tief und fest eingeschlafen. Nicht mal das entnervende Piepsen seiner eigenen Weltuhr konnte ihn aufwecken.

»Auf Ibiza machen wir das ganz anders«, behauptete Rosi und fuhr weiter zickzack.

Ich dämmerte ebenfalls ein paar Sekunden weg, aber als die Weltuhr anzeigte, dass in Hongkong die Straßenlaternen ausgeschaltet wurden, schreckte ich wieder hoch. An Schlaf war bei diesem Lärm nicht zu denken.

»Ich werfe das Ding jetzt über Bord«, kündigte Rebecca an.

»So, jetzt habe ich genug geübt«, sagte Rosi zu Hannes. »Ich kann das alles doch schon. Lass doch mal die Mädchen üben, die haben's nötiger.«

»Den Kurs halten«, erwiderte Hannes. »Einfach nur geradeaus fahren.« Ich bewunderte seine Geduld und Sanftmut.

Rosi fuhr weiter zickzack. Nach einer halben Stunde wurde es uns allmählich langweilig.

»Wir müssen die Prüfung morgen auch bestehen«, versuchte Jack an Hannes' Verantwortungsbewusstsein zu appellieren. »Vielleicht sollten wir wenigstens mal wenden und halsen und das eine oder andere Mann-über-Bord-Manöver fahren.«

»Ja«, stimmte Rebecca zu. »Lassen wir Rosi ein Welt-uhr-über-Bord-Manöver fahren.«

»Erst muss sie lernen, geradeaus zu fahren, dann sehen wir weiter«, sagte Hannes. Jetzt fand ich ihn nicht mehr geduldig und sanft, sondern einfach nur noch blöd.

Rosi fuhr weiter zickzack.

Nach einer weiteren Stunde begann Rebecca, mit dem Kopf gegen die Reling zu schlagen.

»Lasst uns was singen«, schlug Jack vor und räusperte sich.

»Keinen Tropfen im Becher mehr, und der Beutel

schlaff und leer, lechzend Herz und Zunge, angetan hat's mir dein Wein, deiner Äuglein heller Schein ...«, sang er im Rhythmus des schwankenden Bootes.

»Tu mir einen Gefallen, und halt's Maul«, sagte ich.

»Ich wollte euch nur ein bisschen unterhalten.« Leicht beleidigt stellte er seinen Gesang ein.

Rosi fuhr weiter zickzack.

»Wenn nicht bald was passiert«, knurrte Rebecca, »kann ich für nichts mehr garantieren.«

Jack öffnete eine neue Bierdose – seine dritte –, nahm einen großen Schluck und schloss die Augen. »Weckt mich, falls wir doch mal eine Wende fahren sollten.«

Die Weltuhr schrillte – in Bangkok öffneten die ersten Bordelle. Doch Jack rührte sich nicht mehr. Er begann, entspannt zu schnarchen.

»Das ist der Alkohol«, konstatierte ich, und da kam mir die Idee. Ich holte die Flasche Cognac von unten – sie war immer noch halb voll – und hielt sie Rebecca unter die Nase.

»Trink, Schwesterlein«, sagte ich. »Dann schläfst auch du.«

Mit Todesverachtung leerten wir den restlichen Branntwein, während Rosi uns im Zickzackkurs immer weiter aufs offene Meer Richtung Dänemark steuerte, Fred und Jack um die Wette schnarchten und Hannes gelassen aufs Wasser blickte.

Irgendwann verschwamm der Horizont vor meinen Augen, das Piepsen der Weltuhr vermischte sich mit dem Krächzen der Möwen, die einen Fischkutter querab umkreisten. Ich glitt behutsam ins Reich der Träume. Das Letzte, was ich sah, war Rosis Gesicht über dem Steuerrad, den Cowboyhut tief in die Stirn gezogen.

Als ich erwachte, stand die Sonne schon lange nicht mehr im Zenit, mein Kopf brummte, meine Zunge fühlte sich an wie ein totes Tier.

»Bundesgrenzschutz«, hörte ich Hannes Stimme. »Sie geben uns ein Zeichen. Ey, ihr Schlafmützen. Aufwachen.«

»Ich sterbe«, krächzte Rebecca. Sie hielt sich den Kopf. Ich hätte einen Tausender darauf verwettet, dass auch ihre Zunge sich wie ein toter Maulwurf anfühlte.

Hannes schob Rosi beiseite.

»Klarmachen zum Beiliegen«, sagte er. »Die sagen, wir sollen anhalten.«

Nur Jack war in der Lage, seine Position einzunehmen.

»Ist klar«, sagte er.

»Rebecca, du übernimmst die Großschot«, befahl Hannes. »Na los! Ihr wolltet doch die ganze Zeit Action. Jetzt bekommt ihr welche.«

»Was'n los?«, fragte Rebecca.

»Da ist ein Schiff des Bundesgrenzschutzes, das will was von uns.«

»Bundesgrenzschutz?«, fragte ich. »Wo ist denn hier eine Grenze?« Wie lange hatte ich denn geschlafen?

»Die tummeln sich nicht nur an den Grenzen«, erklärte Hannes. »Die sind überall. Vielleicht ist es auch nicht der Grenzschutz, sondern die Zollfahndung. Ich kann das nicht so genau sehen.«

Fred grunzte im Schlaf.

»Die suchen sicher nach Verbrechern«, mutmaßte Rosi.

Mit einem Ruck setzte ich mich auf. Um Himmels willen – die waren hinter Stefans Drogen her! Jemand hatte ihnen einen Tipp gegeben, und jetzt wollten sie das Boot durchsuchen.

»Wir machen einen Nahezu-Aufschießer, wie beim Mann-über-Bord-Manöver«, erklärte Hannes.

Rebecca und Jack nickten.

Das Zollboot, oder was immer es war, kam näher. Es war ein kleineres Motorboot, die Besatzung an Deck uniformiert. Wahrscheinlich bewaffnet. Mein Herz setzte einen Schlag aus. Die Soldaten – oder was das für Kerle waren – würden das Boot entern, unter Deck stürmen und Stefans Paket finden. Wem gehört das?, würden sie fragen, und wenn sie es herausbekommen hatten, eine Großfahndung ansetzen. Man würde Stefan verhaften, bevor die Sonne untergegangen war. Man würde ihn in Handschellen abführen. Man würde ihm den Prozess machen. Und dann würde man ihn einsperren. Vielleicht lebenslänglich. Ich würde ihn niemals wiedersehen.

Ich sprang auf und eilte den Niedergang hinab. Das konnte ich einfach nicht zulassen. Lieber sollten sie mich ebenfalls in Handschellen abführen.

Das Paket war noch da. Stefan hatte es unter seinen Socken versteckt, gleich neben dem Nichtraucherbuch. Das Boot machte einen Schlenker, das Vorsegel rauschte auf die andere Seite. Ich hörte Hannes etwas rufen. Die Männer vom Zollboot antworteten ihm.

Sie trieben jetzt Steuerbord, ich konnte ihren Bootsrumpf durch die Fenster über der Küchenzeile sehen. Jetzt war Eile geboten. Mit wenigen Schritten war ich mit dem Paket unterm Arm in die Bugkabine gelaufen, in der Rosi und Fred nächtigten. Ich kletterte auf ihre Daunenplumeaus und hob die Deckenluke an. Einmal kräftig ausholen – und schon flog das Paket im weiten Bogen an Backbord über die Reling.

So, jetzt konnten die lange suchen!

Außer Atem kletterte ich zurück an Deck.

»In Ordnung«, rief Hannes gerade.

»Wir haben verstanden.« Das Zollboot trieb immer noch Seite an Seite mit uns. Aber noch machte niemand Anstalten, an Bord zu kommen. Im Gegenteil, man schien gerade im Begriff weiterzufahren. Ein Uniformierter tippte zum Abschied noch einmal an seine Mütze.

»Was wollten die denn?«, fragte ich.

»Uns warnen«, sagte Rebecca. »Man hat im Gebiet vor uns eine Miene aus dem Zweiten Weltkrieg gefunden. Jetzt sind sie dabei, diese zu bergen. Im Umkreis von einer Seemeile ist die Durchfahrt verboten.«

»Ach tatsächlich?« Vor Erleichterung brach mir der Schweiß aus. Dann dämmerte mir mit einem Schlag, was ich soeben getan hatte, und ich stürzte nach Backbord.

Katastrophe! Von dem Paket war weit und breit keine Spur mehr.

Ich stöhnte entsetzt auf. Oh, Teufel, was hatte ich getan? Genauso gut hätte ich einen Koffer voller Tausendmarkscheine über Bord werfen können. Wahrscheinlich hatte ich soeben Stefans Existenz vernichtet. Vielleicht steckten seine ganzen Ersparnisse in diesem Paket, vielleicht hatte er sogar einen Kredit aufgenommen, um diese Menge Kokain kaufen zu können.

Niemals, niemals im Leben würde er mir das verzeihen können – und selbst wenn, was war mit den Kunden? Den Kerlen, mit denen er den Deal hatte machen wollen? Die würden es sich nicht einfach gefallen lassen, dass das Zeug jetzt in der Ostsee trieb. Wenn die erführen, was ich getan hatte, würde mir meine Wasserpistole auch nichts mehr nutzen.

»Ist was?«, fragte Rebecca.

Ich konnte dem Paket eigentlich gleich hinterherspringen. Ich war so gut wie tot.

»Nö«, sagte ich.

_____ **Billes geheimes Tagebuch** _____

23. MAI.

Jetzt reicht's. Alles muss man sich ja nicht gefallen lassen. Ursel hat die Frechheit besessen, zu behaupten, ich sei ein typisches Einzelkind, und mir mangele es an der Fähigkeit, mich in eine soziale Gemeinschaft einzufügen. Seit ich an Bord sei, hätte sich die Stimmung erheblich verschlechtert, hat sie gesagt.

Bernie hat zwar gesagt, das wäre völliger Quatsch, die Stimmung sei vorher auch schon mies gewesen, aber mir ist trotzdem der Kragen geplatzt.

Ich hätte Ursel beinahe ins Gesicht gesagt, dass sie eine typische Mutter von Söhnen ist, eine Frau, die jedes andere weibliche Wesen in ihrer Umgebung als Konkurrenz betrachtet und Angst hat, man könne ihr die Rolle der Henne im Korb streitig machen. Um ein Haar hätte ich ihr das mal auseinandergelegt. Aber ich habe mich zurückgehalten – wir Einzelkinder haben gelernt, uns unseren Teil zu denken und um des lieben Friedens willen den Mund zu halten.

24. MAI.

HEUREKA! Heute Nacht ist ES passiert.

Und das kam so: Bevor Hannes das Licht ausgemacht hat, hat er sich noch einmal zu mir umgedreht und gesagt: Ich halte das nicht mehr aus. Ich mache neben dir kein Auge zu, und noch eine Nacht ohne Schlaf überstehe ich nicht.

Ist das nicht süüüüß? Er hat die ganze Zeit nur so getan, als schliefe er! Und ich habe genau dasselbe getan. Die Erkenntnis darüber, wie viel kostbare Zeit wir bereits verschwendet hatten, raubte uns beinahe den Atem.

Aber dann ...

B., der Beweis ist erbracht: Blonde Männer sind besser im Bett als dunkelhaarige. Muss B. unbedingt schreiben, dass es den G-Punkt doch gibt – er ist keineswegs eine Erfindung radikaler Feministinnen und Vibratorenhersteller, wie er immer behauptet hat.

Hannes hat ihn auf Anhieb gefunden. Und das sogar unter erschwerten Bedingungen. Die Koje ist ziemlich niedrig, man stößt sich den Kopf und andere Körperteile, wenn man nicht aufpasst. Und nebenan liegt Ursel, der hellhörige Waldesel. Nicht mal der Hauch eines Stöhnens darf einem über die Lippen kommen. Ehrlich gesagt, ich hatte schon bessere Bedingungen mitten im Januar bei minus zehn Grad in einem Fiat 500 mit defekter Standheizung.

Und trotz alledem war es PHANTASTISCH! Hannes ist wirklich souverän. Er fragte hinterher nicht mal, wie er denn gewesen sei.

Heinrich hat mir gerade seine Videokamera in die Hand gedrückt, damit er und Ursel auch mal gemeinsam im Bild zu sehen sind. Bernie sagte, ich müsse schon ordentlich nah ran, von weitem könne man die beiden nicht auseinanderhalten. Mit Heinrichs Kamera kein Problem. Sie ist mit einem Superzoom ausgestattet, durch den die Welt gleich ganz anders aussieht.

Filmte aus sicherem Abstand zunächst Ursels Krampfadern in Großaufnahme, widmete mich dann den Bartstoppeln auf ihrer Oberlippe. Auch Heinrichs offener Hosenstall fand ausgiebig Beachtung. Leider bekam ich die Kamera wieder abgenommen, gerade als ich einen günstigen Anstellwinkel gefunden hatte, um Ursels Achselhaarwuchs zu dokumentieren. Schade.

15

Es war nicht einfach, mit Stefan zu reden. Ich versuchte es trotzdem, als er am späten Abend allein an Deck stand und rauchte.

»Guck mal, der Mond«, sagte er, als ich mich neben ihn an die Reling stellte.

Der Mond hing wie eine halbe Zitronenscheibe über dem Meer und sah in der Tat beeindruckend aus. Um einen günstigen Einstieg zu finden, fragte ich ihn, ob er mir auch eine Zigarette geben könne. So was schafft Gemeinsamkeiten.

»Dir eine Zigarette geben?«, fragte er. In seiner Stimme schwangen Unglauben und Entsetzen.

»Ja, bitte«, sagte ich.

Stefan schüttelte den Kopf. »Kommt überhaupt nicht in Frage. Für dein Asthma ist das pures Gift.«

Ich schwieg verdutzt. Dann zuckte ich mit den Achseln.

»Du solltest wirklich mehr auf deine Gesundheit achten.«

»So wie Angela, ja?«

»Zum Beispiel«, sagte Stefan und seufzte.

»Sie kommt morgen. Freust du dich?«

Stefan warf die glimmende Kippe über die Reling.

»Was würdest du sagen, wenn ich jetzt mit nein antwortete?«

Ah, es ging doch nichts über ein im Irrealis geführtes Gespräch. »Ich würde sagen: Na so was!«

Auf dem Boot in der Box neben uns, einer großen Ketsch, ging das Licht an. Man sah einen Mann und eine Frau im nobel ausgestatteten Salon, wie sie auf roten Samtpolstern Platz nahmen.

»Und was würdest du dazu sagen, wenn ich dir sagte, dass ich Angela gar nicht liebe?«

»Ich würde dich fragen warum du dann mit ihr zusammen bist«, antwortete ich. Jetzt waren wir doch merklich von meinem ursprünglich geplanten Gesprächsthema abgekommen.

»Du würdest nicht fragen, wen ich stattdessen liebe?«

Im Salon des Bootes neben uns hatte der Mann begonnen, die Frau zu küssen. Dabei knöpfte er ihr langsam die Bluse auf.

»Doch, das wäre dann meine nächste Frage«, sagte ich.

»Und wenn ich sagen würde...« Stefan stockte. »Das gibt es ja nicht!«

Die Frau auf dem Nachbarboot stand jetzt oben ohne da. Der Anblick war in der Tat unglaublich. Wassermelonen waren winzig dagegen.

»Jack, komm mal schnell«, rief Stefan aufgeregt. »Das musst du gesehen haben. Und sag Fred, er soll die Videokamera mitbringen. Das ist bestimmt Körbchengröße H.«

Aber bevor Jack und Fred an Deck gestolpert waren, ging nebenan das Licht aus.

»Ehrlich, die waren so groß wie eure Seesäcke, Fred«, beteuerte Stefan. »Stimmt's nicht, Judith?«

Ich beschloss, das Gespräch auf einen günstigeren Zeitpunkt zu verschieben.

Der Tag der Prüfung war kaum heraufgedämmert, da weckte Marius Müller-Westernhagen uns mit seinem Gegröle auch schon wieder auf. Wir hatten Freds Herzilein-Kassette wohlweislich versteckt. Das schrille Piepsen der Wetterstation zu allen Tages- und Nachtzeiten war das Äußerste, was unsere Nerven ertragen konnten.

Ich war sogleich hellwach. Heute war nicht nur wegen der Prüfung ein wichtiger Tag. Heute war auch der Tag, an dem sich herausstellen würde, ob unsere Telefonarbeit bei Angela gefruchtet hatte. Und der Tag, an dem Stefan sich würde entscheiden müssen: Angela oder ich, das war hier die Frage. Eigentlich war es *keine* Frage, aber Angelas Chancen standen gar nicht mehr so schlecht, wenn man bedachte, dass nicht sie, sondern ich Stefans Kokain über Bord geworfen hatte. Auf der anderen Seite: Von mir musste er es nicht erfahren, wenn es nicht unbedingt nötig war. Ich fand es schon verwunderlich genug, dass er das Fehlen des Paketes noch nicht bemerkt hatte. Wenn ich er gewesen wäre, ich hätte alle zehn Minuten nachgeschaut.

Um den Prüfer mit einem tipptopp hergerichteten Boot zu beeindrucken, machten wir so gründlich klar Schiff wie nie zuvor. Wir schleppten kiloweise leere Weinflaschen zu den Altglascontainern, schrubbten das Deck mit Süßwasser ab und sorgten unter Deck für tadellose Ordnung.

Auch auf der *True Love* herrschte fieberhafte Aktivität. Die Prüfung sollte zwar mit unserem Boot gefahren werden, aber dennoch versuchte Dirk, die eingetrockneten Essensreste von der Bordwand zu kratzen, die er bei der Überfahrt von Rostock über die Reling gekotzt hatte. Gegen den Wind.

»Mir ist schon wieder todschlecht«, sagte er. »Heute Nacht hatte ich Durchfall vor lauter Aufregung. Apropos Durchfall: Sicher falle ich heute durch. Als Einziger.«

»Aber nein«, versuchte ich ihn zu trösten. »Wenn du durchfällst, dann fällt Rosi auch durch.«

»Mit wie viel müsste man den Prüfer wohl bestechen, damit er Rosi bestehen lässt?«, überlegte Fred laut.

»Keine Angst, der Prüfer ist ein ganz lieber, alter Mann mit viel Humor«, sagte Stefan. »Seit ich Segellehrer bin, hat er noch keinen durchfallen lassen.«

Jack schlug Stefan krachend auf die Schulter. »Na, Junge, heute Abend ist es dann vorbei mit deinem Strohwitwerdasein. Da kommt dein geliebtes Mäuschen, und ich räume freiwillig die Kabine und schlafe im Salon. Ist das nicht rücksichtsvoll von mir?«

»Doch«, sagte Stefan und sah zu mir herüber. Ich starrte zurück, ohne mit der Wimper zu zucken, so lange, bis er wieder wegschaute.

»Was machen wir denn, wenn sie wirklich kommt?«, fragte ich Bille leise.

»Wenn die kommt, ist sie wirklich hart gesotten.« Bille sah auf ihre Armbanduhr. »Vielleicht noch ein letzter Anruf, um auf Nummer sicher zu gehen?«

»Du oder ich?« Wir wollten gerade darum knobeln, als Ursel uns unterbrach.

»Bille? Hast *du* die Marmelade in den Kühlschrank gestellt?«

»Kann sein. Wieso?«

»Marmelade bewahrt man nicht im Kühlschrank auf«, erklärte Ursel. »Das weiß jede gute Hausfrau.«

»Dann nimm sie halt raus«, sagte Bille, aber das wollte Ursel nicht. »Du musst lernen, selber für deine Fehler geradezustehen«, sagte sie. »Hier hast du die Gelegenheit, auch mal deine sozialen Fähigkeiten unter Beweis zu stellen. Außerdem bist du heute der Smutje. Du wirst die Marmelade selber umräumen, und zwar sofort.«

»In zehn Minuten kommt der Prüfer«, rief Hannes. »Wer noch mal aufs Klo muss, sollte jetzt gehen.«

»Erst die Marmelade«, beharrte Ursel.

Bille schlurfte genervt unter Deck, ich rannte, um ein letztes Mal mit Angela zu telefonieren.

»Jugenheimer?«

»Ja, hallo, Angela, hier ist Judith. Schade, dass nur dein Anrufbeantworter da ist…«

»Hallo? Judith? Ich wollte gerade losfahren. Was gibt es denn?«

Sie wollte tatsächlich losfahren? Nach all der Mühe, die wir uns gemacht hatten? Gute Ernährung und gesunde Lebensweise hatten aus ihren Nerven Drahtseile gemacht.

»…ich wollte dir nur schnell noch was von Stefan ausrichten. Und zwar sollst du unbedingt Kondome mitbringen, und zwar welche aus der Apotheke. Mindestens eine Zehnerpackung. Aber wahrscheinlich bist du schon unterwegs. Pech für Stefan.«

Ich kicherte. »Er scheint echt unter Entzug zu stehen. Ich hoffe, wir werden von eurer Wiedersehensfeier nicht zu sehr gestört, durch die Kabinenwände hört man jeden Atemzug.«

»Hallo«, quäkte Angela empört. »Ich bin selber am Apparat.«

Ich tat, als hörte ich sie nicht. »Stefan schwärmt uns schon seit Tagen in allen Einzelheiten vor, wie genau er dich – na ja, du weißt schon. Mach dich auf ein heißes Wochenende gefasst. Und, ach ja, Stefan sagt, du sollst schwarze Unterwäsche anziehen. Nur für den Fall, dass du den Anrufbeantworter noch von unterwegs abhörst. Okay, schöne Grüße und bis dann!«

Ehe Angela noch einmal betonen konnte, dass sie nicht der Anrufbeantworter war, hatte ich aufgelegt. Wenn das jetzt nicht reichte, dann wusste ich es aber auch nicht!

Der Prüfer war ein uralter Mann, der schlecht hörte und noch schlechter sah. Er war auch nicht mehr gut zu Fuß. Fred und Heinrich mussten ihn mit vereinten Kräften an Bord hieven. »Moin, moin, ihr Matrosen«, sagte er, als er sich endlich ächzend in der Plicht niedergelassen hatte. »Wir haben uns heute hier zusammengefunden, um den, na, sach ma, den …«

»BR-Schein zu erwerben?«, fragte Rosi hilfreich.

Der Prüfer wandte ihr sein runzeliges Gesicht zu. »Ja, richtig, Matrose. Du hast bestanden.«

»Fein«, freute sich Rosi.

»Das ist ja wohl ein Witz«, sagte Fred. »Die kann überhaupt nicht segeln.«

Der Prüfer hörte es nicht. Er wandte sich an Jack: »Du bist hier der Segellehrer, Kerl? Wer von den Matrosen soll denn anfangen?«

»Der Segellehrer bin ich«, sagte Stefan. »Und wir gehen alphabetisch vor.«

Heinrich war der Erste. Er und Ursel hatten ihre Gummistiefel zur Feier des Tages auf Hochglanz geputzt und ihre Kapitänsmützen keck in die Stirn gezogen.

»Klar zum Ablegen«, rief er zackig. Man sah ihm an, wie sehr er sich darauf freute, endlich mal zu zeigen, was er konnte. Aber er hatte die Rechnung ohne den Prüfer gemacht.

Als das Boot gerade aus der Box herausgefahren war, sagte er auch schon: »Das genügt. Bestanden. Der Nächste bitte.«

»Nun«, meinte Heinrich etwas pikiert. »Ich hätte Ihnen doch gerne noch einige Manöver vorgeführt, Ursel, wirf doch mal bitte einen Fender über Bord.«

»Der Nächste bitte«, sagte der Prüfer unbeirrt. »Und an Bord nennt man die Fenster Bullaugen oder Luken, das müsstest du doch wissen, Matrose.«

»Haha«, sagte ich zu Dirk, der sich wie ein Häufchen Elend an der Reling festklammerte. »Der Mann ist mindestens hundert Jahre alt, der sieht gar nicht, was du tust. Du brauchst also keine Angst zu haben.«

»Mir ist aber trotzdem schlecht«, sagte Dirk. »Ich bin einfach kein Prüfungsmensch. Ich musste die Führerscheinprüfung zweimal wiederholen, beim Vordiplom brauchte ich sogar drei Ansätze.«

Ursel durfte immerhin so lange hinterm Steuer bleiben, bis die Segel gesetzt waren, und Bille hatte dann Gelegenheit, ein Mann-über-Bord-Manöver zu zeigen. Der Prüfer blinzelte in die Sonne und tat so, als sähe er genau, was vor sich ging.

Bille fuhr eine perfekte Q-Wende und steuerte den

treibenden Fender sicher an. Aber bevor wir ihn wieder an Bord nehmen konnten, rief der Prüfer: »Sehr gut. Bestanden, Matrose. Der Nächste.«

Ich lachte leise. »Siehst du, Dirk, der ist praktisch blind. Du musst wirklich keine Angst haben.«

Aber Dirk klammerte sich an der Reling fest und schüttelte den Kopf. »Hab' ich aber. Sicher werde ich wieder alles vermasseln.«

»Du bist dran, Dirk«, sagte Stefan.

»Ich? Kann nicht erst mal ein anderer?«

»Nein. Jetzt komm schon.«

Zitternd stellte Dirk sich hinters Steuer.

»Ist doch ein herrlicher Tag, Matrose«, sagte der Prüfer zu ihm.

»Ja, ja«, stotterte Dirk. Das Boot drehte sich langsam zum Wind. Stefan korrigierte den Kurs mit einer unauffälligen Handbewegung am Steuerrad.

»Matrose, sing ein Lied«, verlangte der Prüfer.

»Ich?« Dirk sah ehrlich erstaunt aus. Wieder brach das Boot seitlich aus.

Stefan korrigierte erneut den Kurs und stieß Dirk in die Rippen. »Nun sing schon!«

Dirk suchte einen Augenblick nach einem passenden Beitrag. »Ich armes welsches Teufli«, sang er dann. Er sang nicht mal schlecht, das schien der Prüfer auch zu finden.

»Bestanden«, sagte er. »Der Nächste bitte.«

Zur Feier des Tages – alle hatten die Prüfung bestanden – gab es Champagner. Rosi zauberte sechs Flaschen aus dem Kühlschrank hervor.

»Ich freue mich ja so«, sagte Rosi. »Vor allem für euch Anfänger. Und ganz besonders für Dirk.«

»Ich freue mich ebenfalls«, sagte Dirk. Ihm war sichtlich ein Stein vom Herzen gefallen.

»Du altes Suppenhuhn«, sagte Fred zu Rosi. »Bei jedem anderen Prüfer hätte ich zigtausend Mark auf den Tisch blättern müssen, damit du diesen Wisch bekommst!«

»Eines Tages, Fred«, sagte Rosi. »Eines Tages wachst du morgens auf und bist tot.«

Stefan hob das Champagnerglas und hielt eine kleine Rede. »Es war ein sehr netter Ausbildungstörn, ich hatte lange nicht mehr eine so tolle Mannschaft. Und auch die Versorgung war erstklassig. Ich hoffe, die verbleibenden drei Tage werdet ihr noch so richtig genießen können.«

»Ich hoffe, du auch«, sagte Jack. »Oder meinst du, wenn Angela erst mal da ist, ist es mit dem Spaß vorbei?«

»Angela wird nicht so lange bleiben«, sagte Stefan. »Wahrscheinlich fährt sie heute Abend wieder ab.«

»Wahrscheinlich kommt sie gar nicht erst«, murmelte Rebecca, aber ihre Worte gingen im allgemeinen Tumult unter.

»Wieso sollte sie gleich wieder abfahren?«, wollte Ursel wissen. »Das sind immerhin sechs Stunden Fahrt.«

»Wie ich Angela kenne, sogar acht«, murmelte Bille. »Sie fährt sicher nicht über hundert. Aus Prinzip.«

»Angela wird nicht bleiben *wollen*, wenn ich mit ihr geredet habe«, sprach Stefan in Rätseln und sah dabei mich an.

»Aber ihr seid doch so ein nettes Paar«, rief Rosi aus.

Ich warf ihr einen erstaunten Blick zu. Von wegen nettes Paar. Da hatte sie mir aber was ganz anderes gesagt.

»Ja, aber nicht mehr lange«, sagte Stefan und hob das Champagnerglas. »Auf euch!«

»Auf uns!«, riefen wir.

Sechs Flaschen Champagner sind schnell geleert, wenn man zu zwölft ist und gerade eine Prüfung bestanden hat. Ziemlich früh am Nachmittag mussten wir daher auf andere alkoholische Getränke umsteigen. Vor allem Rosis Vorrat erwies sich hier als nahezu unerschöpflich. Als die Sonne schließlich am Horizont versank, waren wir alle blau wie die Strandhaubitzen.

»Wo bleibt denn deine Angela?«, fragte Jack.

»Keine Ahnung«, sagte Stefan. »Vielleicht ist sie ja noch langsamer gefahren als gewöhnlich.«

»Vielleicht kommt sie aber auch gar nicht«, gab Bille zu bedenken. »Vielleicht hat sie dich abgeschossen, bevor du es tun kannst!«

»Mich hat noch nie eine Frau abgeschossen«, sagte Stefan.

»Es gibt für alles ein erstes Mal«, meinte Rebecca. »Vielleicht rufst du besser mal bei ihr an?«

»Zwecklos«, sagte Stefan. »Sie ist unterwegs. Eigentlich bin ich ziemlich gemein. Hätte ich gestern angerufen, hätte ich ihr viele Tränen erspart.«

»Und warum hast du nicht?«, fragte ich.

»Ich finde, so was muss man persönlich sagen«, sagte Stefan.

Endlich war auch Rosis Weinvorrat erschöpft. Wir beschlossen, alle zusammen in den Pub zu gehen, in dem wir damals Kurts Bekanntschaft gemacht hatten. Das heißt, alle gingen nicht mit. Ursel und Heinrich verzogen sich in ihre Kojen. Sie sagten, der Schlaf vor Mitternacht sei für den Organismus unverzichtbar.

Im Pub trank ich zwei Drinks mit dem Namen Mai Tai, und danach wusste ich eine Viertelstunde nicht mehr, wie ich hieß.

Bernie war noch schlechter dran als ich. Er torkelte durch den Raum, haute wildfremden Menschen auf die Schulter und brüllte: »Herrenmoden Müller, modisch nichts als Knüller.«

Es war nach zwei Uhr, als uns der Wirt Hausverbot erteilte.

»Macht nichts«, sagte Stefan. »Ab morgen sind wir sowieso in Dänemark.«

Mehr oder weniger wackelig machten wir uns auf den Heimweg. Rosi, Jack und Fred halfen sich gegenseitig an Bord, Hannes und Bille verschwanden glückstrahlend im Bauch der *True Love*, und Bernie stolperte hinterher.

»Rücksicht ist wohl ein Fremdwort für euch«, hörten wir Ursel ausrufen.

»Sind jetzt alle wohlbehalten in ihrer Koje?«, wollte Stefan wissen.

»Ja, bis auf mich, Dirk und Rebecca«, sagte ich. »Und Angela natürlich.«

Dirk hatte sich bei Rebecca eingehängt und starrte zum Mond hinauf. Er war beinahe voll – der Mond meine ich. »Ich will noch nicht schlafen«, erklärte Dirk. »Kommst du mit mir zum Strand hinunter, Rebecca? Wir setzen uns in einen Strandkorb und schauen uns die Sterne an.«

»Au ja«, meinte Rebecca und legte im Fortgehen den Kopf an Dirks Schulter.

Ich sah ihnen seufzend nach. Dass das noch passieren musste!

»Und wir?«, fragte Stefan. »Von wo aus gucken wir die Sterne an?«

Inzwischen wusste ich wieder, wie ich hieß, die frische Luft hatte mich einigermaßen ernüchtert. »Bevor wir irgendwas machen, rufst du bei Angela an«, sagte ich mit einem Anflug von Vernunft. Ich zog Stefan in Richtung Telefonzellen. »Du kannst doch nicht ernstlich glauben, dass sie noch unterwegs ist.«

»Doch«, sagte Stefan.

»Um so schlimmer«, fand ich. »Dann müsstest du dich jetzt nämlich sorgen, weil sie immer noch nicht hier ist.«

Ich schubste ihn in eine Telefonzelle und schloss die Tür hinter ihm. Stefan machte sie wieder auf.

»Warte mal«, sagte er. »Ich hab' ja nicht mal ihre Nummer.«

»41 28 90«, erwiderte ich. »Und beeil dich.«

Stefan wählte. Ich spielte derweil Hüpfekästchen auf dem Bürgersteig und versuchte mir vorzustellen, was Angela ihm wohl an den Kopf schmeißen würde. Nach ein paar Minuten kam er wieder heraus. Er machte einen leicht überrumpelten Eindruck, aber er wirkte nicht unglücklich.

»Angela kommt nicht.«

»Ach nee!«

»Sie hat mich abgeschossen«, sagte Stefan. »Das muss man sich mal vorstellen. Ehe ich auch nur irgendwas sagen konnte, hat sie einfach aufgelegt. Aber vorher hat sie noch gesagt, ich sei der widerwärtigste, unbelehrbarste und chauvinistischste Fleischfresser, den sie jemals kennengelernt habe.«

Ich musste lachen. »Rosi hat sowieso nie verstanden, was du an der gefunden hast. Aber mir kannst du es ja verraten. War es ihre Frisur?«

»Das ist etwas komplizierter. Ich würde es dir gerne in Ruhe erklären«, erwiderte Stefan. »Gehen wir Sterne angucken?«

»Ja. Ich brauche nur einen Pullover. Mir ist kalt.«

Da Stefan selber nur im Hemd war, gingen wir noch einmal zu unserem Boot zurück. Es war totenstill.

»Die schlafen den Schlaf der Gerechten«, sagte Stefan.

Aber er hatte unrecht.

Unter Deck wartete Rosi auf uns.

»Guckt mal«, sagte sie mit seltsam belegter Stimme. »Das Schicksal hat uns einen Besuch abgestattet.« Sie saß auf der Bank vor Freds Wetterstation und der Welt-uhr und hielt Mos Wasserpistole in der Hand. Das verdammte Ding musste mir beim Anziehen aus der Tasche gefallen sein.

Stefan machte einen Schritt rückwärts. »Um Himmels willen«, sagte er.

»Ich hab' mir das Schicksal immer als ein leichtfüßiges Tier vorgestellt«, sagte Rosi und drehte die Pistole gedankenverloren in der Hand. »Wie eine große Raubkatze. Es lauert dort hinten in der Ecke und wartet, was passiert. Könnt ihr es nicht sehen?«

»Rosi, ich weiß nicht, wo du das Ding herhast«, sagte Stefan mit leisem Zittern in der Stimme. »Aber du legst es jetzt auf der Stelle aus der Hand. Das ist kein Spiel.«

»Nein«, stimmte ihm Rosi zu und packte die Pistole ganz fachmännisch um den Knauf. »Das ist kein Spiel. Das Schicksal spielt keine Spiele.«

Auf einmal hatte ich schreckliches Mitleid mit unserem Kielschwein, wie es dort saß, die Schultern nach vorne hängen ließ und uns aus blutunterlaufenen Augen anstarrte. Es war meine Schuld – warum hatte ich die blöde Pistole auch hier liegengelassen!

»Komm schon, Rosi«, sagte ich und ging auf sie zu. »Es ist Zeit, ins Bett zu gehen.«

Aber da kehrte das Leben in Rosi zurück.

»Keine Bewegung!«, schrie sie und sprang für ihre Verhältnisse erstaunlich behende auf die Bank. »Komm nicht näher, oder ich sehe mich gezwungen, auf dich zu schießen.«

»Lass den Quatsch, Rosi!«, sagte ich und wollte ihr die Pistole aus der Hand reißen. Aber Rosi war schneller.

Sie sprang von der Bank auf den Tisch und zielte mit dem Lauf auf meine Brust.

»Keinen Schritt näher«, sagte sie. »Ich mag dich, Mädchen, aber die Pistole lass ich mir nicht wegnehmen. Glaubst du, dem Schicksal ist sie aus Versehen aus der Tasche gefallen? Glaubst du das? Nein, Mädchen, das Schicksal kennt kein Versehen.« Sie wischte sich mit der freien Hand über die Stirn. »Fred? Fred! Komm da raus, du alter Schnarchsack.«

Die Pistole war natürlich mir aus der Tasche gefallen, nicht dem Schicksal, aber in diesem Augenblick konnte ich mich des Gefühls nicht erwehren, dass das Schicksal tatsächlich in einer Ecke kauerte und uns mit grausamen Raubtieraugen zuschaute. Es war höchste Zeit, dieser absurden Situation ein Ende zu bereiten.

Auch auf die Gefahr hin, nass zu werden, wollte ich hervorschnellen, um Rosi die Pistole aus der Hand zu reißen. Aber Stefan umfasste mich von hinten mit beiden Armen und zerrte mich zurück zur Treppe.

»Das ist nicht der richtige Augenblick, Mut zu beweisen«, zischte er mir ins Ohr. »Sie kann dich erschießen. Sie weiß nicht, was sie tut. Sie ist völlig von Sinnen.«

»Ach Blödsinn«, sagte ich, aber Stefan hielt mich weiter an sich gepresst. Seine Arme waren wie Schraubstöcke.

»Rosi, bitte leg die Pistole weg«, sagte er sanft. »Bitte.«

Aber Rosi dachte nicht daran.

»Fred! Komm raus! Du hast ein Rendezvous mit dem Schicksal!«, schrie sie.

Die Kabinentür öffnete sich, und Fred steckte sein schlaftrunkenes Gesicht in den Salon. »Was ist denn, Rosi? Bist du wieder mal besoffen?«

»Raus da!«

Fred blinzelte ins Licht. Er trug einen weinroten Seidenpyjama mit eingesticktem Monogramm und sah sehr schmächtig und klein aus. Seine Miene war mieslaunig wie immer. Erst als er vor dem Tisch stand, veränderte sie sich abrupt. Jetzt sah er so verblüfft aus, dass ich beinahe laut gelacht hätte.

»Was zum Teufel …«, stammelte er.

»Rosi«, sagte Stefan. Es klang verzweifelt.

»Bleibt, wo ihr seid, und rührt euch nicht von der Stelle«, befahl Rosi. »Dann passiert euch auch nichts. Das ist eine Sache zwischen Fred und mir.«

»Was soll das?«, stotterte Fred. »Wo hast du die Waffe her?«

»Das Schicksal«, sagte Rosi. »Das Schicksal hat sie mir in die Hand gedrückt, und jetzt flüstert es in mein Ohr: Erschieß den Scheißkerl. Erschieß ihn!«

»Du weißt ja nicht, was du tust«, rief Fred. »Du gehörst doch in eine geschlossene Anstalt.«

»Ja, aber vorher bringe ich dich unter die Erde«, entgegnete Rosi.

Ich machte einen erneuten Versuch, mich von Stefan loszumachen, aber er hielt mich fest an sich gepresst.

»Mach keinen Unsinn«, flüsterte er. »Rühr dich nicht.«

»Aber«, begann ich. Dann verstummte ich. Was soll's?, dachte ich. Wenn ich Rosi die Pistole wegnehme, dann erschlägt sie Fred womöglich mit der Pfanne. Außerdem genoss ich es, Stefan so nahe zu sein.

»Ihr seid ja noch wach«, sagte eine Stimme von oben. Es war Rebecca.

»Bleib, wo du bist«, sagte Stefan warnend. »Lauf und hol Hilfe. Rosi hat eine Pistole.«

»Ja, renn!«, schrie Fred. »Sie sollen den Bundesgrenzschutz verständigen!«

»Fred, Fred, Fred! Das ist typisch für dich. Du glaubst tatsächlich, deinetwegen würde der Bundesgrenzschutz hier angerobbt kommen. Bis irgendjemand kommt, ist es aber längst zu spät«, sagte Rosi und hielt die Pistole weiterhin gezückt. »Dann weilst du nicht mehr unter den Lebenden. Es sei denn, ich treffe dich nicht an der richtigen Stelle.«

Rebecca kam, Stefans Warnung missachtend, die Treppe herab. Sie sah müde aus, aber ich konnte keine Spuren von Derangiertheit an ihr feststellen. Sogar ihr Lippenstift haftete noch perfekt. Besonders wild konnte es im Strandkorb nicht hergegangen sein.

Ihr Blick glitt ziemlich gleichgültig über Rosi, Fred und die Pistole hinweg, dann blieb er an mir hängen.

»Um deinen Fragen zuvorzukommen: Nein, ich habe es nicht getan. Ich wollte nicht. In diesen zwei Wochen habe ich unheimlich viel gelernt.«

Sie machte eine kleine Pause, in der mir Tränen der Rührung in die Augen stiegen.

»Ich brauche kein Abenteuer mehr«, sagte sie dann. »Ich liebe meinen Mann.«

»Das ist eine wunderbare Erkenntnis«, seufzte ich. »Es ist doch letztendlich so, dass sich die meisten Abenteuer ohnehin nur in unseren Köpfen abspielen.«

»Seid ihr bescheuert?«, schrie uns Fred an. »Was faselt ihr da von Abenteuern? Seht ihr nicht, dass das hysterische Suppenhuhn eine Pistole auf mich gerichtet hat und bereit ist, abzudrücken? Warum tut denn keiner was?«

»Weil ich sie dann auch kaltmache«, erklärte Rosi mit frostiger Stimme. »Kapier's doch. Diesmal sitze ich am längeren Hebel, Fred.«

»Rosi, bitte leg dieses Ding weg«, versuchte es Stefan noch einmal. »Denk doch an die Konsequenzen.«

»Ich weiß genau, was ich tue. Ich mache dem Elend ein Ende. Ja, ihr Mädchen, schaut genau hin. Das kann aus einer werden, wenn sie einen Mann heiratet, der sie nicht liebt. Der sie nie geliebt hat! Der sie beschimpft, kleinmacht, erniedrigt, der ihr nicht einen Funken Respekt entgegenbringt. Ihr habt ihn miterlebt – was würdet ihr an meiner Stelle tun?«

»Abdrücken«, sagte Rebecca.

»Was?«, schrie Fred.

»Bist du wahnsinnig?«, flüsterte Stefan. »Sie ist imstande und tut es!«

»Abdrücken«, wiederholte Rosi nachdenklich und nahm die Pistole etwas höher.

Rebecca gähnte ausgiebig. »Jaaaah. Ich würde auf seinen Kopf zielen.«

»Hörst du es, du Unhold. Sie sagt auch, ich soll es tun«, sagte Rosi zu Fred. »Sie alle meinen, dass du es verdient hast. Für alles, was du mir angetan hast. Sag der Welt adieu! Sag ein paar passende letzte Worte, bevor es dunkel um dich wird!«

»Tu's nicht«, flehte Stefan. »Rosi, du machst dich nur unglücklich.«

»Bleib du nur in deiner Ecke«, befahl Rosi. »Ich will Fred erschießen, euch werde ich kein Haar krümmen. Vorausgesetzt, ihr muckt euch nicht.«

»Du bist ein verrücktes Suppenhuhn«, sagte Fred resigniert. »Du bist fett, du bist dämlich, du bist die größte Saufnase unter der Sonne, und ja, ich behandle dich auch wirklich mies. Aber eins stimmt nicht.«

»Und das wäre?«, fragte Rosi.

»Dass ich dich nie geliebt habe«, erwiderte Fred leise. »Das ist nicht wahr.«

»Erzählen kannst du viel«, entgegnete Rosi. »Jetzt, wo es mit dir vorbei ist. Du hast mir das letzte Mal gesagt, dass ich dämlich und fett bin.«

Die Weltuhr piepste. Das Schicksal rollte bedrohlich die gelben Raubtieraugen. Fred stieß ein heiseres Lachen hervor. »Das ist dein Problem, Rosi, du glaubst nämlich, man könnte dich gar nicht lieben. Und ob ich dich liebe oder nicht, ist dir doch scheißegal.«

Die Hand mit der Pistole zitterte. »Ist es nicht«, sagte Rosi.

»Ist es doch«, erwiderte Fred.

Über Rosis Wange kullerte eine Träne.

»Fred«, schniefte sie. »Du bist ein Arschloch.«

»Ja. Aber ich liebe dich«, sagte Fred. »Ehrlich.«

Das Schicksal hielt den Atem an. Wir auch.

Rosi ließ langsam die Waffe sinken. Stefan nutzte die Gunst der Sekunde, ließ mich los, machte einen Ausfallschritt und raffte die Pistole aus Rosis Hand. Der Schweiß stand ihm auf der Stirn, als er einen tiefen Seufzer der Erleichterung ausstieß.

»Komm, mein Suppenhuhn«, sagte Fred und streckte Rosi beide Hände hin. »Komm ins Bett.«

Rosi kletterte mühsam vom Tisch herab. Fred legte beide Arme um sie. »Komm, Rosi, wir gehen schlafen«, sagte er beinahe zärtlich.

Als die Kabinentür hinter ihnen ins Schloss gefallen war, sah ich Tränen in Rebeccas Augen glitzern. Um ihre Rührung zu verbergen, gähnte sie laut.

Ich nahm Stefan die Pistole aus der Hand, setzte sie an meine Schläfe.

»Und mich liebt keiner«, sagte ich mit ersterbender Stimme.

»Stimmt nicht«, schrie Stefan und warf sich auf mich. Aber es war zu spät. Ich hatte bereits abgedrückt.

Das Wasser rann mir die Schläfe herab.

Stefan schien einer Ohnmacht nahe. Rebecca und ich brachen in hemmungsloses Gelächter aus, während er sich mit aschfahlem Gesicht auf die Bank fallen ließ.

»Ich verstehe das nicht«, stammelte er.

»Es ist die Wasserpistole unseres kleinen Bruders«, erklärte Rebecca ihm bereitwillig. »Was für ein Tag. Ich geh' jetzt in die Falle. Wo ist eigentlich Jack?«

»Liegt im Bett und schläft wie ein Baby«, sagte ich. »Der wird sich schön ärgern, wenn wir ihm erzählen, was er alles verpasst hat.«

»Mein Magen«, ächzte Stefan. »Ich kann nicht glauben, was ich gerade erlebt habe. Ich dachte, gleich pfeift uns eine Kugel um die Ohren. O Gott, ich hab' mir vor Angst beinahe in die Hosen gepinkelt!«

»Ich fand dich ziemlich cool«, sagte ich. »Jedenfalls dafür, dass du nicht wusstest, dass es sich um eine Wasserpistole handelte!«

Stefan sah mich wütend an. »Wenn ich jetzt einen Tag flachliege, dann ist das ganz allein deine Schuld! Mein Magen spielt völlig verrückt. Ich brauche mein Magenmittel. Und wenn ich das genommen habe, haben wir noch was zu bereden.«

»Wie romantisch«, sagte Rebecca und zwinkerte mir zu. »Na, dann gute Nacht – oder was noch davon übrig ist.«

Sie verschwand in unserer Kabine, Stefan in seiner. Ich hörte ihn dort herumkramen und leise fluchen. Schließlich kam er wieder heraus.

»Ich kann's nicht finden«, sagte er. »Ich kann das verdammte Pulver nicht finden.«

Mir schwante nichts Gutes. »Magenmittel, sagst du?«

Stefan nickte. »Es ist verschwunden. Dabei weiß ich genau, dass ich's hatte. Jede Menge Tütchen, in braunes Packpapier gewickelt. Für alle Fälle.«

»Dass du so was selber konsumierst, hätte ich nicht gedacht«, sagte ich. Nun ja, sein sogenanntes Magenmittel sorgte vermutlich gerade für wilde Partys bei den Ostseefischen. Früher oder später musste er es erfahren.

»Braunes Packpapier?«, wiederholte ich. »Kleine Tütchen mit Pulver?«

Stefan nickte. »Man rührt es in lauwarmes Wasser. Im Magen bildet es eine Art Schutzfilm. Eigentlich hätte ich es vorbeugend einnehmen sollen, täglich.«

Was für eine Story – gar nicht mal schlecht. Aber letzten Endes an den Haaren herbeigeholt.

»Das glaube ich dir nicht«, sagte ich. »Man packt harmlose Medikamente doch nicht in Packpapier und versteckt sie im Schrank.«

Stefan hob die Augenbrauen. »Muss ja nicht gleich jeder sehen, dass ich einen empfindlichen Magen habe. Woher weißt du, wo ich es versteckt hatte?«

Jetzt war es also so weit. Die große Aussprache stand unmittelbar bevor. Leider war ich nicht annähernd so cool, wie ich es mir gewünscht hätte. Mir wurde abwechselnd heiß und kalt, meine Knie zitterten. Darüber ärgerte ich mich. Das war doch wohl verrückt, am Ende hatte ich wegen dieser Sache tatsächlich ein schlechtes Gewissen. Nein, so weit durfte es nicht kommen. Der Verbrecher war immer noch *er*.

»Ich hab's ins Meer geschmissen«, sagte ich tapfer und sah Stefan in die Augen. Es war mir, als flackerte sein Blick hinter der Brille unsicher. »Ich wollte es dir die ganze Zeit sagen, aber ich hab' mich nicht getraut. Ich dachte, das Zollschiff würde das Boot durchsuchen. Dann hätten sie das Paket gefunden, und du säßest jetzt im Gefängnis.«

Stefan tat, als verstünde er kein Wort. »Hast du gerade gesagt, du hast mein Magenpulver ins Meer geworfen?«

Ich zuckte die Schultern. »Wenn du es denn Magenpulver nennen willst.«

»Wie sonst?«

»Was weiß denn ich! Bin ich hier der Fachmann oder du?« Für dumm verkaufen ließ ich mich nicht.

Stefan packte mich an den Schultern und schüttelte mich sachte. »Jetzt mal ganz von vorne. Warum hast du mein Magenpulver ins Meer geworfen?«

»Weil ich nicht wollte, dass du im Gefängnis landest«, erwiderte ich und spürte, wie ich errötete. Dieser Satz kam praktisch einer Liebeserklärung gleich.

Stefan packte mich fester. »Was redest du da?«

»Au!« Jetzt bekam ich es mit der Angst zu tun. »Ich weiß, du bist ruiniert«, sagte ich hastig. »Aber du könntest deinen Wagen verkaufen, vielleicht könnte ich dir sogar was dazugeben. Und dann könntest du ein ganz neues Leben anfangen...« Ich verstummte.

Stefan nahm die Brille ab.

»Du bist wirklich so verdreht, wie Angela gesagt hat«, murmelte er, während er die Brillengläser an seinem Pullover sauber rieb. »Aber was soll's. Ich liebe dich.«

Ich war sprachlos. Ich starrte nur in seine Augen und die goldenen Lichter, die darin funkelten.

»Oh, wie romantisch«, sagte Rebecca an meiner Stelle durch die Kabinentür.

»Aber ich habe dir doch deinen Deal vermasselt«, stammelte ich.

Stefan legte seine Brille hinter sich auf den Tisch. »Judith, ich habe dir gerade eine Liebeserklärung gemacht.«

»Und ich habe dir gerade gesagt, dass ich das ganze Kokain ins Wasser geworfen habe.«

»Kokain?«, wiederholte Stefan.

Hinter der Kabinentür hörte man Rebecca kichern.

»Kein Kokain?«, fragte ich. »Was war es dann? Heroin? Grüner Afghane? Ich kenne mich da nicht so aus.«

»Was redest du denn da?«, fragte Stefan milde. Er nahm mein Gesicht zwischen seine Hände und küsste mich auf den Mund. Augenblicklich stellte sich jenes heftige Ziehen in meiner Magengegend ein, das ich sonst nur hatte, wenn ich einen Film mit Keanu Reaves ansah.

Der Kuss schmeckte nach Fisherman's Friend und mehr. Viel mehr.

Aber bevor ich Stefan auf den Weg in die Hölle begleitete, mussten alle Missverständnisse aus dem Weg geräumt werden. Ich stemmte meine Handflächen gegen seine Brust.

»Es hat keinen Zweck«, sagte ich. »Ich weiß alles. Ich habe dich und Mick beobachtet, als du ihm das Zeug übergeben hast.« Zum Beweis friemelte ich den Joint aus meiner Jeanstasche, den ich seit damals verwahrt hatte, und hielt ihn Stefan unter die Nase. »Siehst du? Den hat Mick mir gegeben.«

»Das sieht ihm ähnlich«, sagte Stefan. »Der kleine Scheißer raucht das Zeug überall, völlig schamlos. Er hatte bei der Segelstunde mindestens ein halbes Pfund davon einfach liegengelassen. Ich habe es ihm zurückgegeben, aber ihm gleichzeitig gesagt, dass ich nicht will, dass er in meinen Kurs kommt. Solche Typen machen nur Ärger.«

»Dann hatte er das Zeug gar nicht von dir?«

»Gott bewahre!«, rief Stefan. »Wo ich doch schon verzweifelt versuche, mir das Rauchen abzugewöhnen.«

»Heißt das, ich habe tatsächlich dein Magenpulver über Bord geschmissen?«

»Jetzt hast du's endlich gerafft«, sagte Rebecca aus unserer Kabine. »Leute, es ist drei Uhr durch. Kommt jetzt langsam mal zu einem Ende.«

Aber den Gefallen taten wir ihr nicht. Für uns hatte die Nacht gerade erst angefangen.

Nachwort

Bedanken möchte ich mich an dieser Stelle bei meiner lieben Schwester Heidi Culmann, die mir auch diesmal wieder mit Witz beziehungsweise der ihr eigenen Gewitztheit zur Seite stand, bei Gisela Kullowatz für die kesse Meerjungfrau auf dem Umschlag sowie bei meiner Lektorin Monika Zabeck für die freundschaftliche Zusammenarbeit, die mit ›Männer und andere Katastrophen‹ ihren Anfang nahm.

Ferner möchte ich explizit darauf hinweisen, dass ich den Namen *Morgenschweis* nicht erfunden habe, wie man mir mehrfach unterstellt hat. Sehen Sie mal in Ihrem Telefonbuch nach, wenn Sie's nicht glauben.

Handlung und Charaktere sind dagegen pure Erfindung – von ein paar Ausnahmen abgesehen.

Nicht vorenthalten möchte ich Ihnen zum Schluss noch einige Titelvorschläge, die aus unterschiedlichen Gründen abgelehnt wurden. Als besonders geschmacklos bezeichnete man: ›Guck mal, wer da kotzt‹, ›Flossen weg von meinen Gräten‹ und frei nach den Gebrüdern Grimm ›Fischlein, leck mich‹.

Der Titel »Fisherman's Friend in meiner Koje« ist eine Erfindung meiner Schwester und bedurfte der freundlichen Genehmigung des Exporthauses Wilms, das die gleichnamigen wohlschmeckenden Rachenputzer vertreibt. An dieser Stelle der Firma meinen herzlichen Dank.

Kerstin Gier, November 1997

Die streng geheime Mütter-Mafia
schlägt zurück ... Ein Angriff auf Ihre
Lachmuskulatur!

Kerstin Gier
DIE PATIN
Roman
320 Seiten
ISBN 978-3-404-15462-3

Wer sagt denn, dass der Pate immer alt, übergewichtig und
männlich sein und mit heiserer Stimme sprechen muss? Nichts
gegen Marlon Brando, aber warum sollte der Job nicht auch mal
von einer Frau gemacht werden? Einer Blondine. Mit langen
Beinen. Gestählt durch die Erziehung einer pubertierenden
Tochter und eines vierjährigen Sohnes. Und wahnsinnig verliebt
in Anton, den bestaussehenden Anwalt der Stadt. Constanze ist
»die Patin« der streng geheimen Mütter-Mafia. Gegen intrigante
Super-Mamis, fremdgehende Ehemänner und bösartige Sorge-
rechtsschmarotzer kommen die Waffen der Frauen zum Einsatz.

Bastei Lübbe Taschenbuch

Was wäre, wenn Ihre Familie, Freunde und Bekannte wüssten, was Sie wirklich über sie denken …

Kerstin Gier
FÜR JEDE LÖSUNG EIN
PROBLEM
Roman
304 Seiten
ISBN 978-3-404-15614-6

Gerri schreibt Abschiedsbriefe an alle, die sie kennt, und sie geht nicht gerade zimperlich mit der Wahrheit um. Nur dummerweise klappt es dann nicht mit den Schlaftabletten und dem Wodka – und Gerris Leben wird von einem Tag auf den anderen so richtig spannend. Denn es ist so eine Sache, mit seinen Mitmenschen klarzukommen, wenn sie wissen, was man wirklich von ihnen hält!

Eine Lach-Therapie für alle Schwarzseher!

Bastei Lübbe Taschenbuch